吉川英治歴史時代文庫 35

三国志（三）

講談社

目次

三国志
（三）

草莽の巻（つづき）

増長冠

一

下邳は徐州から東方の山地で、寄手第六軍の大将韓暹は、ここから徐州へ通じる道を抑え、司令部を山中の嘯松寺において、総攻撃の日を待っている。

もちろん、街道の交通は止まっている。野にも部落にも兵が満ちていた。

——けれど陳大夫は平然と通って行った。

白い羊を引いて。

そして、疎髯を風になびかせながら行く。

「なんだろ、あの爺は」と、指さしても、咎める兵はなかった。

咎めるには、あまりに平和なすがたである。戦場のなかを歩いていながら少しも危険を意識していない。そういうものにはつい警戒の眼を怠る。

「もうほど近いな」

陳大夫は、山にかかると、時折、岩に腰かけた。この山には、清水がない。羊の乳を器にしぼって、わずかに渇と飢えをしのいだ。

時は、真夏である。

満山、蟬の声だった。岩間岩間に松が多い。やがて、嘯松寺の塔が仰がれた。

「おやじ。どこへ行く」

中軍の門ではさすがに咎められた。陳大夫は、羊を指さしていった。

「韓将軍へ、献上に来たのです」

「村の者か、おまえは」

「いいや、徐州の者だよ」

「なに、徐州から来たと」

「陳珪という老爺が、羊をたずさえて訪ねてきたと、将軍に取次いでもらいたい」

陳珪と聞いて、門衛の部将は驚いた。呂布の城下に住み、徐州の客将だ。しかも先頃、曹操の推薦で朝廷から老後の扶養として禄二千石をうけたという。なにしろ名のある老人だ。

より驚いたのは、取次からそれを聞いた大将の韓暹である。

「何はともあれ会ってみよう」と、堂に迎え、慇懃にもてなした。

「これは、ほんの手土産で」と、陳大夫は、韓暹の家来に羊を渡し、世間ばなしなどし始めた。何の用事で来たかわからない。

そのうち日が暮れると、

「今夜は月がよいらしい。室内はむし暑いから、ひとつあの松の木の下で、貴公と二人きりで、心のまま話したいものだが」と、陳大夫は望んだ。

松下に莚をのべて、その夜韓暹と彼は、人を避けて語った。聴くものは、梢の月だけだった。

「老人は呂布の客将。いったい何の用で、敵のそれがしを、突然訪ねてこられたか」

韓暹が、そう口を切ると、老人は初めて態度を正した。

「何をいわるるか。わしは呂布の臣ではない。朝廷の臣下である。徐州の地に住んでいるからよく人はそういうが、徐州も王土ではないか」

それから老人は急に雄弁になりだした。諸州の英雄をあげ、時局を談じ、また風雲の帰するところを指して、

「尊公の如きは、実に惜しいものである」と、嘆いた。

「ご老体。何故、そのように此方のためにお嘆きあるか。願わくは教え給え」

「されば、それを告げんがために、わざわざ参ったことゆえ、申さずにはおられん。――思い給え、尊公はかつて、天子が長安から還幸の途次、御輦を護って、忠勤を励んだ清徳な国士ではなかったか。しかるに今日、偽帝袁術をたすけ、不忠不義の名を求めんとしておる。――しかも偽帝の運命のごときは、尊公一代のうちにも滅亡崩壊するに

きまっている。一年か二年の衣食のため、君は生涯の運命を売り、万世までの悪名を辞さない気でおられるのか。もしそうだとしたら、君のために嘆く者は、ひとりこの老人のみではあるまい」

二

陳大夫は次に、呂布の書簡を取出して、

「以上、申しあげた儀は、それがしの一存のみでなく、呂布の意中でもあること。仔細はこの書面に――」と、披見を促した。

韓暹は始終、沈湎と聞いていたが、呂布の書簡をひらいて遂に肚を決めたらしく、

「いや、実を申せば、自分も常々、袁術の増長ぶりには、あいそも尽き、漢室に帰参したいものと考えていたものの、何せん、よい手蔓もなかったので――」と、本心を吐いた。

ここまでくれば、もう掌上の小鳥。陳大夫は心にほくそ笑みながら、

「第七軍の楊奉と尊公とは、常から深いお交わりであろうが。――楊将軍を誘って、共に合図をおとり召されては如何」

「合図をとれとは？」

韓暹は、小声のうちにも、息をはずませた。ここ生涯の浮沈とばかり、心中波立っている容子が明らかであった。

陳大夫も、声をひそめて、

「されば、徐州に迫る日を期して、ご辺と楊奉とで諜しあわせ、後ろより火の手をあげて裏切りし給え。同時に、呂布も精鋭をひきいて、一揉みに駆けちらせば、袁術の首を見るは半日の間も待つまい」

「よし。誓って――」と、韓暹は月を見た。夜は更けて松のしずくが梢に白い。陣中、誰のすさびか笙を吹き鳴らしている者がある。兵も、暑いので眠られないとみえる。

短い夏の夜は明ける。

いつのまに帰ったか、陳大夫のすがたは朝になるともう見えなかった。陽が高くなると、きょうも酷熱である。その中を、袁術の本営から伝騎の令は八方へ飛んだ。

七路の七軍は一斉にうごきだした。雲は低く、おどろおどろ遠雷が鳴りはためいている。

徐州城は近づいた。

一天晦瞑、墨をながしたような空に、青白い電光がひらめく度に、城壁の一角がぱっと明滅して見える。

ぽつ！　ぽつ！　と大つぶの雨と共に、雷鳴もいよいよ烈しい。戦は開始された。

七路に迫る寄手は喊声をあげてきた。呂布ももちろん、防ぎに出ていた。――驟雨は沛然として天地を洗った。

夜になったが、戦況はわからない。そのうちにどうしたのか、寄手の陣形は乱脈に陥り、流言、同士討ち、退却、督戦、また混乱、まったく収まりがつかなくなってしまった。

「裏切りが起った」

夜が明けて、初めて知れた。第一軍張勲のうしろから、第七軍の楊奉、第六軍の韓暹が、火の手をあげて、味方へ討ってかかってきたのである。

――と知った呂布は、

「今だっ」と、勢いを得て、敵の中央に備え立てている紀霊、雷薄、陳紀などの諸陣を突破して、またたくまに本営に迫った。

楊奉、韓暹の手勢は、その左右から扶けた。袁術の大軍二十万も凩に吹き暴らさるる木の葉にもひとしかった。

呂布は、無人の境を行くごとく、袁術いずこにありやと、馳けまわっていたが、そのうちに彼方の山峡から一飈の人馬が駈け出でてさっと二手にわかれ、彼の進路をさえぎったかと思うと、突然、山上から声があった。

「匹夫呂布、自ら死地をさがしに来たるかっ」

「――あっ？」

と、驚いて見あげると、日月の旗、龍鳳の幡、黄羅の傘を揺々と張らせ、左右には、金瓜、銀斧の近衛兵をしたがえた自称帝王の袁術が、黄金のよろいに身をかためて、傲然と見おろしていた。

よ」と、名乗りかけた。

袁術は、仰天して、逃げ争う大将旗下のなかに包まれたまま、馬に鞭打った。

関羽は、追いかけながら、さえぎる者をばたばた斬り伏せ、袁術の背へ迫るや、臂（ひじ）を伸ばして、青龍刀のただ一揮（き）に、

「その首、貰ッた」

と、横なぐりに、払ったが、わずかに、馬のたてがみへ、袁術が首をちぢめたため、刃はその盔（かぶと）にしか触れなかった。

しかし、自称皇帝の増長の冠（かんむり）は、ために、彼の頭を離れ、いびつになったまま素ッ飛んだ。

こうして袁術はさんざんな敗北を喫し、紀霊を殿軍にのこして、辛くも、生命をたもって淮南（わいなん）へ帰った。

それに反して、呂布は、ぞんぶんに残敵の剿滅（そうめつ）を行い、意気揚々、徐州へひきあげて、盛大なる凱旋祝賀会を催した。

「こんどの戦で、かくわれをして幸いせしめたものは、第一に陳珪父子（ちんけいふし）の功労である。第二には、韓暹、楊奉の内応の功である。――それからまた、予州の玄徳が、以前の誼（よし）みをわすれず、かつての旧怨もすてて、わが急使に対し、速やかに、愛臣関羽に手勢をつけて、救援に馳けつけてくれたことである。そのほか、わが将士の力戦をふかく感謝する」

と、呂布はその席で、こう演舌して、一斉に、勝鬨をあわせ、また、杯をあげた。

四

祝賀のあとでは、当然恩賞が行われた。

関羽は次の日、手勢をひきいて予州へ帰って行った。

以来、呂布はすっかり陳大夫を信用して、何事も彼に謀っていたが、

「時に、韓暹と楊奉のうち、一名は自分の左右に留めておこうと思うが、老人の考えはどうか」

と、今日もたずねた。

陳珪は、答えていった。

「将軍の座右には、すでに人材が整うています。一羽の馴れない鶏を入れたために、鶏舎の群鶏がみな躁狂して傷つく例もありますから、よほど考えものです。むしろ二人を山東へやって、山東の地盤を強固ならしめたら、一、二年の間に大いに効果があがるでしょう」

「実にも」と、呂布はうなずいた。

で、韓暹を沂都へ、楊奉を瑯琊へ役付けて、赴任させてしまった。

老人の子息陳登は、そのよしを聞いて、不平に思ったのか、或る時、ひそかに父の料簡をただした。

「豎子っ。よくも朕をかく辱めたな」

袁術は、書面を引裂いて、直ちに呉へ出兵せよといったが、群臣の諫めに、ようやく怒りをおさえて時を待つことにした。

仲秋荒天

一

「袁術先生、予のてがみを読んで、どんな顔をしたろう」

淮南の使いを追い返したあとで、孫策はひとりおかしがっていた。

しかし、また一方、

「かならず怒り立って、攻め襲うて来るにちがいない」

とも思われたので、大江の沿岸一帯に兵船をうかべ、いつでもござんなれとばかり備えていた。

ところへ、許都の曹操から使者が下って、天子のみことのりを伝え、孫策を会稽の太守に封じた。

孫策は、詔をうけたが、同時に曹操からの要求もあった。

いやそれは朝命としてであった。

——直ちに、淮南へ出兵し、偽帝袁術を誅伐せよ。

という命令である。

もとより拒むところでない。玉璽をあずけた一半の責任もある。孫策は、

「畏まりて候」と、勅に答えた。

許都の使いが帰った日である。

呉の長史*——孫策の家老格である張昭は彼に目通りしていった。

「唯々とご承諾になったようですが、何といっても淮南は豊饒の地、袁一族は名望と伝統のある古い家柄です。先ごろ呂布と一戦してやぶれたりといえども、決して軽々しく見ることはできません。——それにひきかえ、わが呉は、新興の国です。鋭気や若さはありますが、財力、軍の結束などまだ足りません」

「やめろというのか」

「勅を拝して、今さら命に背けば、異心ありとみなされます」

「では、どうする？」

「如かず、この際は——あなたから曹操へ急書を発し、こちらは江を渡って袁術の側面を衝くゆえ、許都から大軍を下し、彼の正面に当り給え——と、もっぱら曹操の軍に主戦をやらせるのです。そしてご当家はあくまでも、援兵というお立場をおとりなさい」

「なるほど」

「一にも二にも、曹操を助けると唱えておけばです、後日ご当家に危急のあった折に、曹操へ援兵を要求することだってできましょう」

「や、ありがとう。長史のことばは、近頃の名言だ。その通りに計らおう」

彼の発した書簡は、日ならずして、許都の相府に着いた。

この秋、相府の人々は、

「丞相は近ごろ、愚に返ったんじゃないか」

と、憂いあうほど、曹操はすこしぼんやりしていた。

この春、張繡を討つべく遠征して、かえって惨敗を負って帰ったので、彼の絶大な自信にゆるぎがきたのか、また多情多恨な彼のことと、今なお、*芙蓉帳裡の明眸や、晩春の夜の胡弓の奏でが忘れ得ないのか――とにかく、この秋の彼の姿は、いつになく淋しい。

「否、否。――丞相はそれほど甘い煩悩児でもないよ」

と、相府のある者は、彼のすがたをよく新しい祠堂の道に見るといって、人々の愚かな臆測をうち消した。

新しい祠堂というのは、張繡との戦に奮戦して討死した悪来典章のために建てた廟であった。

曹操は、帰京後も典章の霊をまつり、子の典満を取りたてて、中郎に採用し、果てしなく彼の死を愁んでいた。

そこへ、呉の孫策から急書がとどいた。曹操は、一議におよばず承知のむねを返辞して、即日三十余万の大兵を動員した。一面は痴児のごとく、めそめそ悲しむくせがあるかと思えば、たちまち果断邁進、三軍を叱咤するの一面を示す彼であった。

大軍は、続々都を立った。

時、建安の二年秋九月。許都はうるわしい月夜だった。

二

南征の師は、号して三十万とはいうが、実数は約十万の歩兵と、四万の騎兵隊と、千余車の輜重とで編制されていた。

許都を立つに先だって、もちろん曹操は予州の劉備玄徳へも、徐州の呂布へも、参戦の誘文を発しておいた。

秋天将にたかし。

われ淮水に向って南下す。

乞う途上に会同せられよ。

檄によって劉玄徳は、関羽張飛などの精猛をひきつれて、予州の境で待ちあわせていた。

曹操は、彼を見ると、晴々と、

「いつもながら信義に篤い足下の早速な会同を満足におもう」と、いった。

盟軍の旗と旗とは交歓され、その下にしばし休息しながら、両雄は睦まじそうに語らっていた。

玄徳は、関羽をかえりみて、「あれを、ここへ」と、いいつけた。

関羽の手で、そこへ差出されたのは、二顆の首級だった。

驚いて、曹操は、

「何者の首か？」と眼をみはった。

玄徳は答えて、

「一つは韓暹の首、一つは楊奉の首です」

「袁術の内部から裏切りして、呂布の味方につき、地方へ赴任したあの二人か」

「そうです。その後の両名は、沂都、瑯琊の両県に来て吏庁にのぞんでいましたが、たちまち苛税を課し良民を苦しめ、部下に命じて掠奪を行わしめ、婦女子をとらえて姦するなど、人心を険悪にすること一通りでありません。依って、人民の乞いをいれ、また、吏道を正す意味で、ひそかに関羽、張飛に命じ、両名を酒宴に招いて殺させました」

「ほう。そうか」

「ついては、丞相の命を待たずに行ったことですから、今日はご処罰を仰ぐつもりでおります——独断をもって、両名を誅伐した罪、どうかお糺しください」

「何をいう。君のしたことは、吏道を粛正し、良民の害をのぞいたので、私怨私闘とはちがう。その功を、賞めこそすれ、咎める点はない」

「おゆるし給わるか」

「もちろん、呂布へは、自分からも、よきように云っておこう。ご安堵あるがよい」

ここ数日、秋の空はよく澄んで、日中は暑いくらいだった。

しかし、南下するに従って、行軍は道に悩んだ。

――というのは今年、徐州以南の淮水の地方は、かなり大雨がつづいたらしい。ために、諸所の河川は氾濫し、崖はくずれ、野には無数の大小の湖ができてしまい、馬も人も、輜重の車も、泥濘に行きなやむこと一通りでなかった。

「やあ、難行軍だったでしょう」

呂布は、徐州の堺まで迎えに出ていた。

曹操はあいそよく、「ご健勝でよろこばしい」と、会釈の礼を交わし、兵馬は府外に駐屯し、その後、駅館の歓迎宴では、劉玄徳も同席して、袁術討伐の気勢をあげた。

如才ない曹操は、

「このたびの南征には、大いに君の力を借りねばならんが、ついては、自分から朝廷に奏して、君を左将軍に封じておいた。――印綬は、いずれ戦後、改めて下賜されよう」

と、告げた。

呂布はもとよりそういう好意に対しては過大によろこぶ漢である。

「犬馬の労も惜しまず」と、ばかり意気ごむ。

ここに、曹、玄、呂の三軍は一体となって、続々、南進をつづけ、陣容は完く成った。

すなわち曹操を中軍として、玄徳は右をそなえ、呂布は左にそなえた。

これに対し、淮南の自立皇帝袁術には、そもどういう対策があろうか。

三

「すわ！」

国境で哨兵は狼火をあげた。

「一大事」とばかり伝騎は飛ぶ。

早打ち、また早打ち。——袁術の寿春城へさして、たちまち櫛*の歯をひくように変を知らせてきた。

「曹、玄、呂、三手の軍勢が一体となって——」

と聞くと、さすがの袁術も、もってのほかに驚倒した。

「とりあえず橋蕤まいれ」と、防戦に立たせ、袁術は即刻大軍議をひらいたが、とやかく論議しているまにも、頻々として、

「敵は早くも、国境を破り、なだれ入って候ぞ」との警報である。

袁術も臍をかため、自ら五万騎をひいて寿春を出で、敵を途中にくいとめんとした

が、

「先鋒の味方あやうし」

という敗報がすでに聞え渡ってきた。

と、思うに、

「味方の先鋒の大将橋甤(きょうずい)は、惜しくも敵方の先手の大将夏侯惇(かこうじゅん)とわたりあい、乱軍のなかにおいて、馬上より槍にて突き伏せられました」

と、またもや、おもしろくない注進であった。

袁術の顔いろが悪くなるたびに、袁術の中軍は動揺しだした。

「あれあれ、あの馬けむりは、敵の大軍が近づいてきたのではないか」

ひるみ立った士気には、「退(ひ)くな」と必死に督戦する中軍の令も行われず、全軍、目ざましい抗戦もせず総退却してしまった。

袁術もやむなく、中軍を退いて寿春城の八門をかたく閉ざし、

「この上は、城地を守って、遠征の敵の疲れを待とう」と、長期戦を決意した。

寄手は、浸々(しんしん)と、寿春へつめよせる。

呂布の軍勢は、東から。劉玄徳の兵は西から。

また、曹操は北方の山をこえて、淮南(わいなん)の野(や)を真下にのぞみ、すでにその総司令部を寿春からほど遠からぬ地点まで押しすすめてきたという。

寿春の上下は色を失い、城中の諸大将も、評議にばかり暮しているところへ、またま

た、西南の方面から、霹靂*（へきれき）のような一報がひびいてきた。

曰（いわ）く、

「――呉の孫策、船手（ふなで）をそろえて、大江を押渡り、曹操と呼応して、これへ攻めよせてくるやに見えます！」

西南の急報を聞いて、

「なに、孫策が」と、袁術は仰天した。

彼は、先頃その孫策からうけた無礼な返書を思いあわせて、身を震わせた。

「恩知らず。忘恩の賊子め」

しかし、いくら罵ってみても事態はうごかない。

袁術は今や手足のおく所も知らなかった。眼前の曹軍があげる喊（とき）の声は、満山の吼（ほ）えるが如く、背後にせまる江南数百の兵船は海嘯（つなみ）のように彼を脅かして、夜の眠りも与えなかった。

睡眠不足になった袁術皇帝をかこんで、きょうも諸大将は陰々滅々たる会議に暮らしていたが、時に、楊大将がいった。

「陛下。もういけません。寿春に固執して、ここを守ろうとすれば、自滅あるのみです。おそれながら、かくなる上は、御林（ぎょりん）の護衛軍をひきいて、一時淮水（わいすい）を渡られ、ほかへお遷りあって、自然の変移をお待ちあるしかございますまい」

空腹・満腹

一

——一時、この寿春を捨て、本城をほかへ遷されては。

と、いう楊大将の意見は、たとえ暫定的なものにせよ、ひどく悲観的であるが、袁術皇帝をはじめ、諸大将、誰あって、

「それは余りにも、消極策すぎはしないか」と、反対する者もなかった。

それには理由がある。

誰も口にはしないが、実をいえば、内部的に大きな弱点があることを、誰も知悉しているからだった。

というのは、この年、寿春地方は、水害がつづいて、五穀熟せず、病人病馬は続出し、冬期の兵糧もはなはだ心もとなかった。

ところへ、この兵革*をうけたので、それも士気の振わない一因だった。——で、楊大将の考えとしては、皇帝の眷族と、本軍の大部分を水害地区の外にうつし、ひとつに兵

糧持久の策とし、二つには目前の敵の鋭気を避け、遠征軍には苦手な冬季を越える覚悟で、時々奇襲戦術をもって酬い、おもむろに事態の変化を待とうというのである。

「なるほど、これが万全かもしれない」

長い沈黙はつづいたが、やがて各〻うなずいた。

袁術皇帝も、

「その儀、しかるべし」

と、許容あって、立ちどころに大々的脱出の手配にかかった。

李豊、楽就、陳紀、梁剛の四大将は、あとに残って、寿春を守ることになり、これに属する兵はおよそ十万。

また、袁術とその眷族に従って、城を出てゆく本軍側には、将士二十四万人が附随し、府庫宮倉の金銀珍宝はいうまでもなく、軍需の貨物や文書官冊などもみな、昼夜、車につんで陸続と搬出し、これを淮水の岸からどしどし船積みして何処ともなく運び去った。

袁術も、扈従の臣も、もちろんいちはやく、淮水の彼方へ渡って、遠く難を避けてしまった。

残るはただ満々たる水と、空骸にひとしい城があるばかり。――曹操以下、寄手の三十万が、城下へ殺到したのは、実にその直後だったのである。

ここへ来て、曹操もまた、大いに弱っていた。

寿春へ近づくほど、水害の状況がひどい。想像以上な疲弊である。

城内の町は分らないが、郊外百里の周囲は、まだ洪水のあとが生々しく、田は泥湖と化し、道は泥没し、百姓はみな木の皮を喰ったり、草の葉に露命をつないでいる状態である。果然、彼の兵站部は大きな誤算にゆきあたって、

「どうしたら三十万の兵を養うか」に苦労しはじめた。

遠征の輜重は、もとよりそう多くの糧米は持ってあるけない。行く先々の敵産が計算に入れてある。

「これ程とは！」

と、糧米総官の王垢が、この地方一帯の水害を見た時、茫然、当惑したのも無理はなかった。

それも、七日や十日は、まだ何とかしのぎもついてゆく。

半月となるとこたえて来た。

ところが、滞陣はすでに一ヵ月に近くなった。陣中の兵糧は涸渇を呈した。

「一時に攻め陥せ」

むろん曹操もあせりぬいている。しかし攻城作戦のほうも水害のため、兵馬のうごきは不活溌となるし、城兵は頑強だし、容易にはかどらないのである。

そこで曹操は、呉の孫策へあてて、一書を認め、早馬で飛ばした。

秋高の天、地は水旱

精兵は痩せ、肥馬は衰う
呉船来るを待つや急なり
慈米十万は百万騎に勝る

二

呉の孫策は、すでに、曹操との軍事経済同盟の約束によって、大江をわたり、南のほうから進撃の途中にあったが、曹操の書簡を手にして、

「すぐ糧米を運漕せよ」と、彼の乞いに応じるべく、本国へ手配をいいやった。

けれど、何分、道は遠い。途中揚子江の大江はあるし、護送には、おびただしい兵馬も要る。

とやかくと、日数はかかった。——そのあいだにも、曹操の陣中では、いよいよ兵糧総官の王垢も悲鳴をあげだしていた。

「丞相。——申しあげます」

「なんだ、王垢と任峻ではないか。両名とも元気のない顔をそろえて何事だ」

任峻は、倉奉行である。

王垢と共に、曹操のまえへ出て、遂に、窮状を訴えた。

「もはや、兵の糧は、つづきません、幾日分もございません」

「それがどうした？」

曹操は、わざと、そううそぶいて云い放った。

「予に相談してどうなるか。予は倉奉行でもないし、兵糧総官でもないぞ」

「はっ……」

「辞めてしまえっ。左様なことぐらいでいちいち予に相談しなければ職が勤まらぬほどなら」

「はいっ」

「――が、こんどだけは、智恵をさずけてやろう。今日から、糧米を兵へ配る桝（ます）をかえるがいい。小桝を使うのだ小桝を。――さすればだいぶ違うだろう」

「桝目を減じれば大へん違ってまいります」

「そういたせ」

「はっ」

二人は倉皇と退がって、直ちにその日の夕方から、小桝（こます）を用いはじめた。

一人五合ずつの割りあてが、一合五勺減（しゃくべ）りの小桝となった。もちろん粟、黍（きび）、草根まで混合してある飢饉時の糧米なので、兵の胃ぶくろは満足する筈がない。

「どんな不平を鳴らしているか」

曹操はひそかに、下級兵のつぶやきに耳をたてていた。もちろん喧々囂々（けんけんごうごう）たる悪声であった。

「丞相（じょうしょう）もひどい」

「これでは出征の時の宣言と約束がちがう」

「こんなもので戦えるか」

要するに、怨嗟(えんさ)は曹操にあつまっている。喰い物のうらみは強い。曹操は、糧米総官の王垢(おうこう)を呼んだ。

「不平の声がみちているな」

「どうも……取鎮(とりしず)めてはおりますが、如何とも」

「策はあるまい」

「ございません」

「ゆえに予は、おまえから一物を借りて、取鎮めようと思う」

「わたくし如き者から、何を借りたいと仰せられますか」

「王垢。おまえの首だ」

「げッ……？」

「すまないが貸してくれい。もし汝が死なぬとせば、三十万の兵が動乱を起す。三十万の兵と一つの首だ。——その代りそちの妻子は心にかけるな。曹操が生涯保証してやる」

「あっ。それは、それはあんまりです。丞相ッ、助けてください」

王垢は泣きだしたが、曹操は平然と、かねて云い含ませてある武士に眼くばせした。

武士は飛びかかって、王垢の首を斬り落した。

「すぐ陣中に梟けろ」

曹操は命じた。

王垢の首は竿に梟けられて陣中に曝された。それに添える立札まで先に用意されてあった。

立札には、

　王垢、糧米を盗み、小桝を用いて私腹をこやす。
　罪状歴然。軍法に依ってここに正す。

と、書いてあった。

「さては、小桝を用いたのは、丞相の命令ではなかったとみえる。ひどい奴だ」

兵は、王垢を怨んで、曹操に抱いていた不平は忘れてしまった。その士気一変の転機をつかんで、曹操は即日大号令を発した。

「こん夜から三日のうちに、寿春を攻め陥すのだ。怠る者は首だぞ。立ちどころに死罪だぞ！」

三

その夜、曹操は軍兵に率先して、みずから壕ぎわに立ち、

「壕を埋めて押しわたれ。焼草を積んで城門矢倉を焼き払え」と、必死に下知した。

それに対して敵も死にもの狂いに、大木大石を落し、弩弓を乱射した。

矢にあたり、石につぶされる者の死骸で、壕も埋まりそうだった。ために怯み立った寄手のなかに、身をすくめたままで、前へ出ない副将が二人いた。

「卑怯者っ」

曹操は叱咤するや否や、その二人を斬ってしまった。

「まず、味方の卑怯者から先に成敗するぞ」

自身、馬を降りて土を運び、草を投げこみ、一歩一歩、城壁へ肉薄した。

軍威は一時に奮い立った。

一隊の兵は、城によじ登り、早くも躍りこんで、内部から城門の鎖を断ちきった。どッと、喊声をあげて、そこから突っこむ。

堤の一角はやぶれた。洪水のように寄手の軍馬はながれ入る。あとは殺戮あるのみである。守将の李豊以下ほとんど斬り殺されるか生擒られてしまい、自称皇帝の建てた偽宮——禁門朱楼、殿舎碧閣、ことごとく火をかけられて、寿春城中、いちめんの大紅蓮と化し終った。

「息もつくな。すぐ船、筏をととのえて、淮河をわたり、袁術を追って、最後のとどめを与えるのだ」

将領たちを督励して、さらに、追撃の準備をしている数日の間に、

「荊州の劉表が、さきの張繡と結託して、不穏な気勢をあげている——」

と、許都からの急報である。

曹操は、眉をひそめ、

「張繡はともかく、劉表がうごいては、由々しい大事となろうかも知れぬ」

と、征途を半ばにして、すぐ都へ引揚げた。

許都へ帰るにあたって、彼は、呉の孫策へ早馬をとばし、

「君は、兵船を以て、長江を跨ぐがごとく布陣し、上流荊州の劉表を、暗に威嚇しておるように」

と、申入れた。

また、呂布と玄徳には、

「以前の誼みを温めて、徐州と小沛を守り合い、*唇歯の交わりを以て、新たに義を結びたまえ」

と、二人に誓いの杯を交わさせた。そして劉玄徳へは、特に、

「もうこれで呂布にも異存はあるまいから、ご辺も予州を去り、もとの小沛の城へ帰られるがよい」

と、命じた。

玄徳は、好意を謝し、別れようとすると、曹操は、呂布のいないのを見すまして、

「……君を、小沛に置くのは、虎狩りの用意なのだ。陳大夫と陳登父子が、ぼつぼつ陥し穽をほりかけている。あの父子と計らって、ぬからぬように準備し給え」

とささやいた。

かくて曹操は、後図の憂いにも万全を期し、やがて、総軍をひいて許都へ帰ってくると、段煨、伍習という二名の雑軍の野将が、私兵をもって、長安の李傕と郭汜を打ち殺したといって、その首を朝廷へ献上しに来た。

李傕、郭汜は、長安大乱以来の朝敵である。公卿百官は、思わぬ吉事と慶びあって、帝に奏上し、段煨と伍習には、恩賞として、官職を与え、そのまま長安の守りを命じた。

「太平の機運が近づいた」と、なして、朝野は賀宴を催して祝った。町には、二箇の逆賊の首が七日間さらされていた折も折、征途から帰還した、曹操の兵三十万も、この祝日に出会ったので、飲むわ、喰うわ、躍るわ、許都は一時、満腹した人間の顔と、祝賀の一色に塗りつぶされた。

梅酸・夏の陣

一

年明けて、建安三年。

曹操もはや四十を幾つかこえ、威容人品ふたつながら備わって、覇気熱情も日頃は温雅典麗な貴人の風につつまれている。時には閑を愛して独り書を読み、詩作にふけり、終日、春閨の室を出ることもなかった。また或る日は家庭の良き父となりきって、幼い子女らと他愛なく遊び戯れ、家門は栄え、身は丞相の顕職にあり、今や彼も、功成り名遂げて、弓馬剣槍のこともその念頭を去っているのであるまいかと思われた。

正月、朝にのぼって彼は天子に謁し、賀をのべた後で、

「ことしもまた、西へ征旅に赴かねばなりますまい」

と、いった。

南の淮南は、去年、一年たたきに叩いて、やや小康を保っている。

西といえば、さし当って、近ごろ南陽（河南省・南陽）から荊州地方に蠢動している張繡がすぐ思い出される。

果たせるかな。その年、初夏四月。

丞相府の大令が発せられるや、一夜にして、大軍は西方へ行動を起した。

討伐張繡！

土気は新鮮だった。軍紀は凛々とふるった。

天子は、みずから鑾駕をうながして、曹操を外門の大路まで見送られた。

ちょうど夏の初めなので、麦はよく熟している。大軍が許都郊外から田舎道へ流れてゆくと、麦畑に働いていた百姓たちは、恐れて、われがちに逃げかくれた。

曹操は、それを眺めて、「地頭や村老をよべ」と命じ、やがて、恐る恐る揃って出た村長や百姓たちに向って、こう諭した。

「せっかくお前たちの汗と丹精によって、このように麦の熟した頃、兵馬を出すのも、またやむを得ない国策によるのである。――だが案じるな。ここを通るわが諸大将の部隊に限っては、断じて、田畑を踏みあらすことのないように軍令を発してある。また、村々において、寸財の物でも掠め取る兵があれば、すぐ訴え出ろ。われわれ麾下の大将は、立ちどころに犯した兵を斬り捨ててしまうであろう」

このことを伝え聞いて、村老野娘も、畑にありながら、安心して、軍隊を見送った。軍律はよく行き渡っている。兵も馬も、狭い麦のほとりを通る時は、馬の手綱をしめ、手をもって麦を分けながら行った。

ところが。

曹操の乗っていた馬が、どうしたのか、ふと、野鳩の羽音におどろいて、急にはねあがり、麦畑へ狂いこんで、麦を害ねた。

曹操は、何思ったか、

「全軍、止れ！」

と、急に命じ、行軍主簿を呼んでいうには、

「今、不覚にも自分は、みずから法令を出して、その法を犯してしまった。すでに、統率者自身、統率をやぶったのだ。何をもって、人を律し、人を正し、人を服させよう。

——予は、自害して、法を明らかにするのが、予の任務であると信じる。諸軍よ、予の死を悲しまず、さらに軍紀を振起し、一意、天下の為に奉ぜよ」

云い終ると、剣を抜いて、あわや自刃しようとした。

「滅相(めっそう)もない！」

諸将は、愕然として、彼の左右から押しとどめた。

「お待ち下さい。*春秋の語にも、法は尊きに加えず——とあります。丞相は大軍を統(す)べ給う身、丞相の生死は、軍全体の死活です。われわれが可愛いと思ったら、ご自害はお止(とど)まりください」

「ムム、そうか。春秋の時すでにそういう古例があったか。しからば、父の賜ものたる髪を切って、断罪の義に代え法に服した証(あかし)となそう」

と、わが髪をつかみ、片手の短剣をもって、根元からぶすりときって、主簿に渡した。

秋霜厳烈！

それを目に見、耳につたえて、*悚然(しょうぜん)、自分を誡(いまし)めない兵はなかった。

二

行軍は、五月から六月にかかった。六月、まさに大暑である。

わけて河南の伏牛山脈(ふくぎゅうさんみゃく)をこえる山路の難行はひと通りでない。

大列のすぎる後、汗は地をぬらし、草はほこりをかぶり、山道の岩砂は焼け切って、一滴の水だに見あたらない。兵は多く仆れた。

「水はないか」

「水がのみたい」

斃れた兵も呻く。なお、進む兵もいう。

すると、曹操が、突然、馬上から鞭をさして叫んだ。

「もうすこしだ！　この山を越えると、梅の林がある。――疾く参って梅林の木陰に憩い、思うさま梅の実をとれ。――梅の実をたたき落して喰え」

聞くと、奄々と渇にくるしんでいた兵も、

「梅でもいい！」

「梅ばやしまで頑張れ」と、にわかに勇気づいた。

そして無意識のうちに、梅の酸い味を想像し、口中に唾をわかせて、渇を忘れてしまっていた。

――梅酸渇を医す。

曹操は、日頃の閑に、何かの書物で見ていたことを、臨機に用いたのであろうが、後世の兵学家は、それを曹操の兵法の一として、暑熱甲冑を焦く日ともなれば、渇を消す秘訣のことばとして、思い出したものである。

伏牛山脈をこえてくる黄塵は、早くも南陽の宛城から望まれた。

張繍は、うろたえた。

「はや、後詰したまえ」

と、荊州の劉表へ、援助をたのむ早打ちをたて、軍師の賈詡を城にとどめて、

「つかれ果てた敵の兵馬、大軍とて何ほどかあろう」と、自身防ぎに出た。

だが、配下の勇士張先が、まっ先に曹操の部下許褚に討たれたのを始めとして、一敗地にまみれてしまい、口ほどもなくまたたちまちみだれ合って、宛城のうちへ逃げこんでしまった。

曹操の大軍は、ひた寄せに城下にせまって、四門を完全に封鎖した。

攻城と籠城の形態に入った。

籠城側は新手の戦術に出て、城壁にたかる寄手の兵に沸えたぎった熔鉄をふりまいた。

金屎か人間かわからない死骸が、蚊のごとく、ばらばら落ちては壁下の空壕を埋めた。

が、そんなことにひるむ曹操の部下ではない。曹操もまた、みずから、

「ここを突破してみせん」

と、西門に向って、兵力の大半を集注し、三日三晩、息もつかずに攻めた。

なんといっても、主将の指揮するところが主力となる。

雲の梯にもまごう櫓を組み、土嚢を積み、壕をうずめ、弩弓の乱射、ときの声、油

の投げ柴、炎の投げ松明など——あらゆる方法をもって攻めた。

張繍は防ぐ力も尽きて、

「——賈詡、荊州の援軍は、いつ頃着くだろう。もう城の余命も少ないが。……間にあうか、どうか」とたずねた。

軍師たる賈詡の顔いろが、今はただ一つのたのみだった。賈詡は落着いて答えた。

「だいじょうぶです」

「まだ大丈夫か」

「まだ？　……いやいや、頑としてなお、この城は支えられます。のみならず、曹操を生擒りにするのも、さして難かしいことではありません」

「えっ。曹操を」

「大言と疑って、わたくしの言を疑うことがなければ、必ず、曹操の一命は、あなたの掌の物としてご覧にいれます」

「どういう計りごとで？」

張繍はつめ寄った。

三

賈詡が胸中の計とは何？

彼は、張繍に説いた。

「こんどの戦闘中、ひそかに、それがしが矢倉のうえから見ていると、曹操は、城攻めにかかる前に、三度、この城を巡って、四門のかためを視察していました。――そして彼がもっとも注意したらしい所は、東南の巽の門です。――なぜ注意したといえば、あそこは逆茂木の柵も古く、城壁も修理したばかりで、磚は古いのと新しいのと不揃いに積み畳まれている。……要するに、防塁の弱点が見えるのです」

「ムム、なるほど」

「――で、烱眼な曹操はすぐ、この城を陥す攻め口はここと、肚のうちでは決めているに違いないのです。――そこで彼は次の日から、西門に主力をそそぎ、自分もそこに立って、躍起と攻め始めたものでしょう」

「東南門の巽の口を、攻め口ときめておりながら、なぜ西門へ、あんな急激にかかってきたのか」

「偽撃転殺の計です。――つまり西門に防戦の力をそそがせておいて、突然巽の門をやぶり、一殺に、宛城を葬らんとする支度です」

張繍は聞いて、慄然、肌に粟を生じた。

「それがしにお任せください」

賈詡は、直ちに、それに備える手筈にかかった。

この城中に、賈詡のあることは、曹操も疾く知っている。また賈詡の人物も、知りぬいているはずである。

——にもかかわらず、

曹操ほどな智者も、自分の智には墜ちいりやすいものとみえる。

彼は、その夜、西門へ総攻撃するようにみせかけて、ひそかによりすぐった強兵を巽にまわし、自身まッ先に進んで、鹿垣(ししがき)、逆茂木を打越え、城壁へ迫って行ったが、ひそとして迎え戦う敵もない。

曹操は、快笑して、

「笑止や。わが計にのって、城兵はみな西門の防ぎに当り、かくとも知らぬ様子だぞ」

一挙に、そこを打破って、壁門の内部へ突入した。

——と、こはいかに、内部も暗々黒々として篝(かがり)の火一つみえない。あまりの静けさに、

「はてな？」

駒脚を止めて見廻したとたんに、ぐわあん！　——と一声の狼火(のろし)がとどろいた。

「しまった」

曹操は、つづく手勢を振向いて、絶叫した。

「——虚誘掩殺(きょゆうえんさつ)の計(はか)りごとだっ。——退却っ、退却っ！」

しかし、もう遅かった。

地をゆるがす鬨(とき)の声と共に、十方の闇はすべて敵の兵となって、

「曹操を生捕れ」とばかり圧縮してきた。

曹操は単騎、鞭打って逃げ走ったが、その夜、巽の口で討たれた部下の数は、何千か何万か知れなかった。

ここばかりでなく、偽攻の計を見やぶられたので、西門のほうでも、さんざんに張繡のために破られ、全線にわたって、破綻を来したため、五更の頃まで、追撃をうけ、夜も明けて陽を仰いだ頃、城下二十里の外に退いて、損害を調べると、一夜のうちに味方の死者五万余人を生じていたことが分かった。折からまた、

「荊州の劉表、にわかに兵をうごかし、わが退路を断って、許都を衝かんとする姿勢にうかがわれる」

という凶報は来るし——曹操は、惨たる態で、歯がみしたが、

「今にみよ」と、恨みの一言を、敗戦場に吐きすてて、「退くも兵法」とばかり向きをかえて、許都へひっ返した。

途中まで来ると、

「劉表は一たん大兵を出そうとしたが、呉の孫策が、兵船をそろえ、江をさかのぼって、荊州を荒さん——と聞えたので、怯気づいて、出兵の可否に迷っておる」という情報が入った。

四

古今の武将のうち、戦をして、彼ほど快絶な勝ち方をする大将も少ないが、また彼ほ

ど痛烈な敗北をよく喫している大将も少ない。

曹操の戦は、要するに、曹操の詩であった。詩を作るのと同じように彼は作戦に熱中する。

その情熱も、その構想も、たとえば金玉の辞句をもって、胸奥の心血を奏でようとする詩人の気持と、ほとんど相似たものが、戦にそのまま駆りたてられているのが、曹操の戦ぶりである。

だから、曹操の戦は、曹操の創作である。――非常な傑作があるかと思えば、甚だしい失敗作も出る。

いずれにせよ、彼は、戦を楽しむ漢であった。楽しむほどだから、惨敗を喫しても、しおれないかといえばそうでもない。

さすがの曹操も、大敗して帰る途中は、凄愴な眉と、惨たるものを顔色に沈めてゆく。

梅酸も酸味
敗戦もまた酸
不同といえども似たり
心舌を越えて甘し

馬上、ゆられながら、彼はいつか詩など按じていた。逆境の中にも、なお人生を楽しもうとする不屈な気力はある。決して、さし迫ることはない。

襄城をすぎて、淯水の畔にかかった。

ふと、彼は馬を止めて、

「……ああ」と、低徊しながら、頰に涙さえながした。

怪しんで、諸将がたずねた。

「丞相、何でそのように悲しまれるのですか」

「ここは淯水ではないか」

「そうです」

「去年、やはりこの地に張繡を攻めて、自分の油断から、典韋を討死させてしまった。……典韋の死を傷んで、ついその折の事どもを思い出したのだ」

彼は、馬を降りて、水辺の楊柳につなぎ、一基の石を河原の小高い土にすえて、牛を斬り、馬を屠った。そして典韋の魂魄をまねくの祀をいとなみ、その前に礼拝して、ついには声を放って哭いた。

多くの将士もみな、曹操の情に厚い半面に心を打たれ、こもごも、拝礼した。

次に、曹操の嫡子曹昂の霊をまつり、また甥の曹安民の供養をもなした。――楊柳の枝は長く垂れて、水はすでに秋冷の気をふくみ、黒い八哥鳥がしきりと飛び交っていた。

――諸軍号哭の声やまず。

と、原書は支那流に描写している。初夏、麦を踏んで意気衝天の征途につき、涼秋八月、満身創痍の大敗に恥を嚙んで国へ帰る将士の気持としては、あながち誇張のない表現かもしれない。

顧みれば、呂虔とか于禁などの幕将まで負傷している。無数の輜重は敵地へ捨ててきた。――ああ。仰げば、暮山すでに晦く陽はかげろうとしている。

「あっ、何者か来る」

「味方の早打ちだ」

士卒が口々にいった時、彼方から早馬一騎、鞭をあててこれへ来た。

許都に残っている味方の荀彧から来た使いである。もちろん書簡をたずさえている。

さっそく曹操がひらいて見ると、

荊州の劉表、奇兵を発し
ご帰途を安象附近に待って
張繡と力を協す。
ご警戒あるように。

という報だった。

五

「それくらいなことはあろうと、かねての用意はある」

曹操はさわがなかった。荀彧の使いにも、

「案じるな」と、云って返した。

安象の堺まで来ると、果たせるかな劉表の荊州兵と張繡の聯合勢とが難所をふさいでいた。

「彼に地の利あれば、われにも地の利を取らねばなるまい」

曹操もまた、一方の山に添うて陣をしいた。そして、その行動が日没から夜にわたっていたのを幸いに、夜どおしで、道もなさそうな山に一すじの通りを坑り、全軍の八割まで山陰の盆地へ、かくしてしまった。

夜が明けて、朝霧もはれかけてくると、小手をかざして彼方の陣地から見ていた劉表、張繡の兵は、

「なんだ、あんな小勢か」と、呟いている様子だった。

「あんなものだろう」と、うなずく者はいった。

「このあいだは五万から戦死しているし、それに、難行苦行、敗け軍のひきあげだ。途中、逃亡兵も続出する。病人もすててくる。――あれだけでもよく還ってきたくらいなものだろう」

軍の幹部たちも、その程度の見解を下したものか、やがて要害を出て、野を真っ黒に襲撃してきた。

充分、侮らせて。

また、近よせておいて。

曹操は、突然山の一角に立ち現れて、

「盆地の襲兵ども、今だぞ、淵を出て雲と化れ！　野をめぐって敵を抱きこみ、みなごろしにして、血の雨を見せよ」

と、号令を下した。

眼に見えていた兵数の八倍もある大兵が、地から湧いて、退路をふさぎ、側面前面からおいつつんで来たので、劉表、張繡の兵はまったく度を失った。

曠野の秋草は繚乱と、みな血ぶるいした。所々に、死骸の丘ができた。逃げ争って行った兵は、要害にいたたまらず、山向うの安象の町へ逃げこんだ。

「県城も焼きつぶせ」

曹操の兵は、鬱憤ばらしに追撃を加えて行ったが、その時またも――実にいつも肝腎なもう一攻めという時に限って意地わるくくる――都の急変が報じられてきた。

　河北の袁紹、都の空虚をうかがい
　大動員を発布。

と、いうのであった。

「――袁紹が！」

これにはよほど愕いたとみえて、曹操は何ものもかえりみず、許都へさして昼夜をわかたず急いだ。

張繡、劉表は彼のあわて方を見て、こんどは逆に追おうとした。

上塗りをしてしまった。

「追ったら必ず手痛い目にあいますぞ」

賈詡は諫めたが、二将は追撃した。案の定、途中、屈強な伏兵にぶつかって、惨敗の上塗りをしてしまった。

賈詡は、二将が懲りた顔をしているのを見て、

「――何をしているんです！　今こそ追撃する機会です。きっと大捷を博しましょう」

と、励ました。

二の足ふんだが、賈詡があまり自信をもって励ますので、再び曹操の軍に追いついて、戦を挑むと、こんどは存分に勝って、凱歌をあげて帰った。

「実に妙だな。賈詡、いったい其許には、どうしてそのように、戦いの勝敗が、戦わぬ前にわかるのか」

後で、二将が訊くと、賈詡は笑って答えた。

「こんな程度は、兵学では初歩の初歩です。――第一回の追撃は敵も追撃されるのを予想していますから、策を授け、兵も強いのを残して、後ろに備えるのが常識の退却法です。が、――二度目となると、もう追いくる敵もあるまいと、強兵は前に立ち、弱兵は後となって、自然気もゆるみますから、その虚を追えば、必ず勝つなと信じたわけでありますります」

北客

一

ようやく許都に帰りついた曹操は帰還の軍隊を解くにあたって、傍らの諸将にいった。

「先頃、安象で大敵に待たれた時、見つけない一名の将が手勢百人たらずを率い、予の苦戦を援けていたが、さだめし我に仕官を望む者であろう。いずれの隊伍に属しておるか、糺してみよ」

命に依って、幕僚の一名は、将台に立って、その由を、全軍の上に伝えた。

すると、隊列の遥か後ろのほうから声に応じて、一かどの面だましいを備えた武将が、槍を小脇にさしはさんで進み出で、

「此方であります」

と、曹操の前にかしこまった。

曹操は、一瞥して、

「如何なる素姓の者か」と、たずねた。

「はっ、或いはなお、ご記憶にありはせぬかと存じますが。——自分はかつて、黄巾賊の乱にもいささか功をたて、一時は鎮威中郎将の栄職にありましたが、その後、思うところあって、故郷汝南に帰っていました。——李通字を文達と申す者であります」

旧交はないが、夙に名は聞いている。曹操は拾い物をしたように、

「よく機をつかんで、予の急を救け、予に近づいたのも、一方の将たるに足る才能である。神妙のいたりだ。郷土にもどって、汝南の守りにつくがいい」

と、裨将軍建功侯に封じた。

また、その日ではないが。

許都に留守居していた荀彧が、曹操の帰還を祝したあとで、ふと訊ねた。

「いつぞや、私より早馬をもってご帰途の途中に向けて劉表、張繍の両軍が嶮をふさいで待ちかまえている由をお報らせしたところ、丞相のご返簡には、——案じるな、我には必ず破るの計がある。——とございましたが、丞相にはどうして、そんな先の確信がおありだったのですか」

曹操は、答えて、

「ああ、あの時か。——あの時は、疲労困憊の極に達していたわれわれに対して、劉表と張繍は必殺の備えをして待ちかまえていた。これ、死一道の覚悟をわれらに与えたものである。ために味方の将士は、のがれぬ所と捨身になって凄い戦闘を仕かけた。——人間の逆境も、あれくらいまで絶体絶命に押しつけられると、死中自ら活路ありで——

その道理から予も、とっさに、勝つと確信をもったわけである」と、笑っていった。

そのことばを人々、伝え合って、

「丞相の如きこそ、真の孫子の玄妙を体得した人というのだろう」

と、大敗して帰った彼に対して、却って一そう心服を深めたということである。

しかし、さすがに今年の秋は、去年のような祝賀の祭もなかった。

とはいえ去燕雁来の季節である。洛内の旅舎は忙しい。諸州から秋の新穀鮮菜美果などおびただしく市にはいってくるし、貢来の絹布や肥馬も輻輳して賑わしい。

その中に、従者五十人ばかりを連れ、羇旅華やかな一行が、或る時、駅館の門に着いた。

「冀州の袁紹様のお使者として来た大人だそうだよ」

旅舎の者は、下へもおかないあつかいである。

この都でも、冀州の袁紹と聞けば、誰知らぬ者はない。天下の何分の一を領有する北方の大大名として、また、累代漢室に仕えた名門として、俗間の者ほど、その偉さにかけては、新興勢力の曹操などよりははるかに偉い人——という先入主をもっていた。

二

今しがた禁裏を退出した曹操は、丞相府へもどって、ひと休みしていた。

そこへ郭嘉が、

「お取次いたします」と、牀下に拝礼した。

「なんだ。書簡か」

「はい、袁紹の使いが、はるばる、都下の駅館に到着いたして、丞相にこれをご披露ねがいたいとのことで」

「――袁紹から？」

無造作にひらいて、曹操は読み下していたが、秋の日に萱が鳴るように、からからと笑った。

「虫のいい交渉だ。――先ごろ、この曹操が都をあけていた折はあわよくば洛内に軍を進めんとうかがったりしながら、この書面を見れば、北平の公孫瓚と国境の争いを起したによって、兵糧不足し、軍兵も足りないから、合力してくれまいか――という申入れだ。しかも、文辞傲慢、この曹操を都の番人とでも心得ておるらしい」

不快となると、はっきり不快な色を面上にみなぎらせる。それでも足りないように、曹操は書簡を叩きつけた。

そして、郭嘉に向って、なお、余憤をもらした。

「袁紹の尊傲無礼はこの事ばかりではない。日ごろ帝の御名をもって政務の文書を交わしても、常に不遜の辞句を用い、予を一吏事のごとく見なしておる。――いつかはそのおごれる鼻をへし折ってくれんものと、じっと隠忍しておるがいかんせん、冀州一円にわたる彼の旧勢力も、まだなかなか……自己の力の不足をかえりみ、独り嘆じている程なのに、この上北平を攻めるのだから兵力を貸せ、食糧を貸せとはどこまで予を与しやすしと思っているのか底の知れぬ横着者ではある」

「……丞相」

郭嘉は彼の激色がうすらぐのを待って静かにいった。

「童子も知っていることを改めて申すようですが、むかし漢の高祖が項羽を征服した例を見るに、高祖は決して項羽よりも強いのではありません。強さにかけては項羽のほうがはるかに上でしょう。にもかかわらず、高祖に亡ぼされたのは勇をたのんで、智を軽んじたせいです。それと、高祖の隠忍がよく最後の勝ちを制したものと思います」

「そのとおりだ」

「わたくしごときが、丞相を批評しては、罪死に値しますが、忌憚なく申しあげれば、袁紹の人物と丞相とを比較してみますと、わが君には十勝の特長があり、袁紹には十敗の欠点があります」

といって、郭嘉は指を折りながら、両者の得失をかぞえあげた。

一……袁紹は時勢を知らない。その思想は、保守的というより逆行している。

が——君は、時代の勢いに順い、革新の気に富む。

二……袁紹は繁文縟礼、事大主義で儀礼ばかり尊ぶ。

が——君は、自然で敏速で、民衆にふれている。

三……袁紹は寛大のみを仁政だと思っている。故に、民は寛に狎れる。

が――君は、峻厳で、賞罰明らかである。民は恐れるが、同時に大きな歓びも持つ。

四……袁紹は鷹揚だが内実は小心で人を疑う。また、肉親の者を重用しすぎる。

が――君は、親疎のへだてなく人に接すること簡で、明察鋭い。だから疑いもない。

五……袁紹は謀事をこのむが、決断がないので常に惑う。

が――君は、臨機明敏である。

六……袁紹は、自分が名門なので、名士や虚名をよろこぶ。

が――君は、真の人材を愛する。

「もうよせ」

曹操は、笑いながら急に手を振った。

「そうこの身の美点ばかり聞かせると、予も袁紹になるおそれがある」

三

その夜――

彼は、独坐していた。

「右すべきか、左すべきか。多年の宿題が迫ってきた」

袁紹という大きな存在に対して深い思考をめぐらそうとする時、さすがの彼も眠ることができなかった。

「恐るるには足らない」

心の奥では呟いてみる。

しかし、そのそばから、

「侮れない――」とも、すぐ思う。

袁紹と自分とを、一個一個の人間として較べるなら郭嘉が、

（君に十勝あり。袁紹に十敗あり）

と、指を折って説かれるまでもなく、曹操自身も、

「自分のほうがはるかに人間は上である」と、充分自信はもっているが、単にそれだけを強味として相手を鵜呑みにしてしまうわけにもゆかなかった。

袁一門の閥族中には、淮南の袁術のような者もいるし、大国だけに賢士を養い、計謀の器、智勇の良臣も少なくない。

それに、何といっても彼は名家の顕門で、いわば国の元老にも擬せられる家柄であるが、曹操は一宮内官の子で、しかもその父は早くから郷土に退き、その子曹操は少年から村の不良児といわれていた者にすぎない。

袁紹が洛陽の都にあって、軍官の府に重きをなしていた頃、曹操はまだやっと城門を見廻る一警吏にすぎなかった。

袁紹は風雲に追われて退き、曹操は風雲に乗じて躍進を遂げたが、名門袁紹にはなお

隠然として保守派の支持があるが、新進曹操には、彼に忠誠なる腹心の部下をのぞく以外は嫉視反感あるのみだった。

天下はまだ曹操の現在の位置を目して、「お手盛りの丞相」と、蔭口をきいていた。その武力にはおそれても、その威に対しては心服していないのである。

そういう微妙な人心にくらい曹操ではない。彼はなお自分の成功に対して多分に不満であり不安であった。

敵は武力で討つことはできるが、徳望は武力でかち得ないことは知っている。こういう際、「袁紹と事を構えたら？」と、そこに多分な迷いが起ってくる。

今、地理的に。

この許都を中心として西は荊州、襄陽の劉表、張繡を見ても、東の袁術、北の袁紹の力をながめても、ほとんど四方連環の敵であって、安心のできる一方すら見出せない。

「――だが、この連環のなかにじっとしていたら、結局、自分は丞相という名だけを持って、窒息してしまう運命に立到るであろう。自分の位置は、風雲によって生れたのであるから、天下の全土を完全に威服させてしまうまでは、寸時も生々躍動の前進を怠ってはならない。打開を休めてはならない。旧態の何物をも、ゆるがせに見残しておいてはならない」

曹操の意志は、大きな決断へ近づきだした。

「そうだ。――打開にはいつも危険が伴うのはあたりまえだ。――袁紹何ものぞ。すべて旧い物は新しい生命と入れ代るは自然の法則である。おれは新人だ、彼は旧勢力の代表者でしかない。よし！　やろう」

肚はすわった。

彼はそう決意して眠りについたが、翌日になると、なお、もう一応自己の信念をたしかめてみたくなったか、丞府の吏に、

「荀彧を呼びにやれ」と、いいつけた。

四

やがて、荀彧は召しによって府へ現れた。

曹操は、特に人を遠ざけて、閣のうちに彼を待っていた。

「荀彧か。きょうはそちに、取りわけ重大な意見を問いたいため呼んだわけだが、まず、これを一見するがよい」

「書簡ですか」

「そうだ。昨日、袁紹の使いが着いて、はるばる齎してきたもの。即ち、袁紹の自筆である」

「……なるほど」

「これを読んで、そちはどう感じるな」

「一言で申せば、辞句は無礼尊大であるし、また、書面でいってきたことは、虫のよい手前勝手としか思われません」

「そうだろう。——袁紹の無礼には、積年、予は忍んできたつもりだが、かくまで愚弄されては、もはや堪忍もいつ破れるか知れぬ気がする」

「ごもっともです」

「——ただ、どう考えても、袁紹を討つには、まだいささか予の力が不足しておる」

「よくご自省なさいました。その通りであります」

「しかし、断じて予は彼を征伐しようと思う。そちの意見は、どうだ？」

「必ず行うてよろしいでしょう」

「賛成か」

「仰せまでもございません」

「予は勝つか」

「ご必勝、疑いもありません。わが君には四勝の特長あり、袁紹には四敗の欠点がありますから」

と、荀彧は、きのう郭嘉がのべた意見と同じように、両者の人物を比較して、その得失を論じた。

曹操は、手を打って、大いに笑いながら、

「いや、そちの意見も、郭嘉のことばも、まるで*割符を合わせたようだ。予も、欠点の多いことは知っている。そういいところばかりある完全な人間ではないよ」

と、彼の言をさえぎってからまた、真面目に云い直した。

「しからば、袁紹の使いを斬って、即時、彼に宣戦してもよいか」

「いや！　その儀は？」

「いけないか」

「断じて、今は」

「なぜ」

「呂布をお忘れあってはなりません。常に、都をうかがっている後門の虎を。――それに、荊州方面の物情もまだ決して安んじられません」

「では、なお将来まで、袁紹の無礼に忍ばねばならんか」

「至誠をもって、天子を輔け、至仁をもって士農を愛し、おもむろに新しい時勢を転回して、時勢と袁紹とを戦わせるべきです。――ご自身、戦う必要のないまでに、時代の推移に、袁紹の旧官僚陣が自壊作用を起してくるのを待ち、最後の一押しという時に、兵をうごかせば、万全でしょう」

「ちと、気が長いな」

「何の、一瞬です。――時勢の歩みというものは、こうしている間も、目に見えず、おそろしい迅さでうごいている。――が、植物の成長のように、人間の子の育つように、目には見えぬので、長い気がするのですが、実は天地の運行と共に、またたくうちに変ってゆくものです。——何せよ、ここはもう一応、ご忍耐が肝要でしょう」

郭嘉、荀彧ふたりの意見が、まったく同じなので曹操も遂に迷いを捨て、次の日、袁紹の使者を丞相府に呼んで、

「ご要求の件、承知した」

と、曹操から答えて、糧米、馬匹、そのほか、おびただしい軍需品をととのえて渡した。そして、使者には、盛大な宴を設けてねぎらい、また、その帰るに際しては特に、朝廷に奏請して、袁紹を大将軍*太尉にすすめ、冀州、青州、幽州、并州の四州をあわせて領さるべし——と云い送った。

健啖天下一

一

黄河をわたり、河北の野遠く、袁紹の使いは、曹操から莫大な兵糧軍需品を、蜿蜒数百頭の馬輌に積載して帰って行った。

やがて、曹操の返書も、使者の手から、袁紹の手にとどいた。

袁紹のよろこび方は絶大なものだった。それも道理、曹操の色よい返辞には、次のような意味が認めてあった。

まず、閣下の健勝を祝します。

次には、

閣下がこの度、北平（河北省・満城附近）の征伐を思い立たれたご壮図に対しては、自分からも満腔の誠意をもって、ご必勝を祈るものであります。

馬匹糧米など軍需の品々も、できる限り後方よりご援助しますから、河南には少しもご憂慮なく、一路北平の公孫瓚をご討伐あって万民安堵のため、いよいよ国家鎮護の大を成し遂げられんことを万禱しております。

ただ、お詫びせねばならぬ一事は、不肖、守護の任にある許都の地も、何かと事繁く、秩序の維持上、兵を要しますので、折角ながら兵員をお貸しする儀だけは、ご希望にそうことができません。なお、

勅命に依って、

貴下を、大将軍太尉にすすめ、併せて冀、青、幽、并の四州の大侯に封ずとのお旨であります。ご領受あらんことを。

「いや、曹操の返辞も、どうかと思っていたが、この文面、このたびの扱い、万端、至れり尽せりである。彼も存外、誠実な漢とみゆる」

袁紹は安心した。

そこで大挙、北平攻略への軍事行動を開始し、しばらく西南の注意を怠っていた。

夜は、貂蟬をはべらせて、酒宴に溺れ、昼は陳大夫父子を近づけて、無二の者と、何事も相談していた。

×　×　×

それが、呂布の近状であった。

ひそかに憂えていた臣は陳宮である。きょうもにがにがしげに彼は呂布へ諫言を呈した。

「陳珪父子の者を、ご信用になるも結構ですが、あまり心腹の大事まで彼らにお諮りあるのは如何かと思われます。——言葉の色よく媚言巧みに、彼らが君を甘やかしている態度は、まるで幇間ではありませんか」

「陳宮、そちはこの呂布を、暗愚だというのか」

「そんなわけではありません」

「ではなぜ、おれに讒言して、賢人をしりぞけようとするか」

「彼ら父子を、真実、賢人だと思っていらっしゃるのですか」

「少なくとも、呂布にとってはまたなき良臣といえる」

「——ああ」

「何があゝだ、人の寵をそねむものと、貴様こそ、＊諂佞の誹をうけるぞ」

「もう何も申しあげる力もございません」

陳宮は、退いた。忠ならんとすれば、却って諂佞の臣と主人の口からまでいわれる。「如かず、門を閉じて」と、彼はしばらく引籠ったまま徐州城へも出なかった。そのうち北方の公孫瓚と袁紹との戦乱が聞えてくる。四隣の物情はなんとなく騒然たるものを感ぜしめる。

「そうだ。狩猟にでも行って、浩然の気を養おう」

一僕を連れて、彼は秋の山野を狩り歩いた。

すると、一人の怪しげな男を認めた。旅姿をしたその男は陳宮の顔を見ると、あわてて逃げだした。

「……はてな？」

やり過してから、陳宮は小首を傾けていたが、何思ったか、にわかに弓に矢をつがえて、馳けてゆく先の男へ狙いすました。

二

矢は狙いあやまたず、旅人の脚を射止めた。

猟犬のように、下僕の童子はそれへ飛びかかってゆく。

陳宮も、弓を投げすてて、後から馳けだした。猛烈に反抗するその男を召捕って、きびしく拷問してみると、それは、小沛の城から玄徳の返簡をもらって、許都へ帰る使いの者ということが分った。

「曹操の密書をおびて、玄徳へ手わたしてきた、というのか」

「はい。……」

「では、玄徳から曹操へ宛てた返書を、それに持っておるだろう」

「いえ、それはもう、先へ行った伝馬の者がたずさえてゆきましたから手前は持っておりません」

「偽りを申せ」

「嘘ではございません」

「きっとか」

陳宮が、剣に手をかけると、旅の男は、飛び上がった。

とたんに、真赤な霧風が剣光をまいた。大地には、首と胴が形を変えて離ればなれになっている。

「童子、死骸を検べてみろ」

「ご主人様。……袍の襟を解いたらこんな物が出てきました」

「オオ。玄徳の返書だ」

陳宮は、一読すると、

「誰にも、口外するなよ。わしはこれから、徐州城へ参るゆえ、弓を持って、おまえは先に邸へ帰れ」

供の童子にいい残して、陳宮はその足ですぐ登城した。

　そして、呂布に謁し、云々と仔細を告げて、玄徳から曹操へ宛てた返簡を見せると、呂布は、鬢髪をふるわせて、激怒した。

「匹夫、玄徳め。――いつのまにか曹操と諜しあわせて、この呂布を亡ぼさんと謀っておったな」

　直ちに、陳宮、臧覇の二大将に兵を授け、

「小沛の城を一揉みにもみ潰し、玄徳を生捕って来れ」と、命じた。

　陳宮は謀士である。小沛は小城と見ても無謀には立ち向わない。

　彼は、附近の泰山にいる強盗群を語らって、強盗の領袖、孫観、呉敦、昌豨、尹礼などという輩に、

「山東の州軍を荒し廻れ。今なら、伐取り勝手次第」と、けしかけた。

　宋憲、魏続の二将はいちはやく汝頴地方へ軍を突き出して、小沛のうしろを扼し、本軍は徐州を発して正面に小沛へ迫り、三方から封鎖しておめきよせた。

　玄徳は、驚愕した。

「さては、返書を持たせて帰した使いが、途中召捕られて、曹操の意思が、呂布へ洩れたか」

　と、胆を寒うした。

　先頃、曹操から、密書をもって云いよこしたことばには、呂布を討つ機会は、実に今をおいてはない。北方の袁紹も、北平と事を構えて、黄河からこっちを顧みている遑は

なし、呂布、袁術のあいだも、国交の誼みなく、予と其許とが呼応して起てば、呂布は孤立の地にある。まことに、易々たる事業というべきではないか。

要するに、戦備の催促である。もちろん劉玄徳は、敢然、協力のむねを返簡した。

――呂布が見て怒ったのも当然であった。

「関羽は西門を守れ、張飛は東門に備えろ、孫乾は北門へ。また、南門の防ぎには、この玄徳が当る」

取りあえず部署をさだめた。

なにしろ急場だ。城内鼎の沸くような騒ぎである。――その混乱というのに、関羽と張飛のふたりは、何事か西門の下で口論していた。

三

なにを口喧嘩しているのか。

この戦の中に。

また、義兄弟仲のくせして。――と兵卒たちが、守備をすてて、関羽、張飛のまわりへ立って聞いていると、

「なぜ、敵将を追うなと止めるか。敵の勇将を見て、追わぬほどなら、戦などやめたがいい」

といっているのが張飛。

それに対して、関羽は、

「いや、張遼という人物は、敵ながら武芸に秀で、しかも恥を知り、従順な色が見える。――だから生かしておきたいのだ。そこが武将のふくみというものではないか」

と、諭したり、説破したり、論争に努めている。

玄徳の耳にはいったとみえ、

「この際、何事か」と、叱りがきた。

「関羽、どっちが理か非か。家兄の前へ出て埒を明けよう」

張飛は、関羽を引っぱって、遂に、玄徳の前まで議論を持ちだした。

で、双方の云い分を玄徳が聞いてみると、こういう次第であった。

その日、早朝の戦に。

呂布の一方の大将張遼が、関羽の守っている西門へ押しよせて来た。

関羽は、城門の上から、

「敵ながらよい武者振りと思ったら、貴公は張遼ではないか。君ほどな人物も、呂布の如き粗暴で浅薄な人間を主君に持ったため、いつも無名の戦や、反逆の戦場に出て、武人か強盗か疑われるような働きをせねばならぬとは、同情にたえないことだ。――武将と生れたからには戦わば正義の為、死なば君国の為といわれるような生涯をしたいものだが、可惜、忠義のこころざしも、貴公としては、向け場がござるまい」

と、大音ながら、話しかけるような口調で呼びかけた。

すると――

寄手をひいて、猛然、攻めかけてきた張遼が、なに思ったか、急に馬をめぐらして、今度は張飛の守っている東の門へ攻めに廻った様子である。

そこで関羽は、馬を馳せて、張飛の守っている部署へ行き、

「討って出るな」と、極力止めた。

「――張遼は惜しい漢だ。彼には正義の軍につきたい心と、恥を知る良心がある」

と、敵とはいえ、助けておきたい心もちと理由とを、張飛に力説した。

「おれの部署へ来て、よけいな指揮はしてもらいたくない」

張飛は、肯かない。

そこで口論となり、時を移してしまったので、寄手の張遼も、余りに無反応な城門に、不審を起したものか、やがて、退いてしまったというわけであった。

「惜しいと云いたいのは、張遼を討ちもらしたことで、まったく、関羽に邪魔されたようなものだ。家兄、これでも、関羽のほうに理がありましょうか」

張飛は、例の如く、駄々をこねだして、玄徳に訴えた。

玄徳も、裁きに困ったが、

「まあ、よいではないか。捕えても逃がしても、大海の魚一尾、張遼一名のために、天下が変るわけもあるまい」

と、どっちつかずに、双方を慰撫した。

×　×　×

どこかで、可憐な少女(おとめ)の歌う声がする。

十里城外は、戦乱の巷というのに、ここの一廓(かく)は静かな秋の陽にみち、芙蓉の花に、雲は麗しく、木犀(もくせい)のにおいを慕って、小さい秋蝶が低く舞ってゆく。

　にらの花が、地面にいっぱい
　金かんざし、銀かんざし
　お嫁にゆく小姑に似合おう
　小姑のお聟(むこ)さんは
　背むしの地主老爺(おやじ)
　床(とこ)にねるにも、おんぶする
　卓へつくにも、だっこする
　隣のお百姓さん
　見ない振りしておいで
　誰も笑わないことにしよう
　前世の因縁(いんねん)、しかたがない

徐州城内の、北苑(ほくえん)、呂布の家族や女たちのみいる禁園であった。十四ばかりの少女が、芙蓉の花を折りながら歌っている。歌に甘えて、その背へ、うしろから抱きついているのは、少女の妹であろう。やっと歩けるほどな幼さである。

四

誰もいないと思ってか、少女は手折った芙蓉を髪に挿(さ)し、また、声を張りあげて歌っていた。

妹是桂花(むすめ・かつらのはな)　香千里(せんりもにおう)
哥是蜜蜂(おとこ・みつばち)　万里来(ばんりもかよう)
蜜蜂見花(みつばち・はなみて)　団々転(うようようつる)
花見蜜蜂(はなは・みつばちみて)　朶々開(なよなよひらく)

呂布はその声に、後閣の窓から首を出した。

眼をほそめて、娘の歌に聞き恍(と)れている顔つきである。

「…………」

姉は十四、妹は五ツ。

ふたりとも、呂布の娘である。

十四の姉のほうは、先頃、袁術(えんじゅつ)の息子へ嫁がせるまでになって、一夜、盛大な歓宴をひらき、珠簾(しゅれん)の輿(こし)にのせて、淮南(わいなん)の道へと見送ったが、にわかに、模様が変ったため、兵を派して輿を途中から連れもどし、そのまま、もとの深窓に封じてしまった、――あの花嫁御寮なのである。

花嫁はまだ小さい。

国と国の政略も知らない。戦争がどこに起っているかも知らない。父親の胸のうちも、徐州の城の運命も知らない。

ただ歌っている――そして幼い妹と手をつないでくるくるめぐっていたが、ふと、父の呂布の顔を、後閣の窓に見たので、

「あら！」

と、顔を紅らめながら母たちの住んでいる北苑の深房へ馳けこんでしまった。

「ははは。まだまことに無邪気な姫君でいらっしゃいますな」

呂布のそばには、家臣の郝萌が顔をならべてたたずんでいた。

「む、む。……あのようにまだ子どもだからな、可憐しいよ」

呂布は腕をくんだ。――なにか娘のことについて、沈吟しているようだった。

室には郝萌と彼と、ただ二人きりで、最前から何か密談していたところである。

その郝萌は、玄徳から曹操へ宛てた例の返簡が、呂布の手に入って、こんどの戦端となった、その日に、

（急ぎ淮南へ参って、袁術に会い、先頃の縁談は、まったく曹操にさまたげられて、一旦はお約束にそむいたものの、依然、貴家との婚姻はねがっているところである。――と申して、至急取りまとめて来い）との秘命をうけて、早馬で淮南へ向い、つい今しがた、袁術からの返辞を持って、これへ帰ってきたものであった。

急に、婚約の儀を蒸し返して、袁術へ、唇歯の交わりを求める裏には、

(二家姻戚として、二国同盟して、共に、曹操を打破ろうではないか)

と、いう軍事的な意味がもちろん含まれている。

袁術とても、もとより息子の嫁の縹緻や気だてなどより、重点はそこにあるので、慎重評議の結果、やはり呂布は味方に抱きこみたいが、呂布の変り易い信義にはまだ疑いがあるとて、

(ともあれ愛娘の身を先に淮南へお送りあるなれば、充分、好意をもってご返答に及ぼう)

という、返辞だった。

要するに、愛娘を先に質子として送り、信義を示すならば——という条件なのである。

呂布の胸は今、郝萌からその復命を聞いて迷っていた。

「娘を淮南へ送ったものか、どうしたものか?　……」と。

そして、すでに、

「やろう」と、肚をきめかけた時、ふと、愛娘の歌声が聞えてきたのである。可憐な、そしてまだ無邪気な愛娘のすがたを、苑に見ると、彼はまた気が変って、

「……いや。花嫁としてやるならばだが、質子として、遠い淮南へ、むすめをやるほど、呂布もまだ落ち目になっておらん。袁術のほうでそう高くとまっているなら、この問題はもっと先のことにしよう。……郝萌、使いの役目、大儀だった。退がって休息す

るがいい」

と、いった。そして遂に、袁術へ提携を呼びかけた婚姻政略の蒸し返しは、一時、断念してしまった。

五

呂布は、小沛の敵――劉玄徳には、そう恐れを抱いていない。

彼が恐れているのは、曹操を敵にまわすことである。

が、玄徳を攻めれば、当然、曹操を敵として、乾坤一擲の運命を賭すまでの局面へ行き当る――それは、避けたいのだ。しかし目前の玄徳は討たざるを得ない。すでに、小沛の城は三方から自分の兵で押しつつんでいる。

（袁術との同盟さえ成れば、曹操が起っても、恐るるには足らないが）

と考えて、彼は急遽、郝萌を淮南へ飛ばし、袁術の肚を当ってみたわけであるが、先も足もとを見て、妥協しかねる条件を持ち出すなど、不遜な態度を示したので、呂布は自己の面子としても、また、わが娘への愛着からも、これ以上の屈辱には忍べなかった。で。――そのほうが望み薄ときまると、却って彼は肚がすわったように、

「よし、この上は」と翌日は、自身、戦場に臨んで、督戦した。

「こんな小城一つに、幾日、攻めあぐねておるぞ。一押しに、踏みつぶせ」

味方を叱咤しながら、彼を乗せた赤兎馬は、はや小沛の城の下まで迫っていた。

すると城壁の上に、劉玄徳がすがたを現わして、呂布へ呼びかけ、諄々といった。

「呂将軍、呂将軍、何とてかくは烈しく囲み給うか。それがしと将軍とは、情あり恩あり、誼みこそあれ、仇はない筈。――先に、曹操より天子の勅命として、それがしに兵を催せとの厳命ゆえ、やむなく承知の返簡は認めたが、なんで立ちどころに将軍との旧交を捨てて故なき害意をさし挟もうや。願わくは、ご賢慮あれ。――将軍とこの劉備とが戦って、相互の兵力を多大に消耗し尽すを、陰でよろこび、陰で利益する者は、何者なるかを、深くご賢察あれや」

呂布は、それを聞くと、しばらく馬上に黙然としていたが、突然、

「包囲は解くな」

と、味方へいいつけて、ひらりと、陣後へ馬をかえしてしまった。

弱点といおうか、人間性に富むといおうか、呂布は実に迷いの多い漢ではあった。ここまで駒を寄せながら、玄徳が理を尽して説くと、また、

(そうかな?)

という気迷いにとらわれて、自身は徐州の城へ帰ってしまった。

従って寄手の包囲陣も、そのまま、むなしく日を送っているまに、それより前に小沛を脱出していた劉玄徳の急使は、早くも許都に着いて、

「委細は、主人劉備の書中にございますが、かくかくの次第、一刻もはやくご救援を乞いまする」

と、告げた。

曹操は、直ちに相府へ諸大将をあつめて、小沛の急変を伝え、同時に、

「劉備を見ごろしにしては、予の信義に反く。今、袁紹は北平の討伐に向い、それに憂いはないが、なお予の背後には張繍、劉表の勢力が、常に都の虚をうかがっている。――とはいえ、呂布を放置しておかんか、これまた、いよいよ勢いを強大にし、将来の患となるのは目に見えておる。――如かず、一部の者に、許都の留守をあずけ、予は劉備を援けて、共にこの際、呂布の息の根をとめてこようと思う。汝らは、如何に思うか」

と、評議に諮った。

六

堂中の諸大将を代表して、荀攸が起立して答えた。

「出師のご発議、われらに於てもしかるべく存じます。劉表、張繍とても、先ごろ手痛く攻撃された後のこと、軽々しく兵をおこして参ろうとは思われません。――それをはばかって、もしこの際、呂布のなすままに委せておいたら、袁術と合流して、泗水淮南に縦横し、遂には将来の大患となりましょう。彼の勢いのまだ小なるうちに、よろしく禍いの根を断つこそ急務と思われます」

曹操は左の手を胸に当て、右手を高く伸ばして、

「いしくも申したり。——満座、異議はないか」

といった。

異口同音に、

「ありません」

諸大将、すべて起立して、賛意を表した。

「さらば征いて、小沛の危急を救え」とばかり、まず夏侯惇、呂虔、李典の三名を先鋒に、五万の精兵をさずけ、徐州の境へ馳せ向かわした。

呂布の麾下、高順の陣は、突破をうけて潰乱した。

「なに。曹操の先手が、はや着いたとか」

呂布は狼狽した。もう曹操との正面衝突は、避け難い勢いに立到ったものと観念した。

「侯成、はや参れ。郝萌、曹性も馳け向かえ。——そして高順を助けて、遠路につかれた敵兵を一挙に平げてしまえ」

呂布の命令に、呂布の軍は直ちに軍の移動を起した。

それまで、小沛を遠巻きにしていた彼の大兵が、一部、それに向ったので、全軍三十里ほど、小沛から退いたのであった。

城中の玄徳は、

「さてこそ、許都の援軍が徐州の境まで着いたと見ゆる」と察して、孫乾、糜竺、糜芳らを城内にのこし、自身は関羽、張飛の両翼を従えて今までの消極的な守勢から攻勢に転じ、俄然、凸形(とっけい)に陣容をそなえ直した。

――が、なおそこは、静かなること林の如く、動かざること山のようであったが、すでに呂布軍の一角と、曹操軍の尖端とは激突して、戦塵をあげ始めていた。

その日の戦に。

曹操麾下の夏侯惇(かこうじゅん)は、呂布の大将高順と名乗りあって、五十余合戦ったが、そのうち高順が逃げだしたので、

「きたなし、返せ返せ」と、呼ばわりながらあくまで追い馳けまわして行った。

すると、高順の味方曹性が、「すわ、高順の危急」と見たので、馬上、弓をつがえて、近々と走り寄り、夏侯惇の面をねらって、ひょうと射た。

矢は、夏侯惇の左の眼に突き刺さった。彼の半面は鮮血に染み、思わず、

「あッ」

と、鞍の上でのけ反(ぞ)ったが、鐙(あぶみ)に確(しか)と踏みこたえて、片手でわが眼に立っている矢を引き抜いたので、鏃(やじり)と共に眼球も出てしまった。

夏侯惇は、どろどろな眼の球のからみついている鏃を面上高くかざしながら、

「これは父の精、母の血液。どこも捨てる場所がない。――あら、もったいなや」

と、大音で独り言をいったと思うと、鏃を口に入れて、自分の眼の球を喰べてしまった。

そして、真っ赤な口を、くわっと開いて、片眼に曹性のすがたを睨み、

「貴様かッ」

と、馬を向け跳びかかってくるや否、ただ一槍の下に、片眼の讐（かたき）を突き殺してしまった。

七

おそらく天下第一の健啖家（けんたんか）は、夏侯惇であろう。

――後には、人々の話題をにぎわし、夏侯惇もよく笑いばなしに語ったが、わが眼を喰って血戦したその場合の彼の心は、悲壮とも壮絶ともいいようはない。

眼球を抜かれた一眼の窪（くぼ）からあふれでる鮮血は止まらない。もちろん激痛も甚だしかった。

「今はこれまで」と、彼も最期を思ったほど、敵の中に囲まれていたのである。

その重囲を、一角から斬りくずして、彼の身を救って出たのは、彼の弟夏侯淵（かこうえん）であった。

夏侯淵は、兄を助けて、

「ひとまず退きましょう」

味方の李典、呂虔（りょけん）の陣へ走りこんで一手となった。

勢いにのった呂布軍は、全線にわたって、攻勢を示し、

「この図をはずすな」と、呂布自身、馬をとばして、押し進んできた。

李典、呂虔の兵は、済北まで引きしりぞいた。呂布は、全戦場の形勢から、

「勝機は今！」と、確信したものか、奔濤の勢いをそのまま揚げて、直ちに、小沛まで詰め寄せてきた。

ここには、関羽、張飛が、「ござんなれ」と、備えていた。

敵を代えて、呂布は、新手の玄徳軍と猛戦を開始した。

高順、張遼の二軍は、張飛の備えに打ってかかり、呂布自身は、関羽に当った。

乱箭の交換に、雲は叫び、肉闘剣戟の接戦となって、鼓は裂け、旗は折れ、天地は震撼した。

だが、なんといっても、玄徳の小沛勢は小勢である。張飛、関羽がいかに勇なりといえど、呂布の大軍には抗し得なかった。

当然、敗退した。

城中へ城中へと先を争って逃げてゆく、その小勢のなかに、玄徳のうしろ姿を見つけた呂布は、

「大耳児。待て」と、呼びかけた。

玄徳は生れつき耳が大きかった。兎耳と綽名されていた。それゆえに呂布はそう叫んだのである。

玄徳は、その声に、

「追いつかれては——」と、戦慄した。

きょうの呂布の血相では、所詮、口さきで彼の戟を避けることはできそうもない。

「逃げるに如くなし」

玄徳は、うしろも見ず、馬に鞭打った。

ところが、余りに、追迫されたので、彼が、城門の濠橋まで来てみるともう橋はあげてある。

「玄徳なるぞ、吊橋を下ろせ」

城中の兵は、彼の姿にあわてて、内から門をひらき、橋を渡したが——玄徳が急いで逃げ渡ろうとするまでに、呂布も、疾風のごとく、共に橋をこえていた。

「あれよ！　呂布が」と、味方の兵は、弓に矢をつがえたが、何分、主人の玄徳と、呂布の体がほとんど一体になってからみ合ったまま、だーっと城門内まで馳けこんでしまったので、

「もし、主人を射ては」と、手もすくんで、遂に一矢も放つことができなかった。

もちろん呂布の前には、たちまち、十騎二十騎と立ちふさがったが、彼の大戟が呼ぶ血風の虹をいよいよ壮絶にするばかりだった。

その間に。

呂布につづく高順、張遼の軍勢も、またたくうち橋を渡って、城門内を埋めてしまい、楼台城閣は炎を吐き、小沛の小城は今や完全に、彼の蹂躪するところとなってしま

った。

黒風白雨

一

今は施すべもない。なにをかえりみているいとまもない。業火と叫喚と。

そして味方の混乱が、否応もなく、玄徳を城の西門から押し出していた。

火の粉と共に、われがちに、逃げ散る兵の眼には、主君の姿も見えないらしい。

玄徳も逃げた。

けれど、いつのまにか、彼はただ一騎となっていた。

小沛から遠く落ちて、ただの一騎となった身に、気がついた時、玄徳は、

「ああ、恥かしい」と思った。

もう一度、城へ戻って戦おうかと考えた。小沛の城には老母がいる、妻子が残してある。

「——何で、われ一人、このまま長らえて落ちのびられよう」

慚愧（ざんき）にとらわれて、しばし後ろの黒煙をふり向いていたが、

「いや待て。――ここで死ぬのが孝の最善か。妻子への大愛か。――呂布もみだりに老母や妻子を殺しもしまい。今もどって、いたずらに呂布を怒らすよりはむしろ呂布に完全な勝利を与えて、彼の心に寛大な情のわくのを祈っていたほうがよいかもしれぬ」

玄徳は、そう思慮して、悄然（しょうぜん）とひとり落ちて行った。

彼のその考えは後になってみると賢明であった。

呂布は、小沛を占領すると糜竺（びじく）をよんで、

「玄徳の妻子は、そちの手に預けるから、徐州の城へ移して、固く守っておれ。擒虜（とりこ）の女子供をあなどって、みだりに狼藉（ろうぜき）する兵でもあったら、これを以て斬り捨ててさしつかえない」

と、自身の佩（は）いていた剣をといて授けた。

糜竺は拝謝して、玄徳の妻子を車にのせ徐州へ移った。

呂布はまた、高順、張遼の両名を、この小沛の城に籠めて自身は、山東、兗州（えんしゅう）の境にまで進み、威を振って敗残の敵を狩りつくした。

関羽。

張飛。

孫乾（そんけん）など。

諸将の行方を追及することも急だったが、彼らは山林ふかく身を寓（よ）せて、呂布の捜索

から遁れていたので、遂に、網の目にかからなかった。

玄徳は、許都（きょと）へ志した。思えばそういう中をただ一騎、無事に落ちのびられたのは、奇蹟といってもよい。

山に臥し、林に憩い、惨たる旅をつづけてゆくうちに、

「わが君。わが君っ――」

と或る谷あいで追いついてくる数十騎の者があった。見ると、孫乾であった。

「ようこそご無事に」と、孫乾は、玄徳のすがたを見ると、声をあげて哭（な）いた。

「嘆いている場合ではない。とにかく許都へ上って、曹操に会い、将来を計ろう」

主従は道をいそいだ。

わびしき山村が見えた。玄徳以下、飢えつかれた姿で、村にたどり着いた。

すると、誰が伝えたわけでもないのに、

「小沛の劉玄徳様が、戦に負けて、ここへ落ちてござられたそうな」

「あの、劉予州（りゅうよしゅう）様かよ」

「おいたわしい事ではある」

と、そこらの茅屋（あばらや）から村の老幼や、女子どもまで走りでて、路傍に坐り、彼の姿を拝して、涙をながした。

田夫野人（でんぷやじん）と呼ばれる彼らのうちには、富貴の中にも見られない真情がある。人々は、食物を持って来て玄徳に献げた。またひとりの老媼（おうな）は、自分の着物の袖で、玄徳の泥沓（どろぐつ）

を拭いた。

無智といわれる彼らこそ、人の真価を正しく見ていた。日頃の徳政を通して、彼らは、

「よいご領主」

と、玄徳の人物を、夙に知っていたのであった。

二

その夜は猟師の家に宿った。

猟師という主の男は、感涙をながして、

「こんな山家にご領主をお泊め申すことは勿体ないやら有難いやらで、どうおもてなし致していいかわかりません」と、拝跪していった。

玄徳は見て、

「主は、以前からこの村に住居しておる者か」と、たずねた。

猟師にしては、どこか骨柄の秀でたところが見えたからである。

主は、破れ床に平伏して、

「お恥かしい次第ですが、祖先は漢家のながれをくみ、劉氏の苗裔で、自分は劉安と申すものでございます」と、答えた。

その晩、劉安は肉を煮て玄徳に饗した。

飢えぬいていた玄徳主従は、歓んで箸を取った。そして「何の肉か」と、たずねると、

「狼の肉です」という劉安の返辞だった。

ところが、翌朝出発に際し、孫乾が馬を引出そうとして、何気なく厨をのぞくと、女の死骸があった。

おどろいて、主の劉安に、

「いかなるわけか」

と質すと、劉安は泣いて、

「わたくしの愛妻ですが、ご覧のごとく、家貧しく殿へ饗すべき物もありませんので、実は、妻の肉を煮ておもてなしに捧げたわけでございます」と、初めて打明けた。

孫乾からそれを聞いて、玄徳は感傷してやまなかった。で、劉安にこうすすめた。

「どうだ、都へのぼって任官をしては」

すると、劉安は顔を振って、

「思し召はありがとうぞんじますが、手前が都へ行っては、ひとりの老母を養う者がありません。老母は、動かせない病人ですから、どうもその儀は」

と、断った——という。

＝読者へ

作家として、一言ここにさし挟むの異例をゆるされたい。劉安が妻の肉を煮て玄

徳に饗したという項は、日本人のもつ古来の情愛や道徳ではそのまま理解しにくいことである。われわれの情美感や潔癖（けっぺき）は、むしろ不快をさえ覚える話である。

だから、この一項は原書にはあっても除こうかと考えたが、原書は劉安の行為を、非常な美挙として扱っているのである。そこに中古支那の道義観や民情もうかがわれるし、そういう彼我（ひが）の相違を読み知ることも、三国志の持つ一つの意義でもあるので、あえて原書のままにしておいた。

読者よ。

これを日本の古典「鉢（はち）の木（き）」と思いくらべてみたまえ。雪の日、佐野の渡しに行き暮れた最明寺時頼（さいみょうじときより）の寒飢（かんき）をもてなすに、寵愛の梅の木を伐（き）って、炉にくべる薪とした鎌倉武士の情操と、劉安の話とを。――話の筋はまことに似ているが、その心的内容には狼の肉の味と、梅の花の薫（かお）りくらいな相違が感じられるではないか。

閑話休題（それはさておき）。

玄徳は次の日、そこを立って梁城（りょうじょう）の附近に到ると、彼方から馬けむりをあげてくる大軍があった。

これなん、曹操（そうそう）自身が、許都の精猛を率いて、急ぎに急いできた本軍であった。

地獄で仏に。

玄徳は、計らずも曹操にめぐり会って、まったくそんな心地であった。

曹操は始終を聞いて、

「乞う。安んじ給え」

と、彼をなぐさめ、なお、前の夜玄徳が泊った宿の主、劉安の義侠を聞いて、金若干を与え、

「老母を養うべし」と、使いにいわせた。

三

曹操の本軍が済北に到着すると、先鋒の夏侯淵は片眼の兄を連れて、

「ご着陣を祝します」と、第一に挨拶に来た。

「夏侯惇か、その眼はどうしたのだ」

曹操の訊ねをうけて夏侯惇は片眼の顔を笑いゆがめて、

「先の戦場において喰べてしまいました」

と、仔細をはなした。

「あははは。わが眼を喰った男は人類はじまって以来、おそらく汝ひとりであろう。身体髪膚これ父母に享くという。汝はまた、孝道の実践家だ。——暇をつかわすゆえ、許都へ帰って眼の治療をするがいい」

曹操は大いに笑ったが、次々と挨拶にくる諸将を引見して、

「ところで、呂布のほうはどんな情勢にあるか」と、おのおのの意見を徴した。

ひとりがいう。

「呂布はあせっております。自己の勢力を拡大すべく味方となる者なら強盗であろうと山賊であろうと党を選ばず扶持して、軍勢に加え、いたずらにその数を誇示し、兗州その他の境を侵して、ともかく軍の形容だけは、このところ急激に膨脹して、勢い隆々たるものがあります」

「小沛の城は」

「目下、呂布の部下、張遼、高順の二将がたて籠っております」

「ではまず、玄徳の復讐のために、小沛を攻めて、奪回しろ」

一令の下に、諸将は、各〻の陣所につき、中軍のさしずを待ちかまえた。

曹操は、玄徳と共に、山東の境へ突出して、はるか蕭関のほうをうかがった。

その方面には――

泰山の強盗群、孫観、呉敦、尹礼、昌豨などの賊将が手下のあぶれ者、三万余を糾合して、

「山岳戦ならお手のものだ。都の弱兵などに負けてたまるか」

と、威を張り、陣を備えて、賊党とはいえ、なかなか侮りがたい勢いだった。

「許褚。突きすすめ」

曹操は、けしかけるように、許褚へ先駆を命じた。

許褚は、

「仰せ、待っていました」とばかり手勢をひいて敵中へ突撃した。泰山の大盗孫観、呉

敦をはじめ、馬首をそろえて、彼へ喚きかかってきたが、一人として許褚の前に久しく立っていることはできなかった。

山兵は、つなみの如く、蕭関へさして逃げくずれた。

「追えや。今ぞ」

曹操の急追に、山兵の死骸は、谷をうずめ、峰を紅く染めた。

その間に、幕下の曹仁は、手勢三千余騎をさずけられて、間道を縫い、目ざす小沛の城へ、搦手から攻めかけていた。

小沛から徐州へ――

ひんぴんとして伝令は馳けた。

呂布は、徐州に帰っていた。

兗州から帰って、席あたたまるいとまもなく、眉に火のつくような伝令また伝令のこの急場に接したのであった。

「小沛は徐州の咽喉だ。自身参って、防ぎ支えねばならん」

彼は、陳大夫、陳登の父子をよんで、防戦の策を計り、陳登は、われに従え、陳大夫は残って徐州を守れと命じた。

「心得ました」

父子は、呂布の前をさがると、城中人馬の用意に物騒がしい中を、いつも密談の場所としてある真っ暗な一室にかくれて、ささやき合っていた。

「父上、呂布の滅亡も近づきましたな」

「ウム。いよいよわしら父子の待ってる日が来た」

「幸いに、私は、彼に従って、小沛へ行きますから、戦の出先で、ある妙計を施します。——その結果、呂布が曹操に追われて、徐州へ逃げてくるかも知れませんが、その時こそ、父上は城門を閉じて、呂布を断じてこの城へ入れないで下さい。よろしゅうございますか」

陳登は、かたく念を押したが、陳大夫は、すぐうんとはうなずかなかった。

四

「父上。なぜ、ご返辞がないのですか」

「でも……。いくらわしが、この城の守りに残っていても、城中には、呂布の一族妻子などが大勢いるではないか。——呂布が城門まで逃げ帰ってきたのを見たら、わしが開けるなといっても、一族の輩が承知するはずはない」

「ですから、それも私が、一策を講じてよいようにして行きます」

暗黒の密室にかくれて、父子が諜し合わせていると、隣の武器庫で、

「陳大夫はどうしたのだろう」

「陳登の姿も見えぬが」と、ほかの大将が話していた。

父子は眼を見合せて、しばし息をこらしていたが、隙を見て、別れ別れに出て行っ

た。

「何しておったか」

呂布は、それへ来た陳登のすがたを見ると、一喝(かっ)した。

無理はない。もう出陣の身支度も終って、閣の外に、勢揃いしていたところである。

陳登は悪びれず、彼の床几(しょうぎ)の前に拝伏して、

「実は、父があまりにも、お留守の大役を案じるので、励ましていたものですから」と言い訳した。

呂布は眉をひそめて、

「徐州の留守が、どうしてそんな心配になると、陳大夫はいうのか？」

「何分こんどは、今までの一方的な戦争とちがって、曹軍の大勢は、この徐州の四面を遠くから包囲してきております。もし、万が一にも、事態が急に迫った時は、城中のご一族、金銀兵糧なども、にわかにはほかへ移しようもございません。――老人の取越し苦労といいましょうか、老父はひどくそれを案じておりました」

「ああ、なる程。その憂いも一理あるな」

呂布は急に糜竺(びじく)を招いて、

「そちは陳大夫と共に城に残ってわが妻子や金銀兵糧などを、すべて下邳(かひ)の城のほうへ移しておけ。よろしいか」と、いいつけた。

彼は、後方の万全を期したつもりで、勇躍、徐州城から馬をすすめて行ったが、何ぞ

知らん、その糜竺も、疾くから陳大夫父子と気脈を通じて、呂布の陥穽を掘っていた一人だったのである。

――が。呂布はなお気づかなかった。

小沛の危急を救うつもりで、途中まで来ると、

「蕭関が危ない」と聞えてきた。

呂布は、気が変って、

「さらば、蕭関から先に喰い止めよう」と、急に道をかえた。

陳登は、諫めた。

「将軍は、お後から徐々と、なるべくお急ぎなくお進みなさい」

「なぜ、急ぐなというか」

「蕭関の防ぎには、お味方の陳宮や臧覇も向っていますが、多くは泰山の孫観とか呉敦などの兵です。彼らはもともと山林の豺狼、利に遭えば、いつ寝返りを打つかも知れません。まずそれがしが先に数十騎をひきいて蕭関をのぞみ、陣中の気ぶりを見た上でお迎えに馳け戻ってきましょう」

「よく気がついた。わが命を守って、細やかな心くばり。そちの如き者こそ、真の忠義の士というのだろう。早く行け」

「では、殿にはお後から」と、陳登は先に馳けた。

そして蕭関の砦へ来ると、味方の陳宮、臧覇に会見して、戦いのもようを問い、

「時に、呂将軍は、なぜか容易にこれへお進みがない。――なにかご辺たちは、殿から疑われるような覚えはござらぬか」と、ささやいた。

「……はてな？　そんな覚えはないが」

陳宮、臧覇は、顔を見合わせた。けれど、なんの覚えはなくとも、敵と対峙している前線にあって、後方の司令部から疑惑されていると聞いては、不安を抱かずにいられなかった。

その夜のことである。

独りひそかに、砦の高櫓へのぼって行った陳登は、はるか曹操の陣地とおぼしき闇の火へ向って、一通の矢文を射込み、何喰わぬ顔をしてまた降りてきた。

奇計

一

そこを去って、蕭関の砦を後にすると、陳登は、暗夜に鞭をあげて、夜明け頃までにはまた、呂布の陣へ帰っていた。

待ちかねていた呂布は、

「どうだった？　……蕭関の様子は」と、すぐ糺した。

陳登はわざと眉を曇らして、

「案の定、まことに憂うべき状態です」と、いった。

呂布はもちろん顔色を変えた。

「では、わが眼のとどかぬ出城へ移って、早くも陳宮は異心をさし挟んでおる様子か」

「孫観、呉敦の輩は、もともと山野の賊頭なので、利を見て動くこともあろうかと、ひそかにおそれていましたが、陳宮のようなご恩顧の直臣までが、裏切りを謀っておろうとは思いませんでした。実に、人の心は頼み難いものです」

「いや陳宮は近頃、自分の言が事ごとに容れられないので、おれにすねているふうがあった。危うい哉――何も知らずに蕭関へ臨んだら、呂布は一生の大事を過るところだった」

彼は、陳登の功をたたえ、次の如き一策をさずけて、再び陳登を蕭関へ返した。

「――おれの伝令と偽って、陳宮に会い、何事でもよいから評議に時を移し、なるべく陳宮を酒に酔わしておけ。そして城楼から火の手をあげ、乾の門をあけておくのだ。火の手と共におれが突き進んで、自身、彼を成敗してしまうから」

呂布は、すこぶる賢明な策のつもりだった。――で、日没頃から徐々と移動を起し、全軍、蕭関へ向って近づいていた。

先に引っ返した陳登は、宵闇のとっぷりと迫った頃、蕭関に行き着いて、駒を降りるや否、

「一大事が起った」と、あわただしく、陳宮を呼びだして、息を喘きながら告げていた。

「――今日、曹操の大軍は、急角度に方向を変え、泰山の嶮や谷間をわたって、一斉に徐州へ攻め入ったという急報です。それ故、ここをお守りあっても、何の効もありません。速やかに、手勢をひいて、徐州を助けに向えとの命令です」

「えっ？」

陳宮は、愕然と、胆を冷やした顔いろだった。

応とも、否とも、陳宮が答えないまに、陳登はそう云い放したまま、すぐ駒にとび乗って、闇の中へ馳け去ってしまった。

陳宮は、信じたとみえて、それから半刻とも経たないうちに、蕭関の守兵は、続々と砦を出て徐州のほうへ急いで行った。

砦はがら空になった。

するとその――寂たる暗天の望楼台に、一つの人影が起ち上がった。

駒を飛ばして馳け去ったはずの陳登であった。

陳登は鏃に密書をむすび、その矢をつがえて、搦手の山中へ、ひょうっと射た。

「……？」

真っ暗な山ふところを見つめていると、やがて、松明を振っていた。

（矢文、見た、承知）

の火合図なのである。

暫くすると、乾、巽の二つの門から、ひたひたと、夜の潮のように、おびただしい人馬が、声もなく火影もなく、城内にはいって来た。そしてまた、墓場のようにしんとしていた。

陳登は、見届けると、第二の合図をあげた。それは望楼から打揚げた狼烟であった。シュルシュルシュルと火鼠のような光が空へ走る。

城外十里の彼方にあって、その火の手を待っていた呂布は、

「それっ、蕭関へ」と、一斉に駈けだした。

揉みに揉んで、全軍、道を急いで行くと、同じような速度で砦から出てきた大部隊があった。

徐州を救えと、何も知らずに急いできた陳宮の軍隊だった。

呂布のほうでも知る筈はない。暗さは暗し、双方とも疑心暗鬼に襲われているところである。――当然、大衝突を起すと共に、かつての戦史にも見られない程な――酸鼻な同士討ちを徹底的に演じてしまった。

二

「はてな？」

呂布はようやく気がついた。

同時に、相手の軍勢の中でも、

「戟を引け、者どもしずまれ。——もしや相手は味方ではないか。曹操の軍とも思われぬふしがある」と、陳宮の声がしきりとしていた。

「馬鹿っ。同士討ちだっ」

呂布はどなった。

けれど、そう気がついたのがすでに遅い。双方ともおびただしい死傷を出し、お互いに意味なき戦をしたことに呆れはてて、茫然たるばかりだった。

「怪しからぬ陳登の虚言。おれに報告したことと、そちに云ったこととはまるで違う。……ともあれ、砦へ行ってよく聞こう」

呂布は、怪しみながらも、そこで出会った陳宮の兵を合わせ、彼を連れて蕭関へ急いで来たが、そこへ近づくや否や、砦の内から一斉に曹操の兵が不意を衝いて喚きかかってきた。

こんどは本当の曹操の兵だった。先に陳登が引入れておいたものである。鳴りをしずめて待ち構えていた矢先でもある。何でたまろう、呂布、陳宮の兵は、潰乱混走を重ね、またしても、徹底的な打撃をうけてしまった。

呂布さえ、闇を逃げまどって、からくも夜が明けてから、山間の岩陰から出てきたほどである。

幸いに、陳宮に出会ったので、残り少ない味方をあつめ、

「ともかく、この上は、徐州へ帰って、一思案し直そう」と、悄然と急いだ。

ところが。

徐州の城門へ馳け入ろうとすると、櫓の上からバシャバシャッと雨のような矢が降って来た。

「こはいかに？」

と仰天して、いななく駒の手綱をしめながら、城楼をふり仰ぐと、糜竺が壁上にあらわれて、

「匹夫。何しに来たか」と、大音で罵った。

「この城こそは、さきに汝が詐ってわが旧主玄徳様から騙し奪ったもの。当然、今日もとの主人の手に返った。もはや汝の家ではないのだ。どこへでも行きたい方角へ落ちて行け！」

呂布は、鐙に立って、歯がみをしながら、

「陳大夫はいないかっ。城内に陳大夫がいるだろう。——陳大夫！　顔を見せろ」

と、さけんだ。

糜竺は、からからと笑って、

「陳老人は今、奥にあって、祝杯をあげてござる。まんまと計られた相手に、この上、

未練なすがたを見せたいのか」

云い終ると、彼のすがたも、ひらりと楼の内にかくれ、後にはどっと手をうって笑う声のみが聞えた。

「無念だ。無念だ。……だが、まさか陳大夫が俺を？」

呂布は、狂いまわる駒と共に、低徊してそこを去らなかった。

陳宮は、歯ぎしりして、

「まだ悪人の奸計とおさとりなく、愚かな後悔に恋々とご苦悶あるか。悲しい哉、わが主君は、死ななければ目の醒めないお人だ」

あまりな呂布の醜態に、陳宮は腹を立てて、独り先へ駒を引っ返してゆくと、呂布もあわてて後を追ってきた。

そして、力なく、

「小沛へ行こう。小沛の城には、腹心の張遼、高順のふたりを入れて守らせてある。しばらく小沛に拠って形勢を見よう」と、いった。

実際、残る策としては、それしかなかった。さすがの陳宮も万策つきたか、黙々と呂布に従って行った。

すると、どうだろう？

まぎれもない張遼、高順の二将が彼方から来るではないか。しかも小沛の兵をのこらずひきつれ、砂けむりをあげて、こっちへ急いでくる様子なのだ。――呂布、陳宮は眼

をみはって、

「おやっ？　何で……」

と、またしても、呆ッ気にとられた顔をして口を開いていた。

三

一方。

それへ近づいてきた高順と、張遼のほうでも呂布の姿を見て、心から不審そうに、

「やっ、これはわが君、どうしてこれへお越しなされましたか」と、訊ねた。

「いや、おれよりも、その方どもこそ、一体何しにこんな所へ急いできたか」

呂布の反問に高順、張遼はいよいよ解せない顔して、

「これはいかな事、われわれ両名は、固く小沛を守って動かぬことを欲していましたが、つい二刻ほど前、陳登馬を飛ばして馳せきたり、わが君には昨夜来、曹操の計にかかって重囲に陥ち給えり、疾く疾く徐州へ急いで主君を救い奉れ――と、こう城門で呼ばわるなり、鞭打って立去りました故、すわこそと、にわかに用意をととのえ、これまで参ったところでござる」

そばで聞いていた陳宮は、もう笑う元気も、怒る勇気もなくなったような、ただほろ苦い唇をゆがめて、

「それもこれも、みな陳大夫陳登父子の謀み事、さてさて首尾よくもかかったり、悔め

ど遅し、醒れど及ばず。——ああ」

と、横を向いた。

呂布は恨みがましく、はったと眼を天の一方にすえて、

「ううむ、よくもおれに苦杯をのましたな。おれがいかに陳登父子を寵用して目をかけてやったか、誰もみな過分と知っておるところだ。忘恩の悪漢め、どうするか見ておれ」

陳宮は、冷ややかにいった。

「ご主君、ようやくおわかりになりましたか。しかし、これからどうなさいます」

「小沛へ行こう」

「およしなさい。恥をかさねるだけです。——陳登はもう曹操の軍を引入れて、祝杯をむさぼっているに違いありません」

「さもあらばあれ、彼奴らの如き、蹴ちらして奪いかえすまでだ」

猛然先に立って、小沛の城壁の下まできた。

陳宮のいった通り、城頭にはもう敵の旌旗が翩翻とみえる。——そして呂布来れりと聞くとそこの高櫓へ登った陳登が、声高に笑っていった。

「あれ見ろ、赤い馬に乗った物乞いを。飢えたか、何を吠えているぞ。岩石でも喰らわしてやれ」

「忘恩の賊陳登。おれの恩を忘れたか。きのうまで、誰のために着、誰のために禄を喰

んでいたか」

「だまれ、我もと漢朝の臣、あに汝ごとき粗暴逆心(そぼうぎゃくしん)の賊に心から随身なそうや。――愚かものめ！」

「うぬっ、その細首の*髻(もとどり)を、この手につかまぬうちは、誓ってここを退かんぞ！　陳登、城を出て闘え」

喚(わめ)いているところへ、後ろにある高順の陣をめがけて、突然、一彪(ぴょう)の軍馬が北方から猛襲して来た。

「さてはまだ曹操の兵が、城外にもいたのか」

と、大いに動揺して、左右の陣を、にわかに後ろへ開いて、鶴翼*に備え立て、

「いざ、来い」と、おのおの手に唾(つば)して待ちかまえたが、近づくと、それは曹操の兵とも見えない。おそろしく薄ぎたなくて雑多な混成軍であった。馬も悪いし武器も不揃いだった。しかし、勢いは甚だしくすさまじい。どっと向う見ずに吶喊(とっかん)してきたかと思うと、先手と先手のぶつかり合った波頭線の人馬は、血けむりに赤く霞んで、双方の喚きは、直ちに惨烈をきわめた。すると、たちまちに四散して、馬前、人もなき鮮血の大地を蹴って、

「劉玄徳(りゅうげんとく)の舎弟関羽(しゃていかんう)！」

「玄徳の義弟張飛(おとうとちょうひ)とはおれのこと、この顔を覚えておれ」

と、名のりながら、馬を獅子の如く躍らしてくる二騎があった。

四

見れば、ひとりは豹頭虎眉の猛者、すなわち張飛、ひとりは朱面長髯の豪傑、すなわち関羽であった。

「や。や。玄徳の義弟だ」

「張、関が現れたぞ」

眼に見、耳に聞いただけでも、呂布の兵は震い怖れた。ふたりは無人の境を行くように、呂布の備えを蹂躙した。

「ふがいなき味方かな」と、大将高順は部下を叱咤し、張飛の前に立ちふさがって、鏘々、火花を交わしたが、たちまち、馬の尻に鞭打って、潰走する味方の中に没し去った。

関羽は、八十二斤の青龍刀をひっさげ、あえて、雑兵には眼もくれず、中軍へ猪突して、

「めずらしや呂布、赤兎馬はなお健在なりや」と、呼びかけた。

事の不意と、意外な敵の出現に呂布は動転していたが、是非なく、馬を返して戦った。

ところへまた、

「兄貴、その敵は、おれにくれ」と、張飛が見つけて、迅雷のようにかかって来た。

呂布は心中に、

「きょうは悪日」と呟いて、あわてふためきながら逃げだした。

「や、おのれ、待て」と、張飛は追う。

関羽も跳ぶ。

赤兎馬の尾も触れんばかり後ろに迫ったが、彼の馬と、呂布の馬とは、その脚足がまるで違う。

駿足赤兎馬の迅い脚は、辛くも呂布の一命を救った。

徐州は奪られ、小沛にはいれず、呂布は遂に、下邳へ落ちて行った。

下邳は徐州の出城のようなもので、もとより小城だが、そこには部下の侯成がいるし、要害の地ではあるので、

「ひとまずそこに拠って」と、四方の残兵を呼び集めた。

かくて戦は、曹操の大捷に帰し、曹操は玄徳に対して、

「もともと其許の城だから、其許は以前の如く、徐州に入城して、太守の座に直りたまえ」

といった。

徐州には彼の妻子が監禁されていたが、糜竺や陳大夫に守られていたので、みな恙なく、玄徳を迎えて対面した。

久しぶり、一家君臣一座に会して、

「関羽と張飛は、小沛を離散の後、いずこに身をひそめていたのか」

玄徳が問うと、

「てまえは海州の片田舎にかくれました」

と、関羽は答えたが、張飛は、

「ぜひなく芒碭山(ぼうとうざん)にのがれて、山賊をやっていた」

と、正直に語ったので人々は大笑いした。

数日の後。

曹操は、中軍を会場として、盛大な賀宴をひらいた。

その時、彼は自分の左の席を、玄徳に与えた。右のほうは空席にしていた。

それから順に、従軍の諸大将や文官も席に着いたところで、曹操は立って、

「この度、第一の功は、陳大夫陳登父子の働きである。予の右座は、陳老人に与うるものである」

と、述べた。

全員、拍手の中に、陳大夫老人は末席から息子に手をひかれて曹操の右側に着席した。

「あなたには、十県の禄(ろく)を与え、子息陳登には、伏波(ふくは)将軍の職を贈る」

と、曹操はなお犒(ねぎ)らった。

歓語(かんご)快笑(かいしょう)のうちに宴はすすみ、その中でまた、

「いかにして、呂布を生虜るべきか？」

の最後の作戦が、和気藹々のうちに種々検討された。――生虜るか殺すかこんどこそ

呂布の始末をつけないうちは曹操は許都へ退かない決心であった。

五

下邳の小城は、呂布にとって逃げこんだ檻にひとしい。

呂布はすでに檻の虎だ。

しかし、＊窮鼠が猫を咬むの喩えもあるから、檻の虎の料理は、易しきに似て、下手をすれば、咬みつかれる怖れがある。

その席上、程昱がいった。

「遠火で魚をあぶるように、ゆるゆると攻め殺すがよいでしょう。＊短兵急に押し詰めると、いわゆる破れかぶれとなって、思慮にとぼしい呂布のこと、どんな無謀をやるかもしれれません」

呂虔も、程昱の意見、しかるべしと賛同して、

「呂布の立場になってみると、今はただ臧覇、孫観などの泰山の賊党がたのみであろうと思われる。――それもはかなく、いよいよ面子もなく――最後の切札を選ぶとなれば――淮南の袁術へすがって、無条件降伏を申し入れ、袁術の援けをかりて、猛然、反抗して来るにちがいありません」

曹操は、両者の言へ、等分にうなずいて、

「いずれの説も、予の意中と変りはない。予のおそるるところも、呂布と袁術とが、結ばれる点にある。――山東の道々は、予自身の軍をもって遮断するから、劉玄徳は、その麾下をよく督して下邳より淮南のあいだの通路を警備したまえ」と、いった。

玄徳は、謹んで、

「尊命、承知いたしました」と、誓った。

宴は終って、一同、万歳を唱え、おのおの陣所へ帰って行く。

玄徳は即日、兵馬をととのえ、徐州には糜竺と簡雍の二人をとどめて、自身、関羽、張飛、孫乾の輩を率きつれて、邳郡から淮南への往来を断り塞ぐべく出発した。

それも――

下邳の窮敵に気づかれると、死にもの狂いの抵抗をうけることは必然なので、山を伝い、山間を抜け、ようやく呂布の背面にまわった。

要路の地勢を考えて、まず柵を結い、関所を設け、丸木小屋の見張所を建て、望楼を組上げなどして、街道はおろか、峰の杣道、谷間の細道まで、獣一匹通さぬばかり監視は厳重をきわめていた。

×　　×　　×

冬は近づく。

泗水の流れはまだ凍るほどにも至らないが、草木は枯れつくし、満目蕭条として、寒烈肌身に沁みてくる。

呂布は、城をめぐる泗水の流れに、逆茂木を引かせ、武具兵糧も、充分城内に積み入れて、

「雪よ。早く山野を埋めろ」と、天に禱った。

彼は自然の他力をたのみにしていたが、人智に長けた陳宮は、冷笑して彼に諫めた。

「曹操の勢は、遠路を来て、戦いつづけ、まだ配備もととのわず、冬を迎えて陣屋の設けもできていません。今、直ちに逆寄せをなし給えば、逸をもって労を撃つで――必ず大捷を博すだろうと思います」

呂布は首を振った。

「そううまくは行くまい。敗軍のあげくだから、まだ此方の将士こそ士気が揚っていない。彼の来り攻めるを待って、一度に突いて出れば、曹軍の大半は泗水に溺れてしまうだろう」

「は。……そうですか」

陳宮も近頃は、彼に対する情熱を持ちきれないふうである。抗弁もせず嘲笑って引き退がった。

とこうするまに、早くも曹操は山東の境を扼し、また当然下邳へ押しよせて、城下を大兵で取固めた。

そして二日余りは矢戦に送っていたが、やがて曹操自身、わずか二十騎ほどを従え

て、何思ったか、泗水の際(きわ)まで駒を出して、

「呂布に会わん」

と、城中へ呼びかけた。

臣道の巻

煩悩攻防戦

一

呂布は、櫓に現れて、

「われを呼ぶは何者か」と、わざと云った。

泗水の流れを隔てて、曹操の声は水にこだまして聞えてきた。

「君を呼ぶ者は君の好き敵である許都の丞相曹操だ。——しかし、君と我と、本来なんの仇があろう。予はただご辺が袁術と婚姻を結ぶと聞いて、攻め下ってきたまでである。なぜならば、袁術は皇帝を僭称して、天下をみだす叛逆の賊である。かくれもない天下の敵である」

「…………」

呂布は、沈黙していた。

河水をわたる風は白く、蕭々と鳴るは蘆荻、翩々とはためくは両陣の旌旗。——その間一すじの矢も飛ばなかった。

「予は信じる。君は正邪の見極めもつかないほど愚かな将軍ではないことを。——今もし戈を伏せて、この曹操に従うならば、予は予の命を賭しても、天子に奏して君の封土と名誉とを必ず確保しておみせしよう」

「…………」

「それに反し、この際、迷妄にとらわれて降らず、君の城郭もあえなく陥落する日となっては、もう何事も遅い、君の一族妻子も、一人として生くることは、不可能だろう。のみならず、百世の後まで、悪名を泗水に流すにきまっている。よくよく賢慮し給え」

呂布は動かされた。それまで黙然と聞いていたが、やにわに手を振り上げ、

「丞相丞相。しばらくの間、呂布に時刻の猶予をかし給え。城中の者とよく商議して、降使をつかわすことにするから」

傍にいた陳宮は、意外な呂布の返辞に愕然として跳び上がり、

「な、なにをばかなことを仰っしゃるかっ」

と、主君の口をふさぐように、突然、横あいから大音声で曹操へ云い返した。

「やよ曹賊。汝は、若年の頃から口先で人をだます達人だが、この陳宮がおる以上、わが主君だけは欺かれんぞ。この寒風に面皮をさらして、無用の舌の根をうごかさずと、早々退散しろ」

言葉の終った刹那、陳宮の手に引きしぼられていた弓がぷんと弦鳴りを放ち、矢は曹操の盔の眉庇にあたってはね折れた。

曹操は、くわっと眦をあげて、

「陳宮ッ、忘るるな、誓って汝の首を、予の土足に踏んで、今の答えをなすぞ」

そして左右の二十騎に向って、即時、総攻撃にうつれと峻烈に命じた。

櫓の上から呂布はあわてて、

「待ちたまえ、曹丞相。今の放言は、陳宮の一存で、此方の心ではない。それがしは必ず商議の上、城を出て降るであろう」

陳宮は、弓を投げつけて、ほとんど喧嘩面になって云った。

「この期になって、なんたる弱音をはき給うことか。曹操の人間はご存じであろうに。――今、彼の甘言にたばかられて、降伏したが最後、二度とこの首はつながりませんぞ」

「だまれっ、やかましいっ。汝一存を以てなにを吠ゆるか」

呂布も躍起となって、云い争い、果ては剣に手をかけて、陳宮を成敗せんと息巻いた。

敵の目からも見ゆる櫓のうえである。主従の喧嘩は醜態だ。高順や張遼たちは、見るに見かねて、二人を押しへだて、

「まあ、ご堪忍ください。陳宮も決して自分のために、面を冒していっているわけでは

なし、みな忠義のほとばしりです。元来、忠諫の士です。今、唯一つのお味方を失っては決していいことはありますまい」

呂布もようやく悪酔いのさめたようにほっと大息を肩でついて、

「いや、ゆるせ陳宮。今のは戯れだ。――それより何か良計があるなら惜しまず俺に教えてくれい」

と、云い直した。

二

呂布には、ほとほと愛想もつきたらしい陳宮であったが、かりそめにも主君である。その主君から頭を下げて機嫌をとられると、彼はまた、忠諫の良臣となって粉骨砕身せずにはいられない気持になった。

「良計はなきにしも非ずですが」

陳宮も辞を低うして答えた。

「ただお用いあるか否かが問題です。ここに取るべき一策としては『＊掎角の計』しかありません。将軍は精兵を率いて、城外へ出られ、それがしは城に在って、相互に呼吸をあわせ、曹操をして、首端の防ぎに苦しませるものであります」

「それを掎角の計というか」

「そうです。将軍が城外へ出られれば、必ず曹操はその首勢を、将軍へ向けましょう。

すると、それがしは直ぐ城内からその尾端を叩きます。また、曹操がお城のほうへ向かえば、将軍も転じて、彼の後方を脅かし、かくして、掎角の陣形に敵を挟み、彼を屠るの計であります」

「ムム、なるほど、良計良計。孫子も裸足だろう」

呂布は、たちまち、戦意を昂めて、立ちどころに出城の用意と云いだした。

山野に出れば、寒気はことに烈しかろうと想像されるので、将士はみな戦袍の下に綿衣を厚く着こんだ。

呂布も奥へはいって、妻の厳氏に、肌着や毛皮の胴服など、氷雪をしのぐに足る身支度をととのえよといいつけた。

厳氏は、良人の容子を怪しみながら、

「いったい、何処へお出ましですか」と、たずねた。

呂布は、城を出て戦う決意を語って、

「陳宮という男は、実に智謀の嚢のような人間だ。彼の授けた掎角の計をもってすれば、必勝は疑いない」と、あわただしく、身に物の具をまといだした。

すると厳氏は、

「まあ、ここを他人の手に預けて、城外へ出ると仰せなさいますか」

色を失った面持で、急にさめざめと泣きだした。

そして、なお、掻き口説いて、

「あなたは、後に残る妻子を、可哀そうともなんとも思いませんか。陳宮の考えだそうですが、陳宮の前身を思うてごらんなさい。あれは以前、曹操と主従の約をむすんでいたのを、途中から変心して、曹操を見捨てて奔った男ではありませんか。――ましてあなたは、その曹操ほども、陳宮を重く用いてはこなかったでしょう」

「………」

妻が真剣に泣いて訴えはじめたので、呂布は途方に暮れた顔をしていた。

「……ですもの、陳宮が、どうして曹操以上に、あなたへ忠義を励みましょう。陳宮に城を預けたら、どんな変心を抱くかしれたものではありません。……そうなったら、妾たち妻子は、またいつの日、あなたに会うことができましょう」

綿々と、恨みつらみを並べた。

呂布は、着かけていた毛皮の鎧下を脱ぎすてて、

「ばか、泣くな。戦の門出に、涙は不吉だ。明日にしよう、明日に」

急に、そういって、

「娘は何をしているか」

と妻と共に、娘たちのいる部屋へ入って行った。

明日になっても呂布は立つ気色もない。二日も過ぎ、三日も過ぎた。

陳宮がまた、顔を見せた。

「将軍。――一日も早く城を出て備えにおかかりなさらないと、曹操の大兵は、刻々と

城の四囲に勢いを張るばかりですぞ」

「や、陳宮か、おれもそう思うが、やはり遠く出て戦うよりは、城に居て堅く守るが利という気もするが」

「いや、機はまだ遅くありません。この日頃、許都のほうからおびただしい兵糧が曹操の陣地へ運送されて来るという情報が入りました。将軍が兵をひいて城外へ出られれば、その糧道も併せて断つことができる。——これ一挙両得です。敵にとっては致命的な打撃となること、いうまでもありません」

三

「なに。曹操の陣へ、都から兵糧の運送が続々と下ってくると。……フム、その途を中断するのか。よしっ、明日は兵をひいて城を出よう」

たちまち、呂布は肚をきめて、闘志燃ゆるが如き面をして云ったので陳宮も安心して、

「何とぞ、この機をはずさず」

と、わざと多言を吐かずに退いた。

その夜、呂布は貂蟬の室へはいった。見れば、貂蟬は帳を垂れ泣き沈んでいる。どうしたのかと訊くと、海棠の雨に打たれたような瞼を紅にはらして、

「もう再びこの世で将軍とお会いできないかと思うと泣いても泣いても足りません。行

く先誰をたのみに世を送りましょう」と、なお悲しんだ。

「何をいう。おれはこの通り健在ではないか。この城にはまだ冬を越す兵糧もある。万余の精兵もいる」

「いいえ、妾は夫人から伺いました。将軍は妾たちをすてて、お城をお出になるのでしょう」

「勝利を獲るために出て戦うので何も好んで死地へ行くわけではないよ」

「……でも。……でも案じられます。なぜならばお留守をあずかる陳宮と高順とは、日頃から不和で、将軍がお城にいなければ、きっと敵に虚をつかれて乱れます」

「二人はそんなに仲が悪いのか」

「わけて陳宮という人の肚は分らないと、夫人も憂いていらっしゃいます。――将軍、お娘様もおいとしいではございませんか。夫人や妾たちも不愍と思うてくださいませ」

貂蟬は、呂布の胸へひたと涙の顔をあてた。

呂布はその肩を軽く打って、

「あはははは」と強いて大笑した。

「他愛ないやつだ。泣くな、もう悲しむな。城を出ることは止めにしたよ。おれに画桿の戟と赤兎馬のあるうちは、天下の何人だろうが、この呂布を征服することができるものか。――安心せい、安心せい」

背をなでて、ともに牀へ憩い、侍女に酒を酌ませて、自ら貂蟬の唇へ飲ませてやった。

次の日。こんどは彼も少し間が悪いとみえて、呂布のほうから陳宮を呼びにやって、さて、陳宮の顔を見るといった。

「念のためおれが探らせたところでは敵の陣へ都から続々兵糧が運送されつつあるとの報告は、どうも虚報らしいぞ。案ずるところ、おれを城外へ誘い出そうとする曹操のわざといわせている流言にちがいない。そんな策に乗ったら大不覚だ。おれは自重するときめた。城を出る方針は中止とする」

陳宮は、彼の室を出ると慨然と長大息して——

「……ああ、もはや何をかいわんやだ。われわれは遂に身を葬る天地もなくなるだろう」

と、力なく云った。

それからというもの、呂布は日夜酒宴に溺れて、帳にかくれれば貂蟬と戯れ、家庭にあれば厳氏や娘に守られて、しかも酒がさめれば快々としていた。

「折入ってお目通りねがいたい儀がございまして——」

と、侍臣を通じて許しを得、彼の前に拝をなした二人の家人がある。

許汜と、王楷だった。

二人とも陳宮の部下に属している者なので、

「何だ」と、呂布は警戒顔していう。

王楷がまずいった。

「聞説(きくならく)――淮南(わいなん)の袁術(えんじゅつ)は、その後も勢力甚ださかんな由であります。将軍には先に、ご息女をもって袁家の息にゆるされ、婚姻の盛儀を挙げんとまでなされましたのに、なぜ今、疾(と)く使いを馳せて、袁術の救いをお求めになりませんか。――婚約のことも、まだ破談ときまったわけでもなし、臣らが参ってとくと先方に話せば、たちまち諒解を得られようと思われますが」

四

「そうだ。……あの縁談も破談となり終ったわけではないな」

呂布は暗中に、一つの光明を見出したように呻(うめ)いた。

そして、二人の臣へ、

「では、其方たちが、進んで淮南へ使いに立つと申すか」

「不肖なれど、ご当家の浮沈にかかわる大事、一命を賭して、致したいと存じます」

「殊勝(しゅしょう)殊勝。よくいってくれたぞ。――では早速、袁術へ宛て、書簡をしたためるからそれを携えて、淮南へ急いでくれい」

「御命、かしこまりました――しかし、この下邳(かひ)の城は、すでに敵の重囲にあり、また、淮南の通路は、劉玄徳(りゅうげんとく)が関をもうけて、往来を厳しく監視しておりますとか。……何とぞ臣らの使命のため、一軍の兵をお出しあって、通路の囲みを突破していただきたく存じますが」

「よろしい、さもなくては淮南へ出ることはかなうまい」

呂布は、直ちに張遼、郝萌の二大将をよび、各〻へ五百余騎をさずけて、

「両名を淮南の境まで送るように」と、いいつけた。

「畏まって候」とばかり、張遼の五百余騎は前に立ち、郝萌はうしろに備えて、飛龍の勢目を形づくり、城門をひらいて突出した。

敵中横断の挙は、もちろん深夜を選ばれて決行されたものである。まんまと曹操の包囲戦線も越え、次の夜、玄徳の陣をも駆け通りに突破してしまった。

「上々首尾！」

両使は、淮南の境を出ると、喊呼した。

「でも、まだ、帰りの危険もあるから」

と、郝萌の五百騎だけは、使者について、淮南まで随行した。

張遼は、手勢の五百騎だけを従えて、もとの道へ引っ返したが、こんどは玄徳陣の警戒線に引っかかって、

「どこへ参る」と、一隊の兵馬に道をさえぎられた。

張遼がふと敵の将を見ると、それはかつて小沛の城を攻めた時、城頭から自分に向って正義の意見を呈してくれた関羽であった。――で、互いに顧眄の心があるので、敵ながらすぐ弓や戟に物をいわせようとせず、二、三の問答を交わしているうちに、下邳の

ほうから高順、侯成が助けにきてくれたので、張遼は危ういところで虎口をのがれ、無事城中へ帰ることができた。

――だが、その後。

淮南に着いて、袁術に謁し、呂布の書簡を呈してやがて戻ってきた許汜、王楷の二使は、そうは行かなかった。

袁術に会見しての結果は、まず成功のほうだった。二使も外交的な才弁をふるって大いに努めたので、袁術は、

「呂布は、反覆常なく、書簡の上だけでは、とうてい信用できかねるが、もしこの際でも、愛娘を送ってくるほどな熱意を示すならば、それを誠意の証とみとめて、朕も国中の兵をあげて救けつかわすであろう」と、いう返辞だった。

二使は、大よろこびで、道を急いで帰ってきたが、二更の頃、関所の辺を駈け通りに駈け抜けようとすると、

「夜中に、馬を早めて行くは何者の隊だ」と、張飛の陣にさとられて、たちまち包囲されてしまった。

二使の守りについていた郝萌は、張飛に出会って、馬上から組み落され、高手小手に縛られて、捕虜になってしまった。

五百の兵も虱つぶしにあらましは討たれたが、僥倖にも乱戟混戦の闇にまぎれて、許汜、王楷の二使だけは辛くも身一つで下邳の城まで逃げ着いた。

五

その夜、郝萌を生捕った張飛は、縄尻を取って、すぐ玄徳の営に出向き、

「こやつは、不敵にも守備の眼をかすめて、淮南へ往来した特使の大将。ぶっ叩いてお調べください」と、突き出した。

玄徳は彼の功を賞して、直ちに取調べたが、郝萌は容易に実を吐かない。

張飛は、もどかしと、かたわらの士卒へ、

「拷問にかけろ」と、声を大にしていいつけた。

士卒は、仮借なく、郝萌の背に百鞭を加えた。郝萌は、のがれぬところと思ったか、悲鳴の下から、

「玄徳どの、縄目をゆるめ給え、申し告げることがある」と、叫んだ。

一切を自白したので、夜が明けると、玄徳はその趣を書面にして、曹操のもとへ知らせた。

曹操は、さてこそと、

「郝萌は首を刎ねよ。往来はいよいよ厳にし、呂布及び呂布の使者など、断じて淮南へ通すなかれ」

と、返翰してきた。

依って、玄徳は、諸将を集めて、再度、厳重に云いわたした。

「われらの任は、今や重い。窮するの極み、必ず、呂布はここを通るであろう。ここは淮南への正路、一鼠だに洩らしてはならん。王法ニ親ナシ——怠る者は、軍法に照らし必ず断罪に処すぞ」

「仰せまでもないこと」

諸将は、命を奉じて、これからは昼夜を分かたず、甲冑を脱ぐまいぞ——と、申し合わせた。

張飛は、その後で、

「しかし、曹操は、おれが郝萌を生虜ったというのに、なんの恩賞も沙汰してこない。厳重に、厳重にと、その実、冗談半分にいってるんじゃないか」と不用意な言を放った。

玄徳は、小耳にはさんで、

「数十万の大軍を統べたもう曹丞相が、かりそめにも、軍令を口頭の戯れになさろうか。汝こそ、よしなき臆測を軽々しく口にいたすなど、匹夫の根性というべきである。油断に馴れ、たかをくって、千歳の汚名を招くな」と、痛烈に叱った。

「はい」

張飛は、頬髯を撫しながら、ひき退った。一夜の功労も一言で失してしまった形である。

一方。——下邳城内では。

許汜、王楷の二使が、

「袁術は、なお深く疑って、尋常では、当方の要求を容れる気色もありません。ただ、ご息女との婚儀には、わが子可愛さで、恋々たる未練がありそうですから、なによりもまず彼の求むるままにご息女をかの地へ送ってやることです。それも迅速に運ばねば、焦眉の急に、意味ないことになりましょう」と、淮南の復命と共に、自分たちの意見をものべていた。

呂布は、当惑顔に、

「むすめをやるはいいが、今この重囲の中、どうして送るか？」

「ほかならぬ深窓の御方。それにはどうしても、将軍御みずから送りに立たねばかなますまい」

「むすめは、わが命につぐものだ。戦の巷はおろか、世の寒風にもあてたことのない白珠だ。よし、おれ自身、淮南の境まで守ってやろう」

「きょうは、凶神の辰にあたる悪日ですから、明日になされたがよろしいでしょう。――明夜、戌亥の頃を計って」

「張遼と侯成を呼べ」

呂布も、遂に心をきめた。二人の大将に、三千余騎を与え、軍中に車をひかせて、淮南へ供して行けといいつけた。

けれど、その車に、娘は乗せて出さなかった。敵の囲みを突破するまでは――と、呂布は自分の背に負って行った。何も知らない十四の花嫁は、厚い綿と錦繡にくるまれて、父の冷たい甲冑の背中に、確固と結びつけられていたのである。

六

寒月は皎々として、泗水の流れを鏡の如く照り返している。

氷山雪地。風まで白い。

戞、戞、戞——

人馬の影が黒く黒く。

張遼、侯成の三千余騎だった。呂布を真ん中にして、忍びやかに、下邳の城から立って行く。

「物見。何事もないか」

一歩一歩、薄氷を踏む思いで進むのだった。——こもごもに物見が先に走っては、行く手の様子を告げてくる。

「敵の哨兵も、この寒さに、どこへやらもぐり込んで、寂としています」との報らせに、

「天の与え」

と、呂布は馬を早めた。

彼の今日ある第一の功労者といえば赤兎馬であろう。その赤兎馬もいよいよ健在に、

こよいも彼を螺鈿の鞍上に奉じてよく駆けてゆく。

　呂布の姿も、ひとたびこの馬上に仰ぎ直すと、日頃の彼とは、人間が変ったように、偉きく見えるのも不思議だった。

　雄姿——そのものといえる。無敵な威風は真に四辺を払う。

　さるにても、偉大なる煩悩将軍ではある。彼の如き鬼傑でも、わが娘への愛には、この三千余騎を具してもなお、敵の哨兵の眼さえ恐い。白皚々の天地をよぎる一羽の鴻の影にさえ胸がとどろく。

「むすめよ。恐くはないぞ」

　幾たびも、わが背へいった。

　綿と錦繡につつまれた白珠の如き十四の処女はこうして父に負われて城を立つ時から、もう半ば失神していた。

「——行く末おまえを皇后に立てて下さろうという寿春城の袁家へお嫁に行くのだよ」

　彼女の母は泣きながら云い聞かせたが——これが花嫁の踏まなければならない途中の道なのか？　——彼女の白い顔は氷化し、黒い睫毛は上の瞼と下の瞼とを縫い合わせたように凍りついていた。

　かくて行くこと百余里。

　翌晩も寒林の中に月は怖ろしいほど冴えていた。

突として、鼓声鉦雷のひびきが、白夜を震撼した。

数千羽の鳥のように、寒林を横ぎってくる慓悍なる騎兵があった。

「あっ、関羽の隊だ！」

張遼は、絶叫して、

「ご用心あれ」と、呂布を振向いた。

間もあらず、

「それッ」と、馬前はすでに、飛雪に煙る。

びゅッん！

矢風は、身をかすめ、鉄鎧にあたって砕けた。ここかしこに、喚き、呻きがあがる。

そして噴血は黒くぶちまかれた。

「──怖いッ！」

呂布は、耳元に、帛を裂くような悲鳴を聞いた。

背の処女は、父の体に爪を立てんばかりしがみついた。ひいッ！　と身も世もない声を二度ほどあげた。

猛然、赤兎馬は悍気立つ。

──だが、呂布もこよいばかりは、その奔馬を引止めるのに汗をかいた。もし敵の一矢でも、一太刀でも、背の娘にうけたらと、それのみに心をひかれるからであった。

「関にかかった敵は凡者ともおぼえぬぞ」

「呂布がいる！　呂布らしい大将が」

取囲む兵は叫ぶ。

もし関羽に出会ったら――と思うと呂布は身もすくんで、なんの働きもできなかった。

「無念だが、娘を傷つけては」

空しく、彼は赤兎馬を向け直して、もとの道へと逃げ出した。

途中、しばしば、

「曹操の部下徐晃！」

「曹操の旗下許褚、見参」

などと名乗って、横道から挑みかかる強敵に襲われたが、呂布は眼をふさぎ、ただ赤兎馬の尻のみ無二無三打ちつづけて、下邳の城まで一息に駆けもどってきた。

破　瓶

一

最後の一計もむなしく半途に終って、それ以来、呂布は城にあって、日夜悶々と、酒ばかりのんでいたが、――その呂布を攻め、城を取囲んでいる曹操のほうにも、すでに安からぬ思いが濃かった。

「この城を囲んでからも六十余日になる。しかもなお、頑として、城は陥ちない。こうしている間に、もし後方に敵が起ったらわが全軍はこの大寒の曠野に自滅するほかはない」

曹操は憂いていた。

戦はすでに冬期に入って、兵馬の凍死するのも数知れなかった。糧草は尽きんとしているし、雪は山野を埋め、今さら、軍を退いて遠く帰ることすら困難であった。

「どうしたものか？」

焦躁の気を眉にあつめて、不落の敵城を見つめたまま、独り沈思していると、吹雪を衝いて、陣へたどり着いた早打ちがあった。

「河内の張楊は、呂布と交誼があるので後詰して、呂布を助けんと称し、兵をうごかしました。ところが手下の楊醜が、たちまち心変りして張楊を殺し、その軍を奪ったところから大混乱となり、軍の眭固と申す者が、またまた、張楊の讎といって、楊醜を討ち殺し、人数をひきいて、犬山方面まで動いて参りました」との注進であった。

曹操は、折も折と、

「捨ておけまい。史渙、そちの一部隊を、犬山にあてて、眭固を打ち取れ」

と、すぐかたわらの大将史渙にいって、万一に備えさせた。

史渙の隊は、雪を冒して、犬山へ向った。——曹操の心は、いよいよ晏如たり得ない。冬は長い。実に冬は長いのである。明けても暮れても大陸の空は灰色に閉じて白いものを霏々と舞わせている。

「こう城攻めも長びいては、必ず心腹の患いが起きるだろう。曹操の武力を侮り、後方に小乱の蜂起するは目に見えている。しかも都の北には、西涼の憂いがあるし、東には劉表、西には張繍、おのおの、虎視眈々と、この曹操が脚を失って征途につかれるのをうかがっているところだ……」

思いあまってか、諸大将をあつめた上で、曹操もとうとう弱音を吐いてしまった。

「師を帰そう！　残念だがぜひもない。……また、機を計って、遠征に来るとしよう！」

すると、荀攸が、

「丞相にも似あわぬおことばを聞くものである」と、声を励まして諫めた。

「いかさま、この長期にわたって、お味方の艱苦たるや、言語に絶したものに相違ございませんが、城中の者の不安と苦しみもまた、これ以上のものに違いありません。今は、籠城の者と寄手の根くらべです。城中の兵は、退くに退けない立場にあるだけ、覚悟においては、寄手以上の強味をもっている。——ゆえに、寄手の将たる者は、夢々帰る都があるなどと自身も思ってはならないし、兵にも思わせてはならないのです。——

しかるに、丞相おん自らそのように気を落して、いかで諸軍の心が振いましょうか」

荀攸は、心外なりとばかり、口を極めて、退くことの不利を説いた。

さらにまた、郭嘉が、

「この下邳の陥ちないのは、泗水、沂水の地の利あるゆえですが、その二水の流れを、味方に利用せば、敵はたちまち破れ去ること疑いもありません」と、一策を提出した。

それは泗水河と沂水河に堰を作って、両水をひとつに向け、下邳の孤城を水びたしにしてしまうことだった。

この計画は成功した。

人夫二万に兵を督して、目的どおり二つの河をひとつにあつめた。折ふしまた、暖日の雨がつづいたので、孤城はたちまち濁流にひたされ、敵はみな高い所へ這いのぼって、刻々と水嵩を盛り上げてくる城壁の水勢に施す術もなく騒いでいる様子が、寄手の陣地からも眺められた。

二

二尺、四尺、七尺――と夜の明けるたび水嵩は増していた。城中いたるところ浸々と濁流が渦巻いて、膨れあがった馬の屍や兵の死骸が芥と共に浮いては流されて行く。

「どうしたものだろう？」

城中の兵は、生きた空もなく、次第に居どころを狭められた。しかし呂布は、うろたえ騒ぐ大将たちに、わざと傲語していった。

「驚くことはない。呂布には名馬赤兎がある。水を渡ることも平地の如しだ。ただ汝らは、みだりに立ち騒いで、溺れぬように要心すればよい。……なアに、そのうちには大雪風がやってきて、一夜のうちに曹操の陣を百尺の下に埋めてしまうだろう」

彼はなお、恃みなきものを恃んで、日夜、暴酒に耽っていた。彼の心の一部にある極めて弱い性格が、酔って現実を忘れることを好むのであった。

ところが、或る時。

ふと、宿酔からさめて、呂布は鏡を手に取った。そして愕然と、鏡の中に見た自分のすがたに嘆声をもらした。

「ああ……いつのまに俺はこんなに老けてしまったのだろう。髪の色まで灰色になった。眼のまわりも青黒い」

彼は、身を戦かして、鏡をなげうち、また、独りでこう呻いた。

「こいつはいかん。まだおれはこう老いぼれる年齢ではない。酒の毒だ。暴酒が肉体をむしばむのだ。断然、酒はやめよう！」

ひどく感じたとみえて、たちまち禁酒してしまった。それはよいが同時に城中の将士に対しても、飲酒を厳禁し、

——酒犯の者は首を刎ねん

という法令を出した。

　するとここに城中の大将の一人侯成の馬が十五匹、一夜に紛失した事件が起った。調べてみると馬飼の士卒が結託して馬を盗みだし、城外に出て、敵へそれを献じ、敵の恩賞にあずかろうと小慾な企てをしていたということが分った。

　侯成は聞きつけて馬飼の者どもを追いかけ、不埓者をみなごろしにして、馬もすべて取返してきた。

「よかった、よかった」と、ほかの大将たちも、賀しあって、侯成に、

「奢るべし、祝うべし」と、囃した。

　折ふし城中の山から、猪を十数匹猟ってきた者があるので、酒倉を開き、猪を料理させて、

「きょうは大いに飲もう」と、なった。

　そこで侯成は酒五瓶と、猪の肥えたのを一匹、部下にかつがせて、主君の前にやって来た。そして告げるに、降人の成敗と、愛馬を取返した事実をもってし、

「これも将軍の虎威によるところと、諸大将相賀して、折ふし猪を猟して、いささか祝宴をひらいております。どうかご主君にも、ご一笑下さいまし」

と、品々をそこにならべて拝伏した。

　すると呂布は、勃然と、怒を発して、

「なんだっ、これは」と、酒瓶を蹴仆した。

　一つの酒瓶が他の酒瓶に当ったので、瓶は腹を破って、一斛の酒がそこに噴き出し

た。侯成は全身に酒を浴び、強烈な香気は、呂布の怒りをなお甚だしくさせた。

「おれ自身、酒を断ち、城中にも禁酒の法を出してあるのに、汝ら大将たる者が、歓びに事よせて、酒宴をひらくとは何事だ」

呂布は左右の武士に向って、侯成を斬れと罵った。

仰天した侍臣の一名が、ほかの大将たちを呼んできた。諸人は哀訴百拝して、

「助けたまえ」

と、侯成のために命乞いをしたが、呂布は容易に顔色をおさめなかった。

三

「この際、侯成のごとき得難い大将を馘るのは、敵に歓びを与え、味方の士気を損じるのみで、実に悲しいことです」

と諸大将はなお、口を極めて、命乞いをした。

呂布もとうとう我を折って、

「それ程まで、汝らが申すなら、命だけは助けてくれる」といったが、「禁酒令を破った罪は不問に附すわけにはゆかん。百杖を打って、見せしめてくれん」と、直ちに、二人の武士へ、鞭を与えた。

二名の武士は、拝跪したまま動かぬ侯成の背に向って、かわるがわるに、

「一つ……」

「二つ……」

「三つ！」

「四つ！」

と、掛声をかけながら鞭を下し始めた。

たちまち、侯成の衣は破れ、肌が露われた。その肌もみるみるうちに血を噴いて、背なか一面、斑魚の鱗のようにそそけ立った。

「三十！」

「三十一！」

諸大将は、面をそむけた。

侯成は歯ぎしり噛んで、じっとこらえていたが、りゅうりゅうと鳴る杖、掛声が、

「七十五っ」

「七十六っ」

と、数えられてきた頃、ウームと一声うめいて、悶絶してしまった。

呂布はそれを見ると、ぷいと閣の奥へかくれ去った。

諸大将は、武士に眼くばせを与えて、杖の数をとばして読ませた。

やがて、侯成が気がついて、己の身を見まわすと、一室のうちに寝かされて、幕僚の者に看護されていた。――彼は、潸然となみだを流し、苦しげに顔をしかめた。

「痛いか。苦しいだろう」と、友の魏続が慰めると、

「おれも武人だ。苦痛で哭くのではない」といった。

「――では、なんで哭くのか」

魏続が聞くと、侯成は、枕頭を見まわして、

「今、ここにいるのは、君と宋憲だけか」

「そうだ……。この三名は日頃から何事もへだてのない仲だ。なんでも安心して話し給え」

「……ではいうが呂将軍に恨みとするのは、われわれ武人は芥のごとく軽んじ、妻妾の媚言には他愛なく動かされることだ。このような状態では、遂に、われわれは犬死するほかあるまい――おれはそれを悲しむのだ」

「侯成！　……」と宋憲は寄り添って、彼の耳もとへ熱い息でささやいた。

「まったくだ。実に、それがし達もそれを悲しむ。いっそのこと、城を出て、曹操の陣門に降ろうではないか」

「……でも、城壁の四方は滔々たる濁流だろう」

「いやまだ東の関門だけは、山の裾にかかっているので、道も水に浸されていない」

「そうか……」

侯成は、血の中から眼を開いて、ぽかっと天井を見ていたが、不意に、むっくりと起き上がって、

「やろう！　決行しよう。……呂布が頼みにしているのは赤兎馬だ。彼はわれわれ大将

よりも赤兎馬を重んじ、婦女子を愛している。——だから、おれは彼の厩(うまや)へ忍んで、赤兎馬を盗みだし、そのまま、城外へ脱出するから、君たちは後に残って、呂布を生虜(いけど)りたまえ」

「心得た！……しかしその重態な体で、君は大丈夫か」

「なんの、これしきの傷手(いたで)」

と侯成は唇をかんで、ひそかに身支度を替え、夜の更けるのを待っていた。

四更の頃、彼は闇にまぎれて、閣裡(かくり)の厩舎(うまや)へ這い忍んで行った。遠くからうかがうと、折もよし、番の士卒はうずくまって居眠っている様子である。

白門楼始末(はくもんろうしまつ)

一

曹操は、侍者に起されて、暁の寒い眠りをさました。夜はまだ明けたばかりの頃である。

「何か」と、帳を払って出ると、

「城中より侯成という大将が降を乞うて出で、丞相に謁を賜りたいと陣門にひかえております」

と、侍者はいう。

侯成といえば、敵方でも一方の雄将と知っている。曹操はすぐ幕営に引かせて彼に会った。

侯成は脱出を決意した次第を話して、呂布の厩から盗んできた赤兎馬を献じた。

「なに、赤兎馬を」

曹操のよろこび方は甚だしかった。彼自身の立場こそ、実は進退きわまっていたところである。

窮すれば通ず。彼にとっては、天来の福音だった。で、曹操は特に、侯成をいたわって、いろいろと糺した。

侯成はなお告げた。

「同僚の魏続、宋憲のふたりも、城中にあって、内応する手筈になっております。丞相にしてお疑いなく一挙に攻め給うならば、二人は城中に白旗を掲げ、直ちに、東の門をひらいてお迎え申しましょう」

曹操は、限りなく喜悦して、さらばとばかり、直ちに、檄文を認めて、城中へ矢文を射させた。

その文には、

今、明詔ヲ奉ジテ呂布ヲ征ス、モシ大軍ヲ抗拒スル者アラバ満門悉ク誅滅セン
モシ城内ノ上ハ将校ヨリ庶民ニ至ル迄ノ者、呂布ガ首ヲ献ゼバ、重ク官賞ヲ加エン
大将軍曹・押字

朝焼けの雲は紅々と城東の空にながれていた。同文の矢文が何十本となく射込まれたのを合図に、金鼓の響き、喊の声は、地を震わし、十数万の寄手は、いちどに城へ攻めかかった。

呂布は愕いて、早暁から各所の攻め口を駆けまわり、自身、督戦に当ったり、戟をふるって、城壁に近づく敵を撃退していた。

ところへ、厩の者が、

「昨夜、赤兎馬が、忽然と姿を消しました」と、訴えてきた。

呂布は眉をひそめたが、

「番人の怠っているすきに手綱を断って、搦手の山へのぼって草でも食っているのだろう。早く探してつないでおけ」と、罵った。

前面の防ぎに、叱っているいとまもなかったのである。それほどこの日の攻撃は烈しかった。

敵は、次々と、筏を組んで、濁水を越え、打ち払っても打ち退けてもひるまずによじ登ってくる。午の刻を過ぎる頃には、両軍の水つく屍に壁は泥血に染まり、濁水の濠も埋まるばかりに見えた。

ようやく、陽も西に傾く頃、寄手は攻めあぐねて、やや遠く退いた。早朝から一滴の水ものまず、食物もとらず奮戦をつづけていた呂布は、

「ああ。……まずこれまで」

と、ほっと、一息つくと共に、綿のように疲れた体を、一室の榻に倚せて、居眠るともなく、うつらうつらとしていた。

――と、彼の息をうかがって、音もなく床を這い寄って来た一人の将校がある。魏続であった。

呂布のもたれている戟の柄が榻の下に見える。――魏続は手をのばして榻の下からその柄を強く引っ張った。居眠っていた呂布は、不意に支えをはずされたので、

「――あっ」

と、半身を前へのめらせた。

「しめたっ」

魏続が、奪った戟を後ろへほうるとそれを合図に、一方から宋憲が躍りだして、呂布の背をつきとばした。

「何をするっ」

猛虎は、床に倒れながら、両脚で二人を蹴上げたが、とたんに魏続、宋憲の部下の兵が、どやどやと室に満ちて、吠える呂布へ折重なって、やがて鞠の如く、縛り上げてしまった。

二

「捕ったっ」

「呂布を縛めた！」

諸声あげて、反軍の将士が、そこでどよめきをあげた頃——城頭のやぐらでは、一味の者が、白旗を振って、

「東門は開けり」と、寄手へ向って、かねての合図を送っていた。

それっ——と曹操の大軍は、いちどに東の関門から城中へなだれ入ったが、用心深い夏侯淵は、

「もしや敵の詭計ではないか」

と、疑って、容易に軍をうごかさなかった。

宋憲は、それと見て、

「ご疑念あるな」と、城壁から彼の陣へ、大きな戟を投げてきた。

見るとそれは呂布が多年戦場で用いていた画桿の大戟だった。

「城中の分裂、今はまぎれもなし」

と、夏侯惇も、つづいて関内へ駸入し、その余の大将も、続々入城する。

城内はまだ鼎のわくがごとき混乱を呈していた。

「呂将軍が捕われた」と伝わったので、城兵の狼狽は無理もなかった。去就に迷って殲

滅の憂き目に会う者や、いち早く、武器を捨て、投降する者や、右往左往一瞬はさながら地獄の底だった。

中にも。

高順、張遼の二将は、変を知るとすぐ、部隊をまとめて、西の門から脱出を試みたが、洪水の泥流深く、進退極まって、ことごとく生虜られた。

また。――南門にいた陳宮は、「南門を、死場所に」と、防戦に努めていたが、曹操麾下の勇将徐晃に出会って、彼もまた、捕虜の一人となってしまった。

こうして、さしもの下邳城も、日没と共に、まったく曹操の掌中に収められ、一夜明けると、城頭楼門の東西には、曹軍の旗が満々と、曙光の空にひるがえっていた。

曹操は、主閣白門楼の楼台に立って、即日、軍政を布き人民を安んじ、また、玄徳を請じて、傍らに座を与え、

「いざ。降人を見よう」

と、軍事裁判の法廷をひらいた。

まず第一に、呂布が引立てられて来た。呂布は身長七尺ゆたかな偉大漢なので、団々と、巨大な鞠の如く縄をかけられたため、いかにも苦しげであった。

白門楼下の石畳の上にひきすえられると、彼は、階上の曹操を見上げて、

「かくまで、辱めなくてもよかろう。曹操、おれの縄目を、もう少しゆるめるように、吏へ命じてくれ」と、いった。

曹操は苦笑をたたえて、

「虎を縛るに、人情をかけてはおられまい。——しかし、口がきけないでも困る。武士ども、もうすこし手頸の縄をゆるめてやれ」

すると、主簿の王必があわてて、遮った。

「滅相もない。呂布の猛勇は尋常な者とはちがいます。滅多に憐愍をかけてはなりません」

呂布は、はったと王必を睨めつけて、

「おのれ、要らざる差し出口を」

と、牙をむいて咬みつきそうな顔をした。

そしてまた、眼を階下に並居る諸将に向けた。そこには魏続や侯成や宋憲など、きのうまで自分を主君とあがめていた者が、曹操の下に甘んじて居並んでいる。——呂布は、眼をいからして、その人々の顔を睨めまわし、

「汝らは、どの面さげて、この呂布に会えた義理か。わが恩を忘れたか」

侯成は、あざ笑って、

「その愚痴は、日頃、将軍が愛されていた秘院の女房や寵妾へおっしゃったらいいでしょう。われわれ武臣は、将軍から百杖の罰や苛酷な束縛は頂戴したおぼえはあるが、将軍の愛する婦女子ほどの恩遇もうけたためしはありません」と云い返した。

呂布は、黙然と、うなだれてしまった。

三

運命は皮肉を極む。時の経過に従って起るその皮肉な結果を、俳優自身も知らずに演じているのが、人生の舞台である。

陳宮と曹操のあいだなども、その一例といえよう。そもそも、陳宮の今日の運命は、そのむかし、彼が中牟（ちゅうぼう）の県令として関門を守っていた時、捕えた曹操を救けたことから発足している。

当時、曹操は、まだ白面の一志士であって、洛陽（らくよう）の中央政府の一小吏に過ぎなかったが、董卓（とうたく）を暗殺しようとして果たさず、都を脱出して、天下に身の置き所もなかったお尋ね者の境遇だった。

それが、今は。

かつての董卓をもしのぐ位置に登って大将軍（だいしょうぐん）曹丞相（そうじょうしょう）と敬われ、階下にひかれてきた敗将の陳宮を、冷然と見くだしているのであった。

「…………」

陳宮は、立ったまま、じっと曹操の面を、しばらく見つめていた。

（——もし、曹操を、そのむかし中牟の関門で助けなどしなかったら、今日の俺も、こんな運命にはなるまいに）と、その眼は、過去の悔みと恨みを、ありありと語っていた。

「坐らぬかっ」

縄尻を持った武士に腰を蹴られて、陳宮は折れるが如く身を崩した。

曹操は、階の上から、冷ややかに見て、

「陳宮か。ご辺とは実に久しぶりの対面だ。その後は、恙ないか」

「見た通りである。――恙なきや、との訊ねは、自己の優越感を満足させるために、此方を嘲弄することばと受取れる。相変らず、冷酷な小人ではある。嗤うにたえぬことだ」

「小人とは、そちの如き者をいう。理智の小さな眼の孔からばかり人間を観るので、予の如き大きな人物を見損うのだ。――そのために、遂に、こういうことになったが何よりの実証ではないか」

「いや、たとい今日、かかる辱をうけても、心根の正しくない汝についているよりはましだった。奸雄曹操ごとき者を見捨てたのは、自身、以て先見の明を誇るところで、寸毫、後悔などはしておらん」

「予を、不義の人物といいながら、しからばなぜ、呂布のような、暴逆の臣を扶けて、その禄を喰んできたか。君は、すこぶる愛嬌のある口頭正義派の旗持ちとみえる。口先だけの正義家で衣食の道はべつだというまことにご都合のいい主義だ。いや笑止笑止」

「だまれ」

陳宮は胸をそらして、

「いかにも呂布は暗愚で粗暴の大将にちがいない。しかし彼には汝よりも多分に善性がある。正直さがある。すくなくも、汝のごとく、酷薄で詐言が多く、自己の才謀に慢じて、遂には、上をも犯すような奸雄では絶対にない」

「ははは。理窟はどうにでもつく。だが、今日の事実をどう思うか。縄目にかけられた敗軍の将の感想を訊きたいものだが」

「勝敗は、時の運だ。ただ、そこに在る人が、それがしの言を用いなかったために、この憂き目を見たに過ぎない」と、傍にうつ向いたままである呂布のすがたを、顔で指して、

「さもなければ、やわか、汝ごときに敗れ去る陳宮ではない」と、傲然、云い放った。

曹操は、苦笑して、

「時に、ご辺は今、自分の身をどうしようと思うか」と、訊ねた。

陳宮は、さすがに、さっと顔いろに、感情をうごかして、

「ただ、死あるのみ。早く首を打ち給え」と、いった。

「なるほど、臣として忠ならず、子として孝ならず、死以外に、途はあるまい。しかしご辺には老母がある筈。——老母はいかにするつもりか」

そういわれると、陳宮はにわかにうつ向いて、さんさんと落涙した。

四

やがて、陳宮は、面をあげて、曹操の人情へ、訴うる如くいった。

「人の道として、幼少からわれも聴く。さだめし、足下も学びつらん。――天下ヲ治ムル者ハ人ノ親ヲ殺サズ――と。老母の存亡は、ただ足下の胸にあること。いかようともなし給え」

「老母のほかに、ご辺には妻子もあろう。死後、妻子の行く末はいかに思うか」

「思うても、是非ないこと、何も思わぬ。――が、我聞く、天下ニ仁政ヲ施スモノハ人ノ祭祀ヲ絶タズ――と」

「……………」

曹操は、何とかして、陳宮を助けたいと思っていた。

――というよりは、殺すに忍びなかったのである。

留恋の私情と、裁く者の法人的な意思とが今、しきりと彼の心のうちで闘っていた。

――陳宮はその顔いろを察して、

「無用な問いはもう止め給え。願わくは、速やかに軍法にてらして、陳宮に誅刀を加えられよ。――これ以上、生くるは辱のみだ」

云い捨てて、決然とそこから起ち上がった。そして、階下の一方にうずくまっている捕虜の呂布へ、冷然と一眄を与えると、自身、白門楼の長い石段を降って、――下なる首の座に坐った。

その後ろ姿に、

「ああ――」

と、曹操は、階上の廊に立ち上がって、しきりと涙をながしていた。諸人もみな伸び上がって、白門楼下の刑場を見まもった。

陳宮は、死の莚にすわって、黙然と首をのべていたが、ふと、薄曇りの空を啼き渡る二、三羽の鴻の影に面をあげて、静かに、刑吏の戟を振り向き、

「もう、よろしいか」と、あべこべに促した。

一閃の刑刀は下った。

頸骨が戛と鳴って、噴血の下、首は四尺も飛んだ。

曹操は、さっと酒の醒めたように、

「次は、呂布の番だ。呂布を成敗しろ！」と命を下した。すると呂布は急に、大声でわめきだした。

「丞相、曹丞相。もう閣下の患とする呂布はかくの如く、降伏して、除かれているではないか。この上は、われを助けて、騎将とし、天下の事に用いれば、四方を定める力ともなろうに。――ああ、なんで無用に、殺そうとするか。助け給え。呂布はすでに、心から服している」

曹操は、横を向いて、

「劉備どの。彼の哀訴を、聞き届けてやったものだろうか、それとも、断罪にしたものだろうか」

と、小声で訊いた。

玄徳は、是とも非ともいわなかった。ただこう答えた。

「さあ。その儀は、如何したものでしょうか。ここ今日、思い起されるのは、彼がむかし、養父の丁原を殺害して、董卓に降って行きながら、またその董卓を裏切って、洛陽にあの大乱をかもしたことなどですが……」

呂布は、小耳にはさむと、土気色に顔を変じて、

「だまれっ。兎耳児の悪人め。いつか俺が、轅門の戟を射て助けた恩を忘れたかっ」

と、睨みつけた。

「刑吏ども。早その首を縊てしまえ」

曹操の一令に、執行の役人たちは、縄を持って、呂布のそばへ寄った。呂布は暴れて、容易に彼らの手にかからなかったが、遂に、遮二無二抑えつけられたまま、その場で縊殺されてしまった。

張遼にも、当然、斬られる番が迫ってきたが、玄徳は、突如立って、

「張遼は、下邳城中、ただ一人の心正しき者です。願わくは、ゆるしたまえ」

と曹操を拝した。

曹操は、玄徳の乞いをいれて、彼を助命したが、張遼は辱じて、自ら剣を奪って死のうとした。

「大丈夫たる者が、こんな穢らわしい場所で、犬死する奴があるか」

と、彼の剣を奪って止めたのは、かねて彼を知る関羽だった。

曹操は、平定の事終ると、陳宮の老母と妻子を探し求め、師を収めて、許都へ還った。

許田の猟

一

都へ還る大軍が、下邳城を立ち出で、徐州へかえると、沿道の民は、ちまたに溢れて、曹操以下の将士へ、歓呼を送った。

その中から、一群れの老民が道に拝跪しながら進みでて、曹操の馬前に懇願した。

「どうか、劉玄徳様を、太守として、この地におとどめ願います。呂布の悪政をのがれて、平和に耕田の業や商工の営みができますことは、無上のよろこびでございますが、玄徳様がこの国を去るのではないかと、みなあのように悲しんでおりまするで」

曹操は、馬上から答えた。

「案じるな。劉使君は、莫大な功労があるので、予と共に都へ上って、天子へ拝謁し、やがてまた、徐州へ帰って来るであろう」

そう聞くと、沿道の民は、諸声あげて、どっと歓び合った。

ふかく民心の中に根をもっている玄徳の信望に、曹操はふと妬みに似たものを覚えながら、面には莞爾と笑みをたたえながら、

「劉使君。このような領民は、子のように可愛いだろうな。天子に拝をすまされたら、早く帰って、もとの如く徐州を平和に治めたまえ」と、振向いていった。

——日を経て。

三軍は許都に凱旋した。

曹操は、例によって、功ある武士に恩賞をわかち、都民には三日の祝祭を行わせた。

朝門街角ともその数日は、挙げてよろこびの声に賑わった。

玄徳の旅舎は丞相府のひだりに定められた。特に一館を彼のために与えて、曹操は礼遇の意を示した。

のみならず、翌日、朝服に改めて参内するにも、玄徳を誘って、ひとつ車に乗って出かけた。

市民は軒ごとに、香を焚いて道を浄め、ふたりの車を拝跪した。

そして、ひそかに、

「これはまた、異例なことだ」と、眼をみはった。

禁中へ伺候すると、帝は、階下遠く地に拝伏している玄徳に対し、特に昇殿をゆるさ

れて、何かと、勅問のあって後、さらに、こう訊ねられた。

「其方の先祖は、そも、何地の如何なるものであるか」

「……はい」

玄徳は、感泣のあまり、しばしは胸がつまって、うつ向いていた。——故郷楼桑村の茅屋に、蓆を織って、老母と共に、貧しい日をしのいでいた一家の姿が、ふと熱い瞼のうちに憶い出されたのであろう。

帝は、彼の涙をながめて、怪しまれながら、ふたたび下問された。

「先祖のことを問うに、何故そちは涙ぐむのか」

「——さればにござります」

玄徳は襟を正し、謹んでそれに答えた。

「いま、御勅問に接し、おぼえず感傷のこころをうごかしました。——という仔細は、臣が祖先は中山靖王の後胤、景帝の玄孫にあたり、劉雄が孫、劉弘の子こそ、不肖玄徳でありまする。中興の祖劉貞は、ひとたびは、涿県の陸城亭侯に封ぜられましたが、家運つたなく、以後流落して、臣の代にいたりましては、さらに、祖先の名を辱めるのみであります。……それ故、身のふがいなさと、勅問のかたじけなさに思わず落涙を催した次第でありまする。みぐるしき態をおゆるし下しおかれますように」

帝は、驚きの眼をみはって、

「では、わが漢室の一族ではないか」

と、急に朝廷の系譜を取りよせられ、宗正卿をして、それを読み上げさせた。

漢ノ景帝、十四子ヲ生ム。乃チ中山靖王劉勝。——勝。陸城亭侯劉貞ヲ生ム。貞。沛侯劉昂ヲ生ム。昂。漳侯劉禄ヲ生ム。禄。沂水侯劉恋ヲ生ム。恋。欽陽侯劉英ヲ生ム。英……。

朗々と、わが代々の先祖の名が耳をうってくる。

——その末裔の末裔に、今、我なるものが、ここにあるのかと思うと、玄徳は体じゅうの血が自分のものでないように熱くなった。

二

漢家代々の系譜に照らしてみると、玄徳が、景帝の第七子の裔であることは明らかになった。

つまり景帝の第七子中山靖王の裔は、地方官として朝廷を出、以後数代は地方の豪族として栄えていたが、諸国の治乱興亡のあいだに、いつか家門を失い、土民に流落して、劉玄徳の両親の代には、とうとう沓売りや蓆織りを生業としてからくも露命をつなぐまでに落ちぶれ果てていたのであった。

「世譜に依れば、正しく、朕の皇叔にあたることになる。——知らなかった。実に今日まで、夢にも知らなかった。朕に、玄徳のごとき皇叔があろうとは」

と、帝のおよろこびは一通りでない。御涙さえ流して、邂逅の情を繰返された。

改めて、叔甥の名乗りをなし、帝は慇懃礼をとって、玄徳を便殿へ請じられた。そして曹操もまじえて酒宴を賜わった。

帝はいつになく杯を重ねられ、龍顔は華やかに染められた。こういう御気色はめずらしいことと侍側の人々も思った。――知らず、玄徳を見て、帝のお胸に、どんな灯が点ったであろうか。

ここ許昌の都に、朝廷を定められて以来、本来ならば、王道の隆昌と漢家の復古を、万民と共に、祝福して、帝の御気色をうるわしくしなければならないのに、侍従の人々が見るところでは、さはなくて、帝にはむしろ怏々と何か常に楽しまぬご容子に察しられた。一日とて、憂暗なお眸の清々と晴れていたことはない。

「それなのに、今日ばかりは、何という明るいご微笑だろう？」

と侍従たちにも怪しまれるほど、その日の宴は、帝にも心からご愉快そうであった。

帝の特旨に依って、玄徳は、左将軍宜城亭侯に封ぜられた。

また、それ以来、朝野の人々も、玄徳をよぶのに「劉皇叔」と敬称した。

――が、ここに、当然、彼の擡頭をあまりよろこばない一部の気運も醸されてきた。

それは、丞相府にあって、軍力政権ふたつながら把握している曹操が股肱――荀彧などの諸大将だった。

「承れば、天子には、玄徳を尊んで、叔父となされ、ご信任も並ならぬものがあるとか。……将来、丞相の大害となるを、ひそかにみな憂えていますが」

と、或る時、荀彧や劉曄が、そっと曹操に関心をうながすと、曹操は打ち笑って、「予と玄徳とは、兄弟もただならぬ間柄だ。なんで、予の害になろう」と、取合わなかった。

「いや、丞相のお心としてはそうでしょうが、つらつら玄徳の人物を観るに、まことに、彼は一世の英雄にちがいありません。いつまで、丞相の下風についているか知れたものではない。親しき仲にも、特に、用心がなくてはかないますまい」

劉曄も切に注意した。

曹操は、なお、度量の大を示すように、笑い消して、

「好きもまた、交わること三十年。悪きもまた、交わること三十年。好友悪友も、根元は、わが心の持ちかたにあろう」と、意にかける風もなかった。

そして彼と玄徳との交わりは、日をおうほど親密の度を加え、朝に出るにも車を共にし、宴楽するにも、常に席を一つにしていた。

三

一日。

相府の一閣に、程昱が来て、曹操とふたりきりで、密談していた。

程昱は、野心勃々たる彼が腹心のひとりである。しきりに天下の事を論じたあげく、

「丞相。もはや今日は、なすべきことをなす時ではありませんか。何故、猶予しおられ

るのですか」

と、なじった。

曹操は、そら嘯いて、

「なすこととは？」と、わざと反問した。

「覇道の改革を決行することです。——王道の政治すたれてもはや久しく、天下はみだれ民心は飽いています。覇道独裁の強権がしかれることを世間は待望していると思います」

程昱のいう裏には、明らかに朝廷無視の叛意がふくまれている。——が、曹操は、それを否定もせず、たしなめもしなかった。

「まだ、早い」

といっただけである。

程昱がかさねて、

「しかし、今、呂布も亡んで、天下は震動しています。雄略胆才もみな去就に迷い、紛乱昏迷の実情です。この際、丞相が断乎として、覇道を行えば……」

と、なお云いかけると、曹操は細い鳳眼をかっとひらいて、

「めったなことを口外するな、朝廷にはまだまだ股肱の旧臣も多い。機も熟さぬうち事を行えば自ら害を招くような結果を見よう」と、声を以て、彼の声を抑えつけた。

けれど曹操の胸に、すでにこの時、人臣の野望以上のものが、芽を萌していたことは

争えぬ事実だった。——彼は、程昱に口をつぐませて、自分もしばらく沈思していたが、やがて血色の醒めた面をあげ、常の如き細い眸に熒々たる光をひそめながら独りつぶやいた。

「そうだ。ここ久しく戦に忙しく、狩猟に出たこともない。天子を許田の猟に請じて、ひとつ諸人の向背を試してみよう」

急に、彼は思い立った。——即ち犬や鷹の用意をして、兵を城外に調え、自身宮中に入って、帝へ奏上した。

「許田へ行幸あって、親しく臣らと共に狩猟をなされては如何ですか。清澄な好日つづきで、野外の大気もひとしおですが」

帝は、お顔を振って、

「猟へ出よとか。田猟は聖人の楽しみとせぬところ。朕も、それ故に、猟は好まぬ」

「いや、聖人は猟をしないかもしれませんが、いにしえの帝王は、春は肥馬強兵を閲、夏は耕苗を巡視し、秋は湖船をうかべ、冬は狩猟し、四時郊外に出て、民土の風に親しみ、かつは武威を宮外に示したものです。おそれながら、常々、深宮にのみ御座あっては、陛下のご健康もいかがかと、臣らもひそかに案じられてなりません。——かたがた、天下はなはだ多事の折でもあり、陛下のみならず公卿たちも、稀には、大気に触れ、心身を鍛え、宏濶な気を養うことが刻下の急務かと考えられますが」

帝は、拒むお言葉を知らなかった。曹操の実力と強い性格とは、形や言葉でなく、何とはなしに帝を威圧していた。

「……では、いつか行こう」

お気のすすまない容子ながら、帝は、行幸を約束された。何ぞ知らん、すでに兵車の用意は先にできていたのである。帝は、曹操の我意に、人知れず、眉をふるわせられたが、ぜひなく、

「さらば、劉皇叔も、供して参れ」

と、にわかに詔して、御手に彫弓、金鈚箭をたずさえ、逍遥馬に召されて宮門を出られた。

今朝方から、曹操の兵が城外におびただしく、禁門の出入りも何となく常と違うので、早くから衛府に詰めていた玄徳は、それと見るや、自身、逍遥馬の口輪をとって、帝のお供に従った。

関羽、張飛、その余の面々も、弓をたばさみ、戟を擁し、玄徳と共に、*扈従の列に加わった。

四

御猟の供は十万余騎と称えられた。騎馬歩卒などの大列は、蜿蜒、宮門から洛内をつらぬき、群星地を流れ、彩雲陽をめぐって、街々には貴賤老幼が、蒸されるばかりに蝟集していた。

と、早口にいわれた。

「はっ」

と、玄徳は馬をとばして、逃げる兎と、併行しながら、弓に矢をつがえてぴゅっんと放した。

白兎は、矢を負って、草の根にころがった。帝は、その日、朝門を出御ある折から、始終、ふさぎがちであった御眉を、初めてひらいて、

「見事」

と、玄徳の手ぎわを賞し、

「彼方の丘を巡ろうか。皇叔、朕がそばを離れないでくれよ」

と堤のほうへ、先に駒をすすめて行かれた。

すると、一叢(ひとむら)の荊棘(けいきょく)の中から、不意にまた、一頭の鹿が躍りだした。帝は手の彫弓(ちょうきゅう)に金鈚箭(きんひせん)をつがえて、はッしと射られたが、矢は鹿の角をかすめて外(そ)れた。

「あな惜しや」

二度、三度まで、矢をつづけられたが、あたらなかった。

鹿は、堤から下へ逃げて行ったが、勢(せ)子の声におどろいて、また跳ね上がってきた。

「曹操、曹操っ。それ射止めてよ」

帝が急きこんで叫ばれると、曹操はつと馳け寄って、帝の御手から弓矢を取り、それをつがえながら爪黄馬(そうこうば)を走らすかと見る間に、ぶんと弦鳴(つるな)りさせて射放った。

金鈚箭（きんひせん）は飛んで鹿の背に深く刺さり、鹿は箭（や）を負ったまま百間ばかり奔（はし）って倒れた。

公卿百官を始め、下、将校歩卒にいたるまで、金鈚箭の立った獲物を見て、いずれも、帝の射給うたものとばかり思いこんで、異口同音に万歳を唱えた。

万歳万歳の声は、山野を圧して、しばし鳴りも止まないでいると、そこへ曹操が馬を飛ばしてきて、

「射たるは、我なり！」

と、帝の御前に立ちふさがった。

そして彫弓金鈚箭（ちょうきゅうきんひせん）を諸手にさしあげ、群臣の万歳を、あたかも自身に受けるような態度を取った。

はっと、諸人みな色を失い興をさましてしまったが、特に、玄徳のうしろにいた関羽の如きは、眼を張り、眉をあげて、曹操のほうをくわっとにらめつけていた。

五

その時、関羽は、

「人もなげな曹操の振舞い。帝をないがしろにするにも程がある！」

と、口にこそ発しなかったが、怒りは心頭に燃えて、胸中の激血はやみようもなかったのである。

無意識に、彼の手は、剣へかかっていた。玄徳ははっとしたように、身を移して、関

羽の前に立ちふさがった。そして手をうしろに動かし、眼をもって、関羽の怒りをなだめた。

ふと、曹操の眸が、玄徳のほうへうごいた。玄徳は咄嗟に、ニコと笑みをふくんでその眼に応えながら、

「いや、お見事でした。丞相の神射には、おそらく及ぶ者はありますまい」

「ははは」

曹操は高く打笑って、

「お褒めにあずかって面はゆい。予は武人だが、弓矢の技などは元来得手としないところだ。予の長技は、むしろ三軍を手足の如くうごかし、治にあっては億民を生に安からしめるにある。――さるを奔る鹿をもただ一矢で斃したのは、これ、天子の洪福というべきか」

と、功を天子の威徳に帰しながら、暗に自己の大なることを自分の口から演舌した。

それのみか、曹操は、忘れたように、帝の彫弓金鈚箭を手挟んだまま、天子に返し奉ろうともしなかった。

猟が終ると、野外に火を焚き、その日、獲たところの鳥獣の肉を焙って、臣下一統に酒を賜わったが、何となく公卿百官のあいだには、白けた空気がただよって、そこに一抹の暗影を感じないわけにはゆかなかった。

やがて、帝には還御となる。

玄徳も洛中に帰った。その後、彼は一夜ひそかに、関羽を呼んで、

「いつぞやの御猟の節、何故、曹操に対して、あのような眼ざしを向けたか。誰も気づかぬ様子であったからよいが、近頃、其方にも似合わぬ矯激な沙汰ではないか」

と、戒めた。

関羽は、頭を垂れて、神妙に叱りをうけていたが、静かに面をあげて、

「ではわが君には、曹操のあの折の態度に、何の感じもお抱きになりませんでしたか」

「そんなこともないが」

「私はむしろ、わが君が、何で私を制止されたか、お心を疑うほどです。この許昌の都に親しく留まって以来、眼にふれ耳に聞えるものは、ことごとく曹操の暴戻なる武権の誇示でないものはありません。彼は決して、王道をまもる武臣の長者とはいえぬ者です。覇気横溢のまま覇道を行おうとする奸雄です。その野心をはや露骨にして、公卿百官を始め、十万の将士を前に、上を冒し奉り、上を立ちふさいで、自身が臣下の万歳をうけるなどという思い上がった態を見ては、余人は知らず、関羽は黙止しておられません。……たとえ如何ようなお咎めをうけるとも、関羽には忍び難うて、この身がふるえます」

「もっともなことだ……」

玄徳は、うなずいた。幾たびも同感のうなずきを見せた。

「——だが関羽。ここは深慮すべき秋ではないか。鼠を殺すのに、手近な器物を投げつ

けるとする。鼠の価値と、器物の価値とを、考え合わす必要があろう。われら、義兄弟の生命は、そんな安価なものではない筈だ。もしあの折、かりにそちが目的を仕遂げたところで、彼には十万の兵と無数の大将がひかえている。われらも共に許田の土と化さねばなるまい。そしてまたまた大乱のうちから、次の曹操が現われたら何にもならないことになるではないか。――張飛なら知らぬこと、其方までがそんな短慮では困る。夢、ことばの端にも、そんな激色を現わしてはならぬ」

諄々と説かれて、関羽はかえすことばもなかった。

しかし彼は、独り星夜の外に出ると、*長嗟して、天へ語った。

「今日、あの奸雄を刺さなければ、やがて明日の禍いとなるは必定だ。誓っていう！天下の乱兆は、さらに、曹操が生きてゆくほど大になろう！」

秘勅を縫う

一

禁苑の禽は啼いても、帝はお笑いにならない。

簾前に花は咲いても、帝のお唇は憂いをとじて語ろうともせぬ。

きょうも終日、帝は、禁中のご座所に、物思わしく暮しておわした。

三名の侍女が夕べの燭を点じて去る。

なお、御眉の陰のみは暗い。

伏皇后は、そっと問われた。

「陛下。何をそのようにご宸念を傷めておいで遊ばしますか」

「朕の行く末は案じぬが、世の末を思うと、夜も安からず思う。……哀しい哉、朕はそも、いかなれば、不徳に生れついたのであろう」

はらはらと、落涙されて、

「――朕が位に即いてから一日の平和もなく、逆臣のあとに逆臣が出て、董卓の大乱、李傕、郭汜の変と打ちつづき、ようやく都をさだめたと思えば、またも曹操が専横に遭い、事ごとに、廟威の失墜を見ようとは……」

共にすすり哭く伏皇后の白い御頸に、燭は暗くまたたいた。

「政治は朝廟で議するも、令は相府に左右される。公卿百官はおるも、心は曹操の一顰一笑のみ怖れて、また、宮門の直臣たる襟度を持しておる者もない。――朕においてすら、身は殿上にあるも、針の氈に坐しているここちがする。――ああ、いつの日、この虐げと辱とからのがれることができるであろう。漢室四百余年の末、今ははや一人の忠臣もないものか。――朕が身を歎くのではないぞ。朕は、末世をかなしむのである」

すると。

御簾の彼方に誰やら沓の音がした。帝も皇后もはっとお口をとじた。——が、幸いに案じた人ではなかった。伏皇后の父の伏完であった。

「陛下、お嘆きは、ご無用でございます。ここに伏完もおりまする」

「皇父。……御身は、朕が腹中のことを知って、そういわるるのか」

「許田に鹿を射る事——誰か朝廷の臣として、切歯しない者がありましょう。曹操が逆意は、すでに、歴々といえまする。あの日、彼があえて、主上を偺し奉って、諸人の万歳をうけたのも、自己の勢威を衆に問い、自己の信望を試みてみた奸策にまぎれなしと、わたくしは見ておりました」

「皇父。ひそかに申せ。禁中もことごとく曹操の耳目と思ってよいほどであるぞ」

「お案じ遊ばしますな。こよいは侍従宿直も遠ざけて、わずか忠良な者だけが遠くおるに過ぎませんから」

「では、そちの意中をまずきこう」

「臣の身がもし陛下の親しい国戚でなかったら、いかに胸にあることでも、決して口外はいたしません」と伏完はここに初めて、曹操調伏の意中を帝に打明け、帝もまた、お心をうごかした。

「——が、いかにせん、臣はもはや年も衰え、威名もありません。今、曹操を除くほどな者といえば、車騎将軍の董承しかないと思います。董承をお召しあって、親しく密詔を降し給わば必ず御命を奉じましょう」

事は、重大である。秘中の秘を要する。

――が、深く思いこまれた帝は自ら御指をくいやぶって、白絹の玉帯へ、血しおを以て詔詞を書かれ、伏皇后にお命じあって、それに紫錦の裏をかさね、針の目もこまかに玉帯の芯に縫いこんでしまわれた。

二

次の日、帝は、ひそかに勅し給うて、国舅の董承を召された。

董承は、長安このかた、終始かたわらに仕えてあの大乱から流離のあいだも、よく朝廷を護り支えてきた御林の元老である。

「何ごとのお召しにや？」と、彼は急いで参内した。

帝は、彼に仰せられた。

「国舅。いつも体は健やかにあるか」

「聖恩に浴して、かくの如く、何事もなく老いを養っております」

「それは何よりもめでたい。実は昨夜、伏皇后と共に、長安を落ちて、李傕、郭汜などに追われた当時の苦しみを語りあい、そちの功労をも思い出して涙したが、考えてみると、今日まで、御身にはさしたる恩賞も酬わで過ぎた。――国舅、この後とも、朕が左右を離れてくれるなよ」

「もったいない御意を……」

董承は、恐懼して、身のおくところも知らなかった。

帝はやがて董承を伴って、殿廊を渡られ、御苑を逍遥して、なお、洛陽から長安、この許昌と、三度も都を遷したあいだの艱難を何かと語られて、

「思うに、いくたびか、存亡の淵を経ながらも、今日なお、国家の宗廟が保たれていることは、ひとえに、御身のような忠節な臣のあるおかげだ」

と、しみじみいわれた。

玉歩は、さらに、彼を伴ったまま大廟の石段を上がられて行った。帝は、大廟に入ると、直ちに、功臣閣にのぼり、自ら香を焚いて、その前に三礼された。

ここは漢家歴代の祖宗を祠ってある霊廟である。左右の壁間には、漢の高祖から二十四代にわたる世々の皇帝の肖像が画かれてあった。

帝は、董承にむかって、

「国舅——。朕が先祖は、いずこから身をおこして、この基業を建て給うたか。朕が学問のために、由来をのべられい」と、襟を正して下問された。

董承は、おどろき顔に、

「陛下。臣に、いささか、おたわむれ遊ばすか」と、身をすくめた。

帝は、ひとしお厳粛に、

「聖祖の御事。かりそめにも、たわむれようぞ。すみやかに説け」

董承はやむなく、

「高祖皇帝におかれましては、泗上の亭長に身を起したまい、三尺の剣をさげて、白蛇を芒碭山に斬り、義兵をあげて、乱世に縦横し、三年にして秦をほろぼし、五年にして楚を平げ、大漢四百年の治をひらいて、万世の基本をお建て遊ばされたことは、――臣が改めて申しあげるまでもなく、児童走卒といえどもわきまえぬはございません」

と、述べた。

帝は、自責して、さんさんと御涙をたれられた。

「……陛下。何をそのようにお嘆きあそばすか」

董承が、畏る畏る伺うと、帝は嘆息していわれた。

「今、御身の説かれたような先祖をもちながら、子孫には、朕のごとき懦弱なものが生れたかと思うて、朕は朕の身をかなしむのである。……国舅、さらに説いて、朕に訓えよ。してまた、その高祖皇帝の画像の両側に立っている者は、どういう人物であるか」

何か深い叡慮のあることとは、董承にもはや察しられたが、帝のあまりにもきびしい御眼ざしに身もこわばって、彼はにわかに唇もうごかなかった。

三

壁の画像をさして、帝は、重ねて董承の説明を求められた。――高祖皇帝の両側に侍せるはそも如何なる人か、と。

董承は謹んで答えた。

「上は張良。下は蕭何であります」

「うム。して張良、蕭何のふたりは、どういう功に依って、高祖のかたわらに立つか」

「張良は、籌を帷幄の中にめぐらして、勝ちを千里の外に決し、蕭何は国家の法をたてて、百姓をなずけ、治安を重くし、よく境防を守り固めました。高祖もつねにその徳を称せられ、高祖のおわすところ必ず二者侍立しておりましたとか。――ゆえに後代のふたりを以て建業の二功臣とあがめ、高祖皇帝を画けば、必ずその左右に、張良、蕭何の二忠臣を書くこととなったものであります」

「なるほど、二臣のような者こそ、真に、社稷の臣というのであろうな」

「……はっ」

董承は、ひれ伏していたが、頭上に帝の嘆息を聞いて、何か、責められているような心地に打たれていた。

帝は、突然、身をかがめて董承の手をおとりになった。はっと、董承が、恐懼して、うろたえを感じていると、低いお声に熱をこめて、

「国舅。御身も今からはつねに、朕がかたわらに立って、張良、蕭何の如く勤めてくれよ」

「畏れ多い御意を」

「否とか」

「滅相もない。ただ、臣の駑才、何の功もなく、いたずらに侍側の栄を汚すのみに終らんことをおそれまする」

「いやいや、往年長安の大乱に、朕が逆境に浮沈していた頃から卿のつくしてくれた大功は片時も忘れてはいない。何を以て、その功にむくいてよいか」

帝は、そう宣いながら、みずから上の御衣を脱いで、玉帯をそれに添え、御手ずから董承に下賜された。

董承は、あまりの冥加に、ややしばし感泣していた。そして拝受した御衣玉帯の二品をたずさえ、間もなく宮中から退出した。

すると、早くも。

この日、帝と董承の行動は、もう曹操の耳に知れていた。誰か密報した者があったにちがいない。

「さては？……」と、針のような細い目を熒々と一方に向けて、猜疑の唇を噛んでいた。

思いあたる何ものかがあったとみえる。曹操はにわかに車や供揃えを命じ、あわただしく宮門へ向って参内して来た。

禁衛の門へかかると、

「帝には、今日、どこの台閣においで遊ばすか」

と、家臣をして、衛府の吏に問わせた。

「ただ今、大廟に詣でられて、功臣閣へおのぼりになっておられます」

と、聞くと、曹操は、さてこそといわぬばかりな面持で、宮門の外に車を捨て、足の運びも忙しげに、禁中へ進んで行った。

——と。折も折。

南苑の中門まで来ると、ちょうど今、彼方から退出して来る董承とばったり出会ってしまった。

董承は、曹操のすがたを見かけると、ぎょッと顔色を変えた。抱えていた恩賜の御衣と玉帯を、あわてて、袂でおおいかくしながら、苑門のかたわらに身を避けていた。

四

董承は体のふるえが止まらなかった。生きたそらもなくたたずんでいた。

「おう、国舅。はやご退出か?」

曹操は、声をかけながら、歩み寄ってきた。

ぜひなく董承も、

「これは丞相でしたか。いつもご機嫌よく、何よりに存じます」

さりげなく会釈を返すと、曹操は、口辺に微苦笑をたたえながら、

「——時に、国舅には、今日、何事のご出朝であるか?」

と、いぶかるような眼を露骨に向けて訊ねた。

「はっ、実は……」

と、董承は答えもしどろもどろに、

「天子のお召しに応じて、何事かと、参内いたしましたところ、思いがけなく、錦の御衣と玉帯とを賜わり、天恩のかたじけなさに、実は、気もそぞろに、私第へ退がって参ったところです」

「ほう。……天子より御衣玉帯を賜われたとか。それは近頃、ご名誉なことである。しかし、何の功があって、さような栄に浴されたかな」

「往年、長安からご遷都のみぎり、不肖、身をもって賊徒を防ぎ奉った功労を、時に思し召されて」

「何。あの時の恩賞を今頃？　……。さりとは遅いお沙汰ではあるが、陛下の御衣玉帯を親しく賜わるなどは、例外な特旨。何してもご名誉この上もないことだ」

「徳うすく功も乏しき微臣に、まったく冥加に余ることと感泣しております」

「さもあろう。曹操なども、少しあなたにあやかりたいものだ。その御衣と玉帯を、ちょっと、予に見せて給わらぬか」

曹操は手を出して迫った。そして董承の顔色を読むようにじっと見るのであった。董承は、踵の下から全身に慄えの走るのをどうしようもなかった。

――今日、功臣閣での帝の御気色といい、その折の意味ありげなおことばといい、董承は、ただごとではないと恐察していた。もしや賜わった御衣玉帯のうちに、密詔でも秘め置かれてあるのではないか？――と、何となく、危ぶみおそれていたので、曹操のするどい眼に迫られると、とたんに彼は背に冷や汗をながしたのである。

「見せ給え」

曹操にせがまれて、彼は、ぜひなく御衣玉帯をその手に捧げた。

曹操は無造作に、御衣をぱらりとひろげて、陽にかざした。そして自分の体に重ね著して玉帯を掛け、左右の臣をかえりみて、

「どうだ、似合うか」と、たずねた。

誰も笑えなかった。

「似合うだろう。これはいい」

曹操は独り笑い興じながら、

「国舅、これは予に所望させ給え。何か代りの礼はするゆえ、曹操に譲ってくれい」

「とんでもないことです。ほかならぬ恩賜の品。差上げるわけにはゆきません」

董承が容を改めていうと、

「しからば、何かこのうちに、帝と国舅のあいだに謀略が秘めてあるのではないか」

「そうお疑いになればぜひもありません。御衣も玉帯も、献じましょう」

「いや冗談だよ」

曹操は急に打消して、

「なんでみだりにひとの恩賜を、予が横奪りしよう。戯れてみたに過ぎん」

と、二品を返して、宮殿の方へ足早に立去ってしまった。

油情燈心

一

虎口をのがれたような心地を抱えて、董承はわが邸へいそいだ。

帰るとすぐ、彼は一室に閉じこもって、御衣と玉帯をあらためてみた。

「はてな。何物もないが？」

なお、御衣を振い、玉帯の裏表を調べてみた。しかし一葉の紙片だに現れなかった。

「……自分の思い過しか」

畳み直して、恩賜の二品を、卓の上においたが、何となく、その夜は、眠れなかった。

「ああ危なかった」

二品を賜わる時、帝は意味ありげに、御眼をもって、何事か、暗示された気がする。

――その時の帝のお顔が瞼から消えやらぬのであった。

それから四、五日後のことである。董承はその夜も卓に向って物思わしく頰杖ついていた。――と、いつのまにか、疲れが出て、うとうとと居眠っていた。

折ふし、かたわらの燈火が、ぽっと仄暗くなった。洩れくる風にまたたいて丁子頭がポトリと落ちた。

「………」

董承はなお居眠っていたが、そのうちに、ぷーんと焦げくさい匂いが鼻をついた。愕いて眼をさまし、ふと、見まわすと、燈心の丁子が、そこに重ねてあった玉帯のうえに落ちて、いぶりかけていたのであった。

「あ……」

彼の手は、あわててもみ消したが、龍の丸の紫金襴に、拇指の頭ぐらいな焦げの穴がもうあいていた。

「畏れ多いことをした」

穴は小さいが、大きな罪でも犯したように、董承は、すっかり睡気もさめて、凝視していたが、――見る見るうちに、彼のひとみはその焦穴へさらにふたたび火をこぼしそうな耀きを帯びてきた。

玉帯の中の白絖の芯が微かにうかがえたのである。それだけならよいが、白絖には、血らしいものがにじんでいる。

そう気がついて、つぶさに見直すと、そこ一尺ほどは縫い目の糸も新しい。――さては、と董承の胸は大きく波うった。

彼は小刀を取出して、玉帯の縫い目を切りひらいた。果たして、白絖に血をもって認めた密詔があらわれた。

董承は、火をきって、敬礼をほどこし、わななく手に読み下した。

朕聞ク。

人倫ノ大ナルハ、父子ヲ先トシ、尊卑ノコトナルハ、君臣ヲ重シトスト。

近者。――曹賊出テヨリ閣門濫叨シ、輔佐ノ実ナク、私党結連、朝綱タチマチ敗壊ス。

勅賞封罰ミナ朕ガ胸ニアラズ。

夙夜、憂思シテ恐ル、将ニ天下危ウカラントスルヲ。

卿ハスナワチ国ノ元老、朕ガ至親タリ。高祖ガ建業ノ艱ヲオモイ、忠義ノ烈士ヲ糾合シ、姦党ヲ滅シ、社稷ノ暴ヲ未萌ニ除キ、以テ祖宗ノ治業大仁ヲ万世ニ完カラシメヨ。

愴惶、指ヲ破ッテ詔ヲ書キ、卿ニ付ス。再四慎ンデコレニ負クコトアルナカレ。

建安四年春三月詔

「…………」

涙は滂沱と血書にこぼれ落ちた。董承は俯し拝んだまましばし面もあげ得なかった。

「かほどまでに。……何たる、おいたわしいお気づかいぞ」

同時に、彼はかたく誓った。この老骨を、さほどまでたのみに思し召すからには、何で怯もうと、何で、余命を惜しもうと。

しかし、事は容易でない。

彼は血の密詔を、そっと袂に入れて、書院のほうへ歩いて行った。

二

侍郎王子服は、董承の無二の親友であった。朝廷に仕える身は、平常外出も自由でないが、その日、小暇を賜わったので、日頃むつまじい董承のやしきを訪れ、家族の中にまじって、終日、奥で遊んでいた。

「ご主人はどうしましたか」

夕方になっても、董承が顔を見せないので、王子服は、すこし不平そうにたずねた。

家族のひとりが答えて、

「奥にいらっしゃいますけれど、先日から調べ物があると仰っしゃって引きこもったきり、どなたにもお会いしないことにしております」と、いった。

「それは、変だな。一体、何のお調べ事ですか」

「何をお調べなさるのか、私たちには分りませんが」

「そう根気をつめては、お体にも毒でしょう。小生が参って、みんなと共に、今夜は笑い興じるようにすすめてきましょう」

「いけません。王子服様、無断で書斎へ行くと怒られますよ」

「怒ったってかまいません。親友の小生が室をうかがったといって、まさか絶交もしやしないでしょう」

自分の家も同様にしている王子服なので、家人の案内もまたず主人の書院のほうへ独りで通って行った。家族たちも、ちょっと困った顔はしたものの、ほかならぬ主人の親友なので、晩餐の支度にまぎれたまま打捨てておいた。

主人の董承は、先頃から書院に閉じこもったきり、どうしたら曹操の勢力を宮中から一掃することができるか、帝のご宸襟を安んじてご期待にこたえることができようか。朝念暮念、曹操を亡ぼす計策に腐心して、今も、書几によって思い沈んでいた。

「……おや。居眠っておられるのか？」

そっと、室をうかがった王子服は、そのまま彼のうしろに立って、何を肘の下に抱いているのかと、書几の上をのぞいてみた。

血で書いた白絖の文のうちに「朕」という文字がふと眼にうつった。王子服が、はっとしたとたんに、董承は、誰やら背後に人のいる気はいを感じて、何気なく振向いた。

「あっ、君か」

びっくりしたように、彼はあわてて几上の一文を袂の下にしまいかくした。王は、それへ眼をとめながら、

「——何ですか、今のは？」と、軽く追及した。

「いや、べつに……」

「たいそうお疲れのようにお見うけされますが」

「ちと、ここ毎日、読書に耽っているのでな」

「孫子の書ですか」

「えっ？」

「おかくしなさってもいけません。お顔色に出ています」

「いや、疲労じゃよ」

「そうでしょう、ご心労もむりはない。まちがえば、朝門は壊え、九族は滅ぼされ、天下の大乱ですからな」

「げっ……。君は。……君はいったい、何を戯れるのじゃ」

「国舅。もし小生が、曹操のところへ、訴人に出たらどうしますか」

「訴人に？」

「そうです。小生は今日まで、あなたとは刎頸の交わりを誓ってきたものとのみ思っていました。——ところが、何ぞ知らん、あなたは小生に水くさい秘し事を抱いておいでになる」

「…………」

「無二の親友と信じてきたのは、小生だけのうぬ惚れでした。訴人します。——曹操のところへ」

た。

「あっ、待ち給え」

董承は、彼の袖をとらえ、眼に涙をうかべて云った。

「もしご辺がそれがしの秘事を覚って、曹操へ訴え出るなら、漢室は滅亡するほかない。君も累代漢室のご恩をこうむった朝臣のひとりではないか。……どんな親密な仲であろうと、友への怒りは私怨である。君は、私怨のために大義を忘れるような人ではなかったはずだが」

三

親友であるが、相手の答えによっては、刺しちがえて死なんともするような董承の血相であった。

「安んじて下さい。王子服は静かに笑って、

「安んじて下さい。小生とても、なんで漢室の鴻恩を忘れましょうや。今いったのは戯れです。――だが、尊台が大事を秘すのあまり、小生にもかくして、ただお独りで憂い窶れておられることは、親友として不満でなりません」と、いった。

董承は、ほっと、胸をなでおろしながら、彼の手をいただいて額に拝し、

「ゆるし給え。決して君の心を疑っていたわけではないが、まだ自分は明らかな計策がつかないので、数日、混沌と思いわずらっていたわけです。――もし君も力をかして、わが大事に与してくれれば、それこそ天下の大幸というものだが」

「およそ貴憂は察しています。願わくば、一臂の力をお扶けして、義を明らかにしてみ

せましょう」

「ありがとう。今は何をかくそう。すべてを打明ける。うしろの扉をしめてくれたまえ」

董承は襟を正した。そして彼に示すに、帝の血書の密詔を以てし、声涙共にふるわせながら、意中を語り明かした。

王子服も、共々、熱涙をうかべて、しばし燭に面をそむけていたが、やがて、

「よく打明けてくださいました。よろこんで義に与します。誓って、曹操を討ち、帝のおこころを安んじましょう」と、約した。

そこで二人は、密室の燭をきって、改めて義盟の血をすすりあい、後、一巻の絹を取出して、まずそれに董承が義文を認めて署名する。次に、王子服も姓名を書き載せて、その下に血判した。

「これで、君もわれとの義盟にむすばれたが、なお、よい同志はないであろうか」

「あります。将軍呉子蘭は、小生の良友ですが、特に忠義の心の篤い人物です。義を以て語れば、必ずお力となりましょう」

「それは頼もしい。朝廟にも校尉种輯、議郎呉碩の二人がある。二人とも漢家の忠良だ。吉い日をはかって、打明けてみよう」

夜も更けたので、王子服はそのまま泊ってしまった。そして翌る日も、主人の書斎で何事かひそかに話しこんでいたが、午頃、召使いがそこへ来客の刺を通じた。

「うわさをすれば影。よいところへ」と、董承は手を打った。

「誰ですか、お客は」

王子服がたずねると、

「ゆうべ君にもはなした宮中の議郎呉碩と校尉种輯じゃよ」

「連れ立って来たのですか」

「そうじゃ。君もよく知っているだろう」

「朝夕、宮中で会っています。――が、両名の本心を見るまで、小生は屏風の陰にかくれていましょう」

「それがいい」

客の二人は召使いの案内で通されてきた。

董承は出迎えて、

「やあ、ようお越し下すった。きょうは徒然のあまり読書に耽っていたところ、折からのご叩門、うれしいことです」

「読書を。それは折角のご静日を、お邪魔いたしましたな」

「何、書にも倦んでいたところじゃ。しかし、史はいつ読んでもおもしろいな」

「春秋ですか。史記ですか」

「史記列伝を」

「時に」と、呉碩が、はなしの穂を折って、唐突に云いだした。

「先ごろの御猟の日には、国舅もお供なされておりましたね」

「むむ、許田の御猟か」

「そうです。あの日、何かお感じになったことはございませんか」

許らずも、自分の問おうとする所を、客の方から先に訊ねられたので、董承はハッと眉をあらためた。

四

……だがなお、相手の心は推し測れない。人のこころは読み難い。

董承はふかく用心して、

「いや、許田の御猟は、近来のご盛事じゃったな。臣下のわれわれも、久しぶり山野に鬱を散じて、まことに、愉快な日であった」

さりげなく答えると、呉碩、种輯のふたりは、改まって、

「それだけですか」となじるようにいった。

「――愉快な日であったとは、国舅のご本心ではありますまい。われわれはむしろ今も痛恨を胆に銘じております。――なんで愉快な日であるものか。許田の御猟は、漢室の恥辱日です」

「なぜかの……」

「なぜかとお問いなさいますか。では国舅には、あの日の曹操の振舞いを、その御眼

に、何とも思わずご覧なさいましたか」

「……すこし、声をしずかにし給え。曹操は、天下の雄、壁に耳ありのたとえ、もしそのような激語が洩れ聞えたら」

「曹操がなんでそんなに怖ろしいのですか。雄は雄にちがいありませんが、天の与さぬ奸雄です。われら、微力といえども、忠誠を本義とし、国家の宗廟を護る朝廷の臣から見れば、なんら、怖るるに足る賊ではありません」

「卿らは、そんなことを、本心からいわるるのか」

「もとよりこんなことは、戯れに口にする問題ではありますまい」

「だが、いかに痛恨してみても、実力のある曹操をどうしようもあるまいが」

「正義が味方です。天の加護を信じます。ひそかに、時を待って、彼の虚をうかがっていれば、たとい喬木でも、大廈高楼でも、一挙の義風に仆せぬことはありますまい。……実は、今日こそ、国舅のお胸を叩いて、真実の底をうかがいたいものと、ふたりして伺った次第です」

「…………」

「国舅、あなたは先日、ひそかに帝のお召しをうけ、大廟の功臣閣にのぼられて、その折何か、直々に、特旨をおうけ遊ばしたでございましょうが。……ご隔意なく打明けてください。われわれとて、累代、漢の禄を喰んできた朝臣です」

この少壮な宮中の二臣は、つい声が激してくるのを忘れて、董承へ問い迫っていた。

――と、さっきから屏風のうしろにひそんでいた王子服は、ひらりと姿を現して、

「曹丞相を殺さんとなす謀叛人ども、そこをうごくな。すぐ訴人してこれへ相府の兵を迎えによこすであろう」と、大喝した。

种輯、呉碩のふたりは、驚きもしなかった。冷ややかに王子服を振向いて、

「忠臣は命を惜しまず、いつでも一死は漢にささげてある。訴人するならいたしてみろ」

と、剣に手をかけて、彼が背を見せたら、うしから、一撃に斬って捨てん――とするかのような眼光で答えた。

王子服と董承は、

「いや、お心のほど、確と見とどけた」

と、同時にいって、ふたりの激色をなだめた。そして改めて密室に移り、試みた罪を謝して、

「これを見給え」と、帝の血書と、義文連判の一巻とを、それへ展べた。

种輯、呉碩は、

「さてこそ」

と、血の御文を拝し、哭いて、連判に名をしるした。

折も折、そこへ、取次の家人から、

「――西涼の太守馬騰様が、本国へお帰りになるとかで、おわかれの挨拶にと、お越しになりましたが」と、告げてきた。

五

「悪いところへ」

董承は舌打ちをした。客の王子服や呉碩たちも、眉をひそめて、

「本国へ帰る挨拶に伺ったとあれば、お会いにならないわけにもいかないでしょうが」

と、主の顔を見まもった。

董承は、顔を振って、

「いや、会うまい。ふと、変に気どられまいものでもない」

あくまで要心して、取次の者に、許田の御猟からずっと病気で引きこもっているから――と丁寧に断らせた。

だが取次ぎの者は、何べんもそこへ通ってきた。

「――病床でもよろしいからお目にかかりたいと云って、いくらお断り申しあげても帰りません」

と、いうのである。

「――それにまた、御猟以来、ご病気中とのことだが、先頃、宮門に参内する姿をちらりとお見かけした程だから、さほどご重病でもあるまいと、威猛高に仰っしゃって、容

易にお戻りになる気色もございませんので」と、取次の家人は果ては、泣声で訴えてくるのだった。

「しかたがない。――では、別室でちょっと会おう」

遂に、董承も根負けして、ぜひなく病態をつくろって、馬騰をべつな閣へ通した。

西涼の太守馬騰は、ぷんぷんおこりながら客院へ入ってきた。そして主の顔を見るなりいった。

「国舅は、天子のご外戚、国家の大老と敬って、特に、おわかれのご挨拶に伺ったのに、門前払いとは、余りなお仕打ちではないか。何かこの馬騰に、ご宿意でもありでござるか」

「宿意などとはとんでもない。病中ゆえ、かえって失礼と存じたまでのこと」

「それがしは、遠い辺土の国境にあって、西蕃の守りに任じ、天子に朝拝する折もめったになく、国舅とも稀にしかお目にかかれんで、押してご面会をねがったわけだが――こう打見るところ、さしてご病中のようにも見られぬ。何故、それがしを軽んじて、門前から逐い返さんとなされたか。近ごろ心得ぬことではある」

「…………」

「なんでご返辞もないか」

「…………」

「うつむいたまま啞の如く一言もないとは、どういうわけだ。――ああ、今まで、御身を、馬騰はひとりで買いかぶっていたとみえる」

憤然と、彼は席を立ちながら、主の沈黙へ唾するように云い捨てた。

「これも国の柱石ではない！　無用な苔ばかりはやした、ただの石塊だったか――」

董承は、彼の荒い跫音にやにわに面をあげて、

「将軍っ、待ちたまえ」

「なんだ、苔石」

「儂を国の柱石でないとは、いかなるわけか。理由を聞きたい」

「怒ったのか。怒るところを見れば、この石ころにもまだ少し脈はあると見える。――眼をこらしてよく見よ、曹操が御猟の日に鹿を射るの暴状を。――心耳を澄ましてよく聴くがいい、為に怒る義人の血の音を」

「曹操は、兵馬の棟梁、一世の丞相、その怒りを抱いたところでどうしよう」

「ばかな！」

馬騰は眉をあげて、

「生をむさぼり、死をおそるる者とは、共に大事を語るべからず。――いや、お邪魔いたした。其許はせいぜい陽なたで贅肉をあたためて頭や腮の白い苔を養っているがよろしかろう」

すでに大股に帰りかけてゆく馬騰を追って董承は、

「待たれい。この苔石がも一言、改めておはなし致したいことがある」

と、むりに袂をひいて、奥の閣に誘い、そこで初めて董承は、密詔のことと自分の心の底を割って語った。

六

馬騰は、彼の真意を聞き、また帝の密詔を拝するに及んで、男泣きに慟哭した。彼は、遠い境外の西蕃からも、西涼の猛将軍と恐れられていたが、涙もろく、そして義胆鉄のごとき武人だった。

「お身にも、自分と同じ志があると知ったとき、この董承の胸は、血で沸くばかりじゃったが、待てしばしと、なお、無礼もかえりみず、ご心底をはかっていたわけじゃ。幸いにも、将軍が協力してくれるならば、大事はもう半ば、成就したようなもの。――この連判に御身も加盟して賜わるか」

董承がいうと馬騰は、ためらいなく自分の指を口中に突っこんだ。そして舌尖に血をながし、直ちに血判して、

「もし、この都の内で、曹操に対し、あなたが大事を決行する日が来たら、それがしは必ず西涼の遠きより烽火をあげて、今日の約にお応え申さん」

云ううちにも馬騰はまなじりを裂き、髪さかだち、すでに風雲に嘯く日のすがたをおもわせるほどだった。

董承はまた改めて、王子服と、种輯、呉碩の三名をよんで、馬騰にひきあわせた。

義状に血誓した同志はここに五名となったわけである。

「きょうはなんという吉日だろう。こういう日に事をすすめれば順調に運ぶにちがいない。ついでのことに王子服が、日頃人物を観ぬいているという呉子蘭（ごしらん）もここへ招いて、大事を諮ってみてはどうか」

董承のことばに、人々も同意したので、王子服はすぐ駒をとばして、呉子蘭を迎えに行った。

呉子蘭も、この日、一員に加わった。同志は六名となった。

「真に心のかたい者が、十名も寄れば、大事は成るか」と、そこの密室は、やがて前途を祝う小宴となって、各〻、義杯を酌みかわしながら、そんなことを談じ合った。

「そうだ……宮中の列座鴛行鷺序（れつざえんこうろじょ）をとりよせて、一人一人、点検してみよう」

董承は思いついて、直ちに記録所へ使いを走らせてそれを取寄せた。

列座鴛行鷺序（れつざえんこうろじょ）というのは殿上の席次と地下諸卿（じげしょきょう）にいたるまでの名をしるした官員録である。それをひらいて順々に見て行ったが、さて、人は多いが真に信頼のできる人はなかった。　すると馬騰が、

「あった！　ここに唯ひとり人物がある」と、さけんだ。

彼の声は、いくら側の者がたしなめても、常に人いちばい大きいので人々はびくびくしたが、あったと聞いて、

「誰か」と、彼の手にある一帖へ顔をあつめた。

「しかも、漢室の宗族のうちにこの人があろうとは、正に、天佑ではないか。見たまえ、ご列親のうちに予州の刺史劉玄徳の名があるではないか」

「おお……」

「爾余の十人よりも、この人ひとりを迎えれば、われわれの誓いは*千鈞の重きを加えよう。……なおなお、ありがたいことには、玄徳と彼の義兄弟のあいだにも、いつかは曹操を討たんとする意志があることだ」

「それはどうして分りますか」

「御猟の日、傍若無人な曹賊が、帝のおん前に立ちふさがって、諸人の万歳をわがもの顔にうけた時、玄徳の舎弟関羽が、斬ッてかかりそうな血相をしておった。思うに玄徳も、機を計って、隠忍しておるに相違ない」

馬騰のことばに、董承はじめ同志の人たちは、はや黎明を望んだように、前途に意を強うした。

しかし、玄徳の人物をよく知っているだけに、彼をひき入れることは容易ではないと思った。大事の上にも大事を取ったがよかろうと、その日は立別れて、おもむろに好い機会を待つこととした。

鶏鳴

一

昼は人目につく。

董承は或る夜ひそかに、密詔をふところに秘めて頭巾に面をかくして、

「風雅の友が秦代の名硯を手に入れたので、詩会を催すというから、こよいは一人で行ってくる」

と、家人にさえ打明けず、ただ一人驢にまたがって、玄徳の客館へ出向いて行った。

それも、ふと曹操の密偵にでも見つかって、あとを尾行られてはならぬと、日頃、詩文だけの交わりをしている風雅の老友を先に訪ね、わざと深更まではなしこんで、夜も三更のころ気がついたように、

「やあ、思わず今夜は、はなしに実がいって、長座いたした。どうも詩や画のはなしに興じていると、つい時も忘れ果てて」

などと云いながら、あわててその家を辞した。

そこは郊外なので、玄徳の客舎へ来たのは、もう四更に近かった。

深夜。しかも、時ならぬ人の訪れに、

「何ごとか」と、玄徳もあやしみながら彼を迎え入れた。

が、――彼は、およそ客の用向きを察していたらしく、家僕が客院に燭をともしかけると、

「いや、奥の小閣にしよう」と、自ら董承をみちびいて、庭づたいに、西園の一閣へ案内した。

許都へ来た当座は、曹操の好意で、相府のすぐ隣の官邸を住居としてあてがわれていたが、

「ここは帝都の中心で、田舎漢(いなかもの)の住居には、あまり晴れがましゅうござれば」

と、今のところへ引移っていたのだった。

「何もありませんが」

と、すぐ青燈の下に、小酒宴(こざかもり)の食器や杯がならべられた。それらの陶器といい室の飾りといい、清楚閑雅(せいそかんが)な主(あるじ)の好みがうかがわれて、董承はもう、この人ならではと思いこんでいた。

四方(よも)のはなしの末に、

「時ならぬご来駕は、何事でございますか」と、玄徳から訊ねだした。

董承はあらたまって、

「余の儀でもありませんが、許田の御猟の折、義弟関羽どのが、すでに曹操を斬ろうとしかけたのを、あなたが、そっと眼や手をもって、押し止めておいでになったが、その仔細を伺いたいと思って参上したわけです」

玄徳は、色を失った。自分の予感とちがって、さては曹操の代りに、詰問に来たのかと思われたからである。

——が、隠すべきことでもなく、隠しようもない破目と、玄徳は心をきめた。

「舎弟の関羽は、まことに一徹者ですから、あの日、丞相のなされ方が、帝威をおかすものと見て、一時に憤激したものでしょう。……や、や？　……国舅、あなたは何故、わたくしの言を聞いて泣かれるのですか」

「いや、おはずかしい。実は今のおことばを伺って、今もし、関羽どののような心根の人が幾人かいたならば……と、つい愚痴を思うたのでござる」

「府に、曹丞相あり、朝にあなたのような輔佐があって、世は泰平に治まっているではありませんか。なにを憂いとなされるか」

「皇叔——」

董承は濡れた瞼をあげて、屹といった。

「御身は、わしが曹操にたのまれて、肚でも探りにきたものと、ひそかに要心しておられようが。……疑うをやめ給え。ご辺は天子の皇叔、此方もまた外戚の端にあるもの、なんで二人のあいだに詐りをさし挟もう。今、明らかに、実を告げる。これを見てください」

董承は、席を改め、口を嗽いして、密詔を示した。

燈火をきって、それへ眸をじっと落していた玄徳は、やがてとめどもなくながれる涙を両手でおおってしまった。悲憤のあまり彼の鬢髪はそそけ立って燈影におののき慄えていた。

二

「おしまい下さい」

涙をふき、密詔を拝して、玄徳はそれを、董承の手へ返した。

「国舅のご胸中、およそわかりました」

「ご辺も、この密詔を拝して、世のために涙をふるって下さるか」

「もとよりです」

「かたじけない」と、董承は、狂喜して、幾たびか彼のすがたを拝した後、

「では、さらにもう一通、これをごらん願いたい」と、巻をひらいた。

同志の名と血判をつらねた義状である。

本頭に、車騎将軍董承。

第二筆に、長水校尉种輯。

第三には、昭信将軍呉子蘭。第四、工部郎中王子服。第五、議郎呉碩などとあって、

その第六人目には、西涼之太守、馬騰。

と、ひときわ筆太に署名されてある。

「おう、もはやこれまでの人々をお語らいになりましたか」

「世はまだ滅びません。たのもしき哉、濁世のうちにも、まだ清隠の下、求めれば、かくの如き忠烈な人々も住む」

「この地上は、それ故に、どんなに乱れ腐えても、見限ってはいけません。わたくしはいつもそれを信じている。ですから、どんなに悪魔的世相があらわれても、決して悲観しません。人間はもう駄目だとは思いません。むしろ、見えないところに、同じ思いを抱いている草間がくれの清冽をさがし、人間の狂気した濁流をいつかは清々淙々たる永遠の流れに化さんことの願望をふるい起すのが常であります」

「皇叔。おことばを伺って、この老骨は、実にほっとしました。この年して初めてほんとの人間と天地の不朽を知ったここちがします。ただいかにせん、自分には乏しい力と才しかありません。お力をかして賜わるか」

「仰せまでもない儀。――ここに名を連ねる諸公がすでに立つからには、玄徳もなんで犬馬の労を惜しみましょうや」

彼は起って、自身、筆硯を取りに行った。

その時。

小閣の外、廊や窓のあたりは、かすかに微光がさし始めていた。

夜は明けかけていたのである。外廊の廂からぽとぽと霧の降る音がしていた。そこで何者か、声を出して泣いている人影があった。

玄徳は見向きもしない。けれど董承は、ぎょっとして、廊をさしのぞいた。

見れば、玄徳の護衛のため、夜どおし外に佇立していた臣下であった。いや義弟の関羽と張飛の二名だった。抱き合って、うれし泣きに、泣いている様子なのである。

「……あ、二人も、ここの密談を洩れ聞いて」

董承は、羨ましいものさえ覚えた。義状に名をつらねた人々のちかいも、もし玄徳と義弟たちの間のように、濃くふかく結ばれたら、必ず大事は成就するが――と思った。

硯を持って、玄徳は静かに、彼の前へもどってきた。

そして、義状の第七筆に、

左将軍劉備。

と、謹厳に書いた。

筆をおいて、

「決して生命を惜しむのではありませんが、これだけはかたく奉じていただきたい。ゆめ、軽々しく、動かないことです。時いたらぬうちに軽挙妄動するの愚を戒めあうことです」

暁の微光が、そういう玄徳の横顔を、見ているまに、鮮やかにしていた。遠く、鶏鳴が聞えた。

「……では、いずれまた」

客は、驢に乗って、朝霧のなかを、ひそかに帰って行った。

青梅（セイバイ）、酒ヲ煮（ニ）テ、英雄ヲ論ズ

一

「張飛。——欠伸（あくび）か」

「ムム、関羽か。毎日、することもないからな」

「また、飲んだのだろう」

「いや、飲まん飲まん」

「夏が近いな、もう……」

「梅の実も大きくなってきた。しかし一体、うちの大将は、どうしたものだろう」

「うちの大将とは」

「兄貴さ」

「この都にいるうちは少しことばをつつしめ。ご主君をさして、兄貴だの、うちの大将

だのと」

「なぜ悪い。義兄弟の仲で」

「貴様はそう心易くいうが、朝廷では皇叔、外にあっては、左将軍劉予州(りゅうよしゅう)ともあるお方だ。むかしの口癖はよせ。わが主君の威厳(いげん)を、わが口で落すようなものだ」

「そうか。……なるほど」

「何をつって、つまらなそうな顔しておるんだ」

「何をって、その左将軍たるものが、ここのところ毎日、何をやっているか知っているか貴様は」

「知っている」

「陽気のせいで、すこし頭が悪くなったんじゃないかとおれは真面目に心配しておるのだ」

「誰のことを」

「だからよ。わが主君たる人の行いをさ」

「どうして？」

「どうしてだと。まあ立ち話ではできん。かりそめにも、ご主君のうわさだから」

「すぐしッぺ返しをしおる。貴様ほど意地ッ張りなやつはないな」

苦笑しながら、関羽もならんでそこらの石に腰かけた。

彼方に、たくさんの馬を繋いでいる厩舎が見える。

ここは下僕部屋のある邸内の空地だ。

桃の花が散ってくる。

詩は感じないでも、桃の花をみると二人は楼桑村の桃園を憶いおこす。

張飛は、最前から独りでつまらなそうに樹の下に腰かけて頬杖つきながら、それを眺めていたところだった。

「なんだ一体、ご主君の行いについて、貴様の不平とは？」

「この頃、玄徳様には邸内の畑へ出て、百姓のまね事ばかりしているではないか。菜園へ出るもよいが、自分で水を担ったり、肥料をやったり、鍬をもって、菜や人参を掘りちらさないでもよかろうじゃないか」

「そのことか」

「百姓がしたいなら、楼桑村へ帰りゃあいい。何も都に第宅を構え左将軍なんていう官職はいるまい。肥桶をかつぐに、われわれ兵隊などもいらんわけだ」

「きさま、そういうな」

「だから、おれは、これは天候のせいかも知れないと、憂いているんだ。どう思う、兄貴は」

「君子のことばに、晴耕雨読ということがある。雨の日にはよく書物に親しんでおられるから、君子の生活を実践しておられるものだとおれは思うが」

「困るよ、今から隠者になられては。――そもそもわれわれは、これから大いに世に出て為すあらんとしている者ではないか」

「もちろん」

「よしてくれ！　君子の真似なんか！」

「おれにいっても仕方がない」

「きょうも畑に出ているようか」

「やっておられるらしい」

「二人して、意見しに行こうじゃないか」

「さあ？」

「何をためらうか。貴様はたった今、主君の威厳にさわるとか、おれをたしなめたではないか。おれには何でもいえるが、主君の前へ出ては、何もいえないのか」

「ばかをいえ」

「では行こう、ついて来い。忠義の行いでいちばん難しいことは、上に善言して上より死を賜うも恨まずということだぞ」

二

ぼくっ、ぼくっ、と鍬を打つ。土のにおいが面にせまる。

玄徳は、野良着の肱で、額の汗をこすった。

「…………」

黙然と、鍬を杖に、初夏の陽を仰いでいる。一息して、鍬をすてると、彼は糞土の桶を担って、いま掘りかえした菜根の土へ、こやしを施していった。

「わが君！　冗談ではありませんぞ。この時勢に、そんな小人の業を学んでどうするのですっ。馬鹿馬鹿しい」

うしろで張飛の大声がした。

玄徳はふり向いて、

「おお、何用か」

ことばだけは、左将軍劉備らしい。それだけに、張飛はなお馬鹿げた気がしてならない。が、由来彼は弁舌の士でなかった。乱暴な口ならいくらもたたくが、主君に忠諫などは、得手でない限りである。

「関羽、云ってくれ」

そっと、突っつくと、

「なんだ、貴様がおれの手をひッぱってきたくせに」

「おれは、後でいうから」

「家兄。――きょうはそう呼ぶことをおゆるし下さい」

関羽は畑にひざまずいた。

「なんじゃ改まって」

「われわれ愚鈍な生れには、ちと解し難く、思われてなりませんので、ご意中を伺いに参った次第で」

云いかけると、張飛は、

「手ぬるい手ぬるい。そんな云い方ではだめだ。面を冒して直諫してこそ、忠臣のことばというものじゃないか」と、小声でけしかけた。

「うるさい、黙っておれ――」と側の張飛を叱って、関羽はまた、

「さだめし、何か深いお考えのあることとは存じますが、ここ二月も毎日菜園へ出られ、黙々、百姓の真似事ばかりなされておいでになりますが、なぜ、ご自身で糞土を担がなければなりませんか。――お体のためとあらば、弓馬の鍛錬をあそばしていただきたいものと思いますが」

「そうだ！」と、張飛はその図にのって、

「今から君子や隠者の生活でもありますまい。百姓をやるなら何もわれわれ桃園に血をすすり合って、こんなとこまで、旗をかついで来なくともよかったんだ。失礼ながら、あなたの料簡がわれわれに分りかねる」

玄徳は、笑みをふくんだまま、黙って聞いていたが、

「汝らの知るところではない。分らなければ、黙って、そち達はそち達の勤めをしておれ」

「そうはいかない」

張飛は喰ってかかった。

「三人の血はひとつだ。三人は一心同体だと、家兄も常にいっておるのではないか。われわれという手脚が、明け暮れ弓矢をみがいていても、肩が糞土をかついでいたり、頭が百姓になっていたんでは、一心同体とは申されまい」

「いや、参った」

玄徳はかろく笑い流して、「そのとおりである。――が、今にわかる時節もある。ふかい考えがあってのこと。心配するな」と、なだめた。

そういわれると何もいえない。やはり曹操を謀るためかもしれぬ。よく考えてみると、玄徳の日課は、董承と密会した以後から始まっている。

思い直して、二人はなお、毎日の退屈を、なぐさめ合っていた。ところが、それから数日の後、連れ立って外出したが、邸へ帰ってみると、毎日すがたの見える菜園にも、奥にも玄徳が見えなかった。

三

「ご主君は、どこへ行かれたか」

張飛、関羽は、眼のいろ変えて、留守の家臣にたずねた。

「えっ、相府へお出ましになりました」

「曹操の召しでか」

「はい、曹丞相が何やら急に、お迎えを向けられたので」

聞くと、ふたりは呆然顔を見あわせて、

「しまった……。われわれが居れば、是が非でも、お供について行かれたものを」

思いあたることがある。日ごろ沈着な関羽さえ、気もそぞろに、玄徳の身を案じた。

「迎えには、誰と誰が来たか」

「曹操の腹心、許褚（きょちょ）、張遼（ちょうりょう）のおふたりが、車をもって参りました」

「いよいよ怪しい」

「兄貴、考えている場合ではない。後からでも構うまい。もし門を通さぬとあれば、ぶちこわして押し通るまでだ」

「おお、急げ」

ふたりは宙を飛んで、許都の大路を、丞相府のほうへ駈けて行った。

それより数時前に。

玄徳は曹操からふいの迎えをうけて、心には、何事かと、危ぶまれたが、使いの許褚、張遼にたずねてみても、

「御用のほどは何事か、われらには、わきまえ知るよし候わず」と、にべもない返辞。

といって、断るすべもなく、彼は心中、薄氷を踏むような思いを抱きながら、相府の門をくぐった。

導かれたところは、庁（ちょう）ではなく曹操の第宅につづく南苑の閣だった。

「やあ、しばらく」

曹操は待っていた。

瘦軀長面、いつも鳳眼きらりとかがやいて、近ごろの曹操は、威容気品ふたつながら相貌にそなわってきた風が見える。

「つい、ここ二月ほど、ご無沙汰にすぎました。いつもお健やかで」

玄徳もさりげなく会釈すると、曹操は、その面をじろじろ見ながら、

「健康といえば、たいそう君は陽にやけたな。聞けば近頃は、菜園に出て、百姓ばかりしているというが、百姓仕事というのは、そんな楽しみなものかね」

「実に楽しいものです」

心のうちで、玄徳は、まずこの分ならと幾らか胸をなでていた。

「――丞相の政令がよく行きわたっていますから、世は無事です。故に、閑をわすれるため、後園で畑を耕していますが、費えもかからず、体にもよく、晩飯はおいしくたべられます」

「なるほど、金はかかるまいな。君は欲なしかと思うたら、蓄財の趣味はあるとみえる」

「これは、痛烈なお戯れを」

玄徳はわざと、辱らうようにうつ向いた。

「いや、冗談冗談。気にかけ給うな。――実はきょう、君を迎えたのは、この相府の梅園に、梅の実の結んだのを見て、ふと先年、張繡征伐に出向いた行軍の途中を思い

起したのだ。炎暑に渇きって、水もなく苦しみ弱る兵らに向い、この先へ行けば、小梅の熟したる梅林があるぞ。そこまで急げや――と詐って進むほどに、兵は皆、口中に唾のわくを覚え、遂に、渇をわすれて長途の夏を行軍したことがある」

曹操は、そのはなしが、自慢らしい。そう語って、

「――で、急に君と、その小梅の実を煮て賞翫しながら、一酌くみ交わしたいものと思い出したわけなんだ。まあ来たまえ。梅林を逍遥しながら、設けの宴席へ、予が案内するから」

曹操は、先に立って、はや広い梅園の道をあるいていた。

四

「ほ……。これは宏大な梅林ですな」

曹操の案内に従って、玄徳も遠方此方、逍遥しながら、嘆服の声を放った。

「劉予州。――君はここを見るのは、初めてかね」

「南苑のご門内に通ったのは、今日が初めてです」

「それなら、花の頃にも、案内すればよかったな」

「丞相おんみずからご案内に立たれるだけでも、恐懼の極みであります」

「酒席の小亭は、まだ彼方の梅渓をめぐって、向う側にある眺めのよい場所だよ」

――と、俄に。

ばらばらっと頭上へも大地へも降り落ちてきた物がある。みな青梅の実であった。

「……オオ！」

とたんに樹々の嫩葉も梢もびゅうびゅうと鳴って、一点暗黒となったかと思うまに、一柱の巻雲が、はるか彼方の山陰をかすめて立ち昇った。

「——龍だ、龍だ」

「あれよ、龍が昇天した」

そこらを馳けてゆく召使いの童子や家臣が、口々に風のなかで云っていた。——そして一瞬、掃いてゆくような白雨が、さあっと迅い雨脚でかけぬけた。

「すぐやもう」

曹操と玄徳は、樹蔭に雨やどりして、雨の過ぎるのを待っていた。

そのあいだに、曹操は、玄徳へこんなことを話しかけた。

「君は、宇宙の道理と変化を、ご存じか」

「いまだわきまえません」

「龍というものがよくそれを説明している。龍は、時には大に、時には小に、大なるは霧を吐き、雲をおこし、江をひるがえし、海を捲く。——また小なれば、頭を埋め、爪をひそめ、深淵にさざ波さえ立てぬ。その昇るや、大宇宙を飛揚し、そのひそむや、百年淵のそこにもいる。——が、性の本来は、陽物だから時しも春更けて、今ごろとなれば大いにうごく。龍起れば九天といい、人興って志気と時運を得れば、四海に縦横するという」

「実在するものでしょうか」

「ありとみればあり、なしとみればないかも知れん。——たとえば今」と、天を指して、「雲の柱が彼方の山岳をかすめて、すさまじく立ち昇ったかと見えた。だが、雲表の神秘、自然の迅速、誰かよく、その痕跡をとらえて実証できよう」

「古来、龍のはなしは、無数に聞いていますが、まだこれが真の龍だという実物は片鱗も見ませんが」

「否！」

曹操はつよく顔を振って、

「予は見ている！　この眼で」

「ほ。左様ですか」

「——だが、神秘の龍ではない。この地上、風雲に会っては起る幾多の人龍だ。要するに、龍は人間だというのが予の自説だが」

「そうもいえましょう」

「君もその一龍であろう」

「いかにせん、電飛の神通力なく、把握の爪なく、隠顕自在の才もありません。まず龍は龍でも、頭に土の字のつく龍のほうでしょうか」

「ご謙遜あるな。……がご辺には、ずいぶん諸国を遍歴もされたであろうゆえ、かならず当世の英雄は知っておられるにちがいない。まず当代、英雄とゆるしてよい人物は誰と誰とであろうか」

「さあ? ……むずかしいお訊ねですな。われらごとき凡眼をもっては」

「いや、君の胸中にある者、誰でもよいから云ってみられい」

玄徳は、彼の執こい眼ざしからのがれたくなって、

「オ。……雨もやみましたな」

と、先に木蔭を出て、空を見上げた。

雷怯子

一

雨やどりの間の雑談にすぎないので巧みに答えをかわされたが、曹操は、腹も立てられなかった。

玄徳は、すこし先に歩いていたが、よいほどな所で、彼を待ち迎えて、

「まだ降りそうな雲ですが」

「雨もまた趣があっていい。雨情ということばもあるから」

「今の驟雨で、たいそう青梅の実が落ちましたな」

「まるで、詩中の景ではないか」

曹操は、立ちどまった。

玄徳も見た。

後閣に仕える侍女たちが、雨やみを見て、青梅の実を拾いあつめているのである。美姫は手に手に籠をたずさえ、梅の実の数を誇りあっていた。

「……あ。丞相がおいでになった」

曹操のすがたを見ると、女院の廂のほうへ、彼女たちは、逃げ散るようにかくれた。

曹操は、詩を感じているのか、或いは彼女たちの若さに喜悦しているのだろうか、その鳳眼に笑みをたたえて見送っていたが、――ふと客の玄徳に気づいて、

「いじらしいものですな、女というものは。あれが生活です」

「よくあんな美しい侍女ばかりお集めになられましたな。さすがは、都というものでしょうか」

「ははは。しかし、この梅林の梅花がいちどに開いて、芳香を放つ時は、彼女らの美は、影をひそめてしまいますよ。恨むらくは、梅花は散ってしまう」

「美人の美も長くはありません」

「そう先を考えたら何もかも儚くなる。予は人生の七十年、或いは八十年、人寿の光陰

を最大の長さに考えたい。――仏者は、短し短しといい、空間の一瞬というが」

「お気持はわかります」

「予は、仏説や君子の説には、無条件で服することができん。性来の叛骨とみえる。しかし、大丈夫のゆく道は、おのずから大丈夫でなくては解し難い」

と、口をむすんで、運びだす足と共に、いつかまた、前の話題にもどってきた。

「――どうですか、君。最前も云ったことだが、一体、当今の英雄は誰か。いないのか、いるのか、ご辺の胸中にある人を、云ってみたまえ」

「その問題ですか。どうも、自分には、これという人も覚えておりません。ただ丞相のご恩顧を感じ、朝廷に仕えておりますが」

「ご辺の考えで、英雄といい切れる人が見当らぬというなれば、俗聞でもいい、世上の俗間では、どんなことを云っているか、論じ給え」

性格でもあろうが、実に熱い。そのねばっこい質問には、玄徳もかわしきれなくなった。

で、遂に、

「聞き及ぶところでは、淮南の袁術など、英雄といわれる方でしょうか。兵事に精通し、兵糧は足り、世間ももっぱら称揚しておるようです」

聞くと、曹操は笑って、

「袁術か。あれはもう生きている英雄ではあるまい。塚の中の白骨だ。不日、この曹操がかならず生捕ってみせる」

「では、河北の袁紹があげられましょう。家系は四代三公の位にのぼり、門下には有数な官吏が多く出ております。そして今、冀州に虎踞して謀士勇将は数を知らずといわれ、前途の大計は、臆測をゆるしません。まず彼など、時代の英雄とゆるしてもいいのではありますまいか」

「ははは、そうかな」

曹操は、なお笑って、

「袁紹は、胆のうすい、決断のない、いわゆる疥癬の輩という人物さ。大事におうては身を惜しみ、小利をみては命も軽んじるという質だ。そんな人間が、いかで時代の英雄たり得ようや」

誰の名をあげてみても、彼はそういう調子で、真っ向から否定してしまうのだった。

二

否定はするが、あいまいではない。

曹操の否定は明快だった。痛烈な快感すら、聞く者の耳におぼえさせる。

玄徳も、その興味につい誘いこまれた。

そうして、当今の英雄について、玄徳が名をあげ、曹操が論破し、思わず話に身がいったせいか、いつのまにか酒席の小亭の前に来ていた。

「ここは風雅だろう、君」

「なるほどよい場所です」

「観梅の季節には、よくここで宴をひらく。野趣があって甚だいい。きょうもかたい礼儀はやめて、くつろごうではないか」

「結構です」

「途々、当今の英雄についてだいぶしゃべってきたが、予にはまだ書生論を闘わした時代の書生気分が抜けていないのか、談論風発は甚だ好むところだ。きょうはひとつ、大いに語ろう」

彼は胸襟をひらいて、赤裸の自己を見せるつもりでいう。

いかにも自然児らしく、今なお洛陽の一寒生らしくも見える。

だが、そのどこまでが、ほんとうの曹操か。

玄徳は、彼の調子にのって、自分の帯紐をといてしまうような風は容易に示さない。

玄徳が、曹操の程度に自己を脱いで見せれば、それはすっかり自己の全部を露呈してしまうからともいえよう。——玄徳は自分をつつむのに細心で周到であった。いや臆病なほどですらある。

よく取れば、それは玄徳が人間の本性をふかく観つめ、自己の短所によく慎み、あくまで他人との融和に気をつけている温容とも心がけともいえるが、悪く解すれば、容易に他人に肚をのぞかせない二重底、三重底の要心ぶかい性格の人ともいえる。

すくなくも、曹操の人間は、彼よりはずっと簡明である。時おり、感情を表に現わしてみせるだけでも、ある程度の腹中はうかがえる。

――が、そうかといって、玄徳は肚ぐろく曹操はより人がよいとも、云いきれない。なぜならば、彼が現わしてみせる感情にも、快活な放言にも、書生肌な胸襟の開放にも、なかなか技巧や機智がはたらいているからである。むしろそれは自分からくだけて相手を油断させる策とも見えないことはない。ただ曹操の場合は本来の性質でするそれと、機智技巧でするそれとを、自分でも意識しないでやっているところがある。だから彼自身は、決してふたつのものを、挙止言動に、いちいちつかい分けているなどとは思っていないかもしれない。

麗玉の酒杯。

美陶の瓶。

そして肴は青い小梅の実。

さっき梅の実をひろっていた美姫の群れの中で見かけたような美人が、幾人かこれへ来て、ふたりの酒宴に侍していた。

「ああ、酔うた。梅の実で飲むと、こう酔いが発するものだろうか」

「わたくしもだいぶ過しました。近頃、かように快くご酒をいただいたことはありません」

「青梅、酒ヲ煮テ、英雄ヲ論ズ――。さっきから詩の初句だけできているが、後ができない。君、ひとつそれに、あとの詩句をつけてみんか」

「できません、所詮」

「詩は作らんかね」

「どうも生れつき不風流にできているとみえまする」

「おもしろくない男だなあ、実に君という人物は」

「恐縮です」

「では、飲む一方とするか。なぜ酒杯を下におかれるか」

「興も充分に尽しました。もはやお暇を告げたいと存じますから」

「いかん！」

曹操は自分のさかずきを突きつけて云った。

「まだ英雄論も語りつくしておらんではないか。――君はさっき、袁術、袁紹のふたりを当世の英雄にあげたが、もうほかに天下に人物なしと心得ておられるか。――借問す！　現代は事実、そんなにも人材が貧困だろうか」

三

強いられる酒杯と、向けてくる話題に、玄徳は、むげにも座を立ちかねて、

「いや、最前あげた名は、世俗の聞きおよびを、申しあげてみたまでに過ぎません」

と、またつい、さされる一盞をうけてしまった。

曹操は、矢つぎ早に、

「俗衆の論でもいい、袁紹、袁術のほかには、誰がもっぱら、当今の英雄と擬せられているか」

「次には、荊州の劉表でしょうか」

「劉表」

「威は九州を鎮めて、八俊と呼ばれ、領治にも見るべきものがあるとか、聞き及んでいますが」

「だめ、だめ、領治など、彼の部下のちょっぴり小利巧なやつがやっているに過ぎん。劉表の短所は、なんといっても、酒色に溺れやすいことだ。呂布と共通なところがある。なんで時代の英雄たるを得よう」

「では、呉の孫策は」

「ムム、孫策か」

曹操は、笑い飛ばさなかった。ちょっと、小首をかしげている。

「丞相のお眼には、孫策をどうご覧になられていますか。彼は江東の領袖、しかも弱冠、領民からも、小覇王とよばれて、信頼されておるようですが」

「いうに足るまい。奇略、一時の功を奏しても、もともと、父の盛名という遺産をうけて立った黄口の小児」

「では、益州の劉璋は」

「あんな者は、門を守る犬だ」

「――しからば、張繡、張魯、韓遂などの人々はいかがですか。彼らもみな英雄とはいえませんか」

「あははは。ないものだな、まったく」

手をうって、曹操はあざ笑った。

「それらはみな碌々たる小人のみで論ずるにも足らん。せめてもう少し、人間らしい恰好をしたのはおらんかね」

「もうその余には、わたくしの聞き及びはありません」

「情けないことかな、それ英雄とは、大志を抱き、万計の妙を蔵し、行って怯まず、時潮におくれず、宇宙の気宇、天地の理を体得して、万民の指揮にのぞむものでなければならん」

「今の世に、誰かよく、そんな資質を備えた人物がおりましょう。無理なお求めです」

「いや、ある！」

曹操はいきなり指をもって、玄徳の顔を指さし、またその指を返して、自分の鼻をさした。

「君と、予とだ。今、天下の英雄たり得るものは大言ではないが、予と足下の二人しかあるまい」

そのことばも終らないうちであった。

ぴかっ――と青白い雷光が、ふたりの膝へ閃いた、と思うと、沛然たる大雨と共に、雷鳴がとどろいて、どこかの大木にかみなりが落ちたようであった。

「――あッ」

玄徳は、手にしていた箸を投げ、両耳をふさいで、席へうっ伏してしまった。

それは天地も裂けるような震動だったにちがいないが、余りな彼のおののきに、席にいあわせた美姫たちまで、

「ホ、ホ、ホ、ホ」と、笑いこけた。

曹操は、疑った。しばし顔も上げないでいる玄徳を、きびしい眼で見ていた。しかし美姫たちまであざけり笑ったので、思わず苦笑の口もとをゆがめ、

「どう召された。もう空ははれているのに」と、いった。

玄徳は酒も醒め果てたように、

「ああ驚きました。生来、雷鳴が大嫌いなものですから」

「雷鳴は天地の声、どうしてそんなに怖いのか」

「わかりません。虫のせいでしょう。幼少から雷鳴というと、身をかくす所にいつもまごつきます」

「……ふうむ」

曹操はとうとう自分の都合のよいように歓んだ。玄徳の人物もこの程度ならまず世に無用な人と観てしまったのである。……彼の遠謀とも知らずに。

四

ちょうどその頃。

南苑の門のあたりでも、さながら雷鳴のような人声が轟いていた。

「開けろっ、開けろっ。開門せねば、ぶちこわして踏み通るぞッ」

苑内の番卒はおどろいて、

「こわしてはいかん。何者だ。何者だ」

問い返すまにも、巨きな門がゆらゆらとゆれている。瑠璃瓦（るりがわら）の二、三片が、門屋根からぐわらぐわら落ちて砕け散った。

「あっ、狼藉（ろうぜき）な。――何者か名を申せ、何用か、用向きをいえ」

すると、門の外で、

「ぐずぐずいっているいとまはない。われら両名は、きょう丞相に招かれた客、劉玄徳が義弟どもだ」

「あっ、では関羽と張飛か」

「開けろッ、早く」

「相府のおゆるしを得て参ったか」

「そんなことをしている暇はないというのに分らん奴、エエ面倒だっ、兄貴、そこを退いていろ。この大石を門扉へたたきつけてくれる」

中の番卒は仰天して、

「待て待て。無茶なまねをいたすな。開けないとはいわん」

「早くいたせ！　早くッ」

「仕方がないやつ」

慄(ふる)えあがって、渋々、開けようとしていると、関羽、張飛のふたりを追ってきたらしい相府の役人や兵たちが、

「ならんならん。丞相のおゆるしを得てというのに、理不尽に押し通った乱暴者、通ってはならんぞ」

と、どなりながら、左右から組みついてきた。

「虫ケラ。踏みつぶされたいかッ」

叩きつける、踏み放す、つまんで投げ上げる。

わっと、怯んで逃げるまに、張飛は大石を抱えあげて、門へぶっつけた。

ふたりは躍りこんで、梅林のあいだを疾風のごとく馳けた。玄徳は今しも、宴の席を辞してかえりかけているところだったが、その小亭の下まで来るやふたりは、

「おおっ、わが君」

「家兄っ」

と、大地にペタとひざまずき、その無事なすがたを見て、こみあげるうれし涙とともに、一時にがっかりしてしまって、しばし肩で大息をついていた。

曹操は、見とがめて、

「関羽と張飛の二人よな。招きもせぬに、何しに来たか」

「はっ……」と、関羽は咄嗟に答えにつまって、

「さ、されば……折ふしのご酒宴とも承り、やつがれども、つたない剣を舞わして、ご一興を添えんものと、無礼もかえりみず推参いたしました」

苦しげに云い抜けると、曹操は開口一番、限りもなく大笑した。

「わははは、何を戸惑うて。——これ両人、きょうは古の鴻門の会ではないぞ。いずくんぞ項荘、項伯を用いんや、である。のう劉皇叔」

玄徳も、共に、

「いや、ふたりとも、粗忽者ですから」

笑いにまぎらすと、

「どうして、粗忽者どころか、雷怯子の義弟としては出来すぎている程だ」

と、曹操は眸もはなたず二人を見ていたが、やがて、

「せっかく参ったものだ。剣の舞は見るにおよばんが、二樊噲に酒杯をつかわせ」

と、亭上から云った。

張飛は拝謝して、腹癒せのように痛飲したが、関羽は口にふくんだ酒を、曹操の眼がそれた隙に、うしろへ吐いてしまった。

雨後の夕空には白虹がかかっていた。虎口の門をのがれ出た玄徳の車は、ふたりの義

弟に護られながら、虹の下を、無事、轍をめぐらしつつ戻って行く――。

兇門脱出

一

幾日かをおいて、玄徳は、きょうは先日の青梅の招きのお礼に相府へ参る、車のしたくをせよと命じた。

関羽、張飛は口をそろえて、

「曹操の心根には、なにがひそんでいるか知れたものではない。才長けた奸雄の兇門へは、こっちから求めて近づかぬほうが賢明でしょう」と、不敵な二人も、曹操だけには警戒を怠らない――というよりは、むしろ切に玄徳の自重をうながした。

玄徳は、うなずき、かつほほ笑んでいうには、

「だからわしも、努めて菜園に肥桶を担ったり、雷鳴に耳をふさいだり、箸を取落したりして見せている次第だ。しかし、聡明敏感な彼のことだから、避けて近づかなければ、また、猜疑するだろう。むしろいよいよ保命の鼻毛をのばして、時々、彼の嘲笑を

うけに行ったほうが無事かと思う」

初めて玄徳の口から菜園に鍬をとるの深慮を聞かされ、霹靂に耳をふさぐの遠謀を説き明かされて、ふたりも周到な用意に今さら舌をまき、家兄にそこまでの心構えある以上、何をか曹操に近づくを恐れんや――とばかり供に従って車のあとに歩いた。

曹操は、玄徳を見ると、きょうも至極機嫌よく、

「皇叔。今日はこのあいだと違って、無風晴穏、かみなりも鳴るまいから、ゆるゆる、興を共にしたまえ」

と、いつぞやの清雅淡味と趣をかえて、その日は、贅美濃厚な盞肴をもって、卓をみたした。

ところへ、侍臣が、

「河北の情勢をうかがいに行った満寵が、手先の密偵の諜報を悉皆あつめて、ただいま立ち帰ってまいりましたが」

と、席へ告げた。

曹操は眼の隅からちろと玄徳の面を見たが、

「オ。満寵が帰ったか。すぐここへ通せ」と、いいつけた。

やがて満寵は、侍臣にともなわれて、席の一隅に起立した。曹操は、

「河北の情勢はどうか。袁紹が虚実をよく視てきたか」と、その報告を求めた。

満寵は答えて、

「河北には、別して変った事態も起っておりませんが、北平の公孫瓚は、袁紹のために亡ぼされました」

聞いて驚いたのは座にあった玄徳である。

「えっ、公孫瓚が亡ぼされましたと。あれほどな勢力地盤を有し、徳も備えた人が、どうして一朝に滅亡を遂げたものか……ああ」

儚げに嘆息して、手の杯も忘れている様を見て、曹操は、怪しみながら、

「君は、何故そのように、公孫瓚の死を嘆じるのかね。わからんな予には——興亡は兵家の常じゃないか」

「それはそうですが、公孫瓚は年来親しくしているわたくしの恩友です。かつて、黄巾の乱のはじめ、貧しき中に志をたて、まだろくな武備も人数も持たない私は、関羽、張飛のふたりと共に、乱におもむく公孫瓚の列に加えてもらい、またその陣を借りて戦いなどいたし、何かとお世話になったお方であります。——あいや、満寵どの、どうかもう少しくわしくお語り下さるまいか」

そう聞いて、曹操も、

「なるほど、君と彼とは、君が無名の頃から浅くない仲だったな。これ、満寵満寵。貴賓もあのように求めらるる。公孫瓚が滅亡の仔細、なおつまびらかに、それにて語れ」

と、いった。

さればその次第は——と、満寵はつぶさに語りだした。

もとより満寵は、それらの見聞をあつめに行って帰ってきた者、その語るところはつぶさだし、信もおける。

二

彼の言によれば。

北平の公孫瓚は、近年、冀州の要地に、易京楼と名づける大城郭を興し、工も完く成ったので、一族そこへ移っていた。

易京楼の規模はおそろしく宏大で、一見、彼の勢威いよいよ旺なりとも思えるが、事実は左にあらずで、年ごとに領境を隣国の袁紹に蚕食され、旧来の城池では不安をおぼえてきたための大土木であり、そこへ移ったのは、すでに後退を示した衰兆の一歩であった。

公孫瓚はそこに粮米三十万石と大兵とを貯え、以後、数度の戦にも、まず一応強国の面目をたもっていたが、或る折、味方の一部隊を、敵のなかに捨てごろしにしたことから、彼の信望はうすれ、士気は荒び出してきた。

その日城外へ出て、乱軍となったあげく、敗退して、われがちに引きあげ、易京楼の城門をかたく閉じてから、気づいたのである。

（敵のなかに、まだ味方の兵五百余りが退路をたたれて残っている。捨ててはおけまい。援軍を組織して、助けに行け）

またすぐ城門をひらいて、救助に出ようとすると、公孫瓚は、（それには及ばん。五百の兵を救うため、千の兵を失い、城門の虚を衝かれて、敵になだれ込まれたら、大損害をうけよう）と、許さなかった。

すると、その後。

袁紹の軍が、城のそばまでおしよせて来たところ、城中の不平分子は、不意にどやどやと城を出て、千人以上も、一かたまりとなって、敵へ降伏してしまった。

降人に出た兵は敵の取調べに対して、

（公孫瓚は、われわれどもを、貨幣か物のようにしか考えぬ。損得勘定で、五百の生命を見ごろしに敵の中へ捨てた。だから、われわれは彼に、千の損失をかけてやろうと、相談したわけなんで……）と、述べてはばからなかった。

敵へ投降した千だけに止まらず、残った諸軍の士気もその後はどうも冴えない。そこで、公孫瓚は、黒山の張燕に協力をもとめ、袁紹を挟み討ちする策をたてたが、密計のうらをかかれて、これまた惨敗に終ってしまった。

それからは、易京楼の守りをたのみとし、警戒して出ないので、袁紹も攻めあぐねていた。

（易京楼を落すには、少なくも、城兵が三十万石の粮米を喰い尽すあいだだけの月日は、完全にかかるだろう）

こういう風評だった。ところが、さすが袁紹の帷幕、よほど鬼謀の軍師がいるとみえ、地の底を掘って、日夜、坑道を掘りすすめ、とうとう城中に達して、放火、攪乱、殺戮の不意討ちをかけると共に、外からも攻めて、一挙に全城を屠ってしまった。

公孫瓚は、逃げるに道なく、自ら妻子を刺して、自身も自害して果てた。

「――そういうわけで、袁紹の領土は拡大され、兵馬は増強されつつあります。のみならず、近ごろ彼の弟、淮南の袁術も一時は自ら帝位を冒していましたが、自製皇帝の位も持ちきれなくなり、兄袁紹へ例の伝国の玉璽を贈って、兄に皇帝の名を取らせ、自分は実利をせしめんものと、合体運動を起しております。こう二つのものがまた、合併されるとなると、いよいよ由々しい大勢力と化し、ほかに歯の立つ国はなくなるのではないかと存ぜられます」

満寵は報告をむすんだ。

曹操は甚だおもしろくない態である。

「丞相、折入って、願いの儀がございます。お聞き入れくださいましょうや」

畏る畏るその不興な顔へ向って、こういったのは、玄徳であった。

三

「皇叔、改まって、予に願いとは、何であるか」

「それがしに、丞相の一軍をおかし賜わりたいのであります」

「わが一軍をひきいて、君はそもどこへ赴こうとするか」

「いま満寵が語るを聞けば、淮南の袁術は自己の僭称せる皇帝の名と共に、持つところの伝国の玉璽をも、兄袁紹へ譲与して、内にはふたり力をあわせ、外には河北、淮南を一環に合体して、いよいよ中原へ羽翼を伸張しきたらんとする由。――これは丞相にとっても、捨ておきがたい兆しではありますまいか」

「もとより由々しい大事だが――それについて、君に何かの対策があるか?」

「袁術が淮南をすてて河北に行くには、かならず徐州の地を通らねばなりません。それがし今、一軍を拝借して、急に馳せむかい、彼の半途を襲えば、かならず丞相の憂いを除き、ふたつには袁紹が帝位をのぞむ僭上を懲らし、すべて彼らが企むところの野心を未然に粉砕してお目にかけまする」

「君にしては、常にない勇気であるが、どうして君はそう俄に思い立たれたか」

「袁術、袁紹を不利ならしめれば、いささか恩友公孫瓚の霊も、なぐさめ得られようかと思いまして」

「なるほど、君の信義もあるのか。袁紹は恩友のかたきでもあれば、――というわけだな。よろしい、明朝、相伴うて天子に謁し、君の望みを奏上しよう。君が赴いてくれれば予も気づよい」

翌日、朝廷に出て、曹操から右のよしを帝に達すると、帝は御涙をうかべて、玄徳を宮門まで見送られた。

玄徳は、将軍の印を腰におび、朝をさがって相府に立寄った。そして曹操から、五万の精兵と二人の大将を借りうけるや、取るものも取りあえず、許都の邸館をひき払って出発した。

「なに、劉皇叔が、許都を立ったと？」

驚いたのは、かの董承である。――董承は、十里亭まで、馬をとばして、玄徳を追いかけてきた。

玄徳は、董承にむかって、

「国舅、安んじ給え。日頃の約を忘れるわれに非ず。都を去るとも、わが心は、寸時も天子のお側を離るることなからん。ただ、かねての大事を、曹操に気どられぬよう、御身をよく慎まれよ」

と、諭して別れた。

そして彼はなお急ぎに急いで昼夜、行軍をつづけた。

関羽、張飛はあやしんで、

「いつにもない家兄の急。何故そのように、あわてふためいて、都をば出られるので？」

訊くと、玄徳は、

「今だから、いうが、われ許都にあるうちは、一日たりとも、無事に安んじていたことはない。許都にいた間の身は、籠の中の鳥、網の中の魚にもひとしい生命であった。もし、ひょッとでも曹操の気が変ったら、いつ何時彼のために死を受けようも知らなかった。……ああようやく、都門を脱して、今は魚の大海に入り、鳥の青天へ帰ったようなここちがする」と、心から述懐した。

そう聞いて関羽、張飛は、

「実にも」と今さらの如く、玄徳の心労にふかく思いを打たれた。――無事と見えた日ほど玄徳の心労はかえって多かったのである。

――一方、その後で。

諸軍の巡検から許都に帰ってきた郭嘉は相府に出て、初めて玄徳の離京と、大軍を借りうけて行った事実を知り、

「もってのほか！」と愕いて、すぐ曹操に会い、口を極めて、その無謀をなじった。

「何だって、虎に翼を貸し、あまつさえ、野に放ったのですか。一体あなたは、玄徳をすこし甘く見過ぎていませんか」とまで彼は切言した。

四

「……そうかな？」

曹操の面には動揺が見えだした。

「そうですとも」

郭嘉は、さらに痛言した。

「露骨にいえば、あなたは玄徳に一ぱい喰わされた形です」

「どうして」

「玄徳は、あなたが観ているようなお人よしの凡物ではありません」

「いや、予も初めはそう考えていたが」

「そうでしょう、その玄徳が、何でにわかに、菜園に肥桶をになったり、鼻毛をのばしていたかです。――丞相ほどな炯眼が、どうして玄徳だけにはそうお甘いのでしょうか」

「では彼が、予の軍勢を借りて、予のために袁術を敗らんといったのは嘘だろうか」

「まんざら、嘘でもありますまい。けれど丞相のためなどと自惚れておいでになったら大間違いですぞ。彼の行動はあくまで彼のためでしかありません」

「しまった……」

曹操は足ずりして、悔いをくちびるに嚙み、これわが生涯の過ち、あの雷怯子めにしてやられたり矣――と長嘆した。

時に帳外に声あって、

「丞相。何をか悔い給うぞ。それがしが一鞭に追いかけ、彼奴めをこれへ生捕って参り候わん」

と、いう者がある。

諸人、これを見れば、虎賁校尉許褚である。

「許褚か。いい、いしくも申したり。急げ！」

軽騎の猛者五百をすぐって、許褚は疾風のごとく玄徳を追いかけた。馳け飛ぶこと四日目、追いついて、許褚、玄徳の双方は、各〻の兵をうしろにひかえて馬上のまま会見した。

玄徳はいう。

「校尉。なにとて、ここへは来給える？」

許褚は答えて、

「丞相の命である。兵をそれがしに渡し、直ちに都へ引っ返されい」

「こは思いがけぬこと。われは天子にまみえて詔詞を賜い、また親しく丞相の命をも受けて、堂々と都を立って来たものである。しかるに今、後よりご辺をさし向けて兵を返せとは。ははあ、わかった。さては汝も、郭嘉、程昱などの輩と同腹のいやしき物乞いの仲間か」

「なに、物乞いの徒だと」

「さなり！　怒りをなす前に、まず自身を質せ。われ出発の前、郭嘉、程昱の両名が、しきりと賄賂をもとめたが、相手にもせず拒んだゆえ、その腹いせに、丞相へ讒言して、ご辺をして追わしめたものと思わるる……あら笑止、物乞いの舌さきにおどらせられて、由々しげに使いして来た人の正直さよ」

玄徳は、呵々と笑って、

「それとも、腕ずくでも、われを引き戻さんとなれば、われに関羽、張飛あり、ご挨拶させてもよろしい。しかし、丞相のお使いを、首にして返すもしのびぬ心地がする。――ご辺もよくよく賢慮あって、右の趣を、よく相府に伝え給え」

云いすてると、玄徳は、大勢の中へ姿をかくし、その軍勢はすぐ歩旗整々、先へ行ってしまった。

許褚は、ほどこす手もなく、むなしく都へ引っ返して、ありのままを曹操へ復命した。

曹操は憤って、すぐ郭嘉をよびつけ、賄賂のことを厳問した。

郭嘉は、色をなして、

「何たることです。手前のいうそばから、また玄徳めに欺かれて、手前までを邪視なされるとは」

すると曹操もすぐ覚ったらしく、快然と笑って、郭嘉の顔いろをなだめた。

「今のは一場の戯れだよ。月日は呼べどかえらず、過失は追うも旧にもどらず。もう君臣の仲で愚痴はやめにしよう。……愚かだ、愚かだ。むしろ一杯を挙げて新に備え、後日、きょうのわが失策を百倍にして玄徳に思い知らせてくれん。郭嘉、楼へのぼって酒を酌もうではないか」

偽帝の末路

一

かねて董承に一味して、義盟に名をつらねていた西涼の太守馬騰も、玄徳が都を脱出してしまったので、

「前途はなお遼遠──」

と見たか、本国に胡族の襲来があればと触れて、にわかに、西涼へさして帰った。

時しも建安四年六月。

玄徳はすでに、徐州に下着していた。

徐州の城には、さきに曹操が一時的にとどめておいた仮の太守車冑が守っていた。

車冑は、出迎えて、

「見れば、相府直属の大軍をひきい給うて、何事のため、にわかなご下向でござるか」

と、いぶかりながらも、その夜は、城中に盛宴をひらき、軍旅のつかれを慰めたいといった。

宴へ臨む前に、玄徳は車冑と、べつの一閣に会って、

「丞相がそれがしに五万の兵を授けられたのは、かねて伝国の玉璽を私し、皇帝の位を僣していた袁術が、兄の袁紹と合体して、伝国の玉璽を河北へ持ちゆかんとしているのを、半途にて討たんがためである。――ついては、急速に、またひそかに、袁術の近況と、淮南の情勢とを、御身も力をあわせて探索してもらいたい」と、協力をもとめた。

「承知致しました。――して丞相より軍勢に付けおかれた二人の大将とは、誰と誰とでござるか」

「朱霊、露昭の両人である」

話しているところへ、

「ご健勝のていを拝し、こんな歓びはございません」

と、旧臣の糜竺や孫乾たちも会いにきたので、打揃って、当夜の宴に臨んだ。

宴の終るのを待ちかねて、玄徳は、糜竺や孫乾などと共に、城を出た。そして妻子のいる旧宅へ久しぶりに帰った。

玄徳はまず、老母の室へ行って、老母の膝下にひざまずき、

「母上、あなたの息子は、今帰って来ました。阿備とお呼び下さい。阿備ですよ」

と、手をさしのべた。

「おお、……阿備か」

老母は、玄徳の手を撫で、肩を撫でまわし、やがてその顔を抱えこんだ。

無事ばかり祈っていた。

老母はすぐ涙ぐむ。近頃は眼もかすみ、耳も遠く、歩行も独りではできなくなっていた。しかし何不自由なく、いつも柔かい絹や獣皮や羽毛に埋もって、ひたすら息子の無事ばかり祈っていた。

「ようご無事で……」

「よろこんで下さい母上。こんど都に上って、天子に謁し、その折、ご下問によって、初めて、わが家の家系をお耳に達しましたところ、天子には直ちに、朝廷の系譜をお調べになり、まぎれもなく、劉玄徳が祖先は、わが漢室の支れた者の裔である――玄徳は朕が外叔にあたるものぞと、勿体ない仰せをこうむりました。……これで長らく埋もれていたわが家も、ふたたび漢家の系譜に記録せられ、いささか地下の祖先の祠もできるようになりました。……これもみな母上のおちからが、私という苗木を通じて、ひとつの華を咲かせてきた結果でございます。母上、どうぞ長らくお生き遊ばして、もっと、劉家の庭に華の咲く日を見ていてください」

「……そうか。オオ――そうか――」

老母は、歓びの表情を、ただ涙でばかり示している。ほろほろとうなずいてばかりいる。

やがて一堂は春風のような団欒に賑わう。妻もまじり、子たちも集まってくる。玄徳もいつかその中に溶け入って、他愛ない家庭人となりきっていた。

二

ここに、淮南の袁術は、みずから皇帝と称して、居殿後宮も、すべて帝王の府に擬し、莫大な費えをそれにかけたので、いきおい民に重税を課し、暴政のうえにまた暴政を布くという無理をとらなければ、その維持もできない状態になってしまった。

当然――、

民心はそむく、内部はもめる。

雷薄、陳蘭などという大将も、これでは行く末が思いやられると、嵩山へ身をかくしてしまうし、加うるに、近年の水害で、国政はまったく行き詰まってしまった。

そこで、袁術が、起死回生の一策として、思いついたのが、河北の兄袁紹へ、持て余した帝号と、伝国の玉璽を押しつけて、いよいよ身を守ることだった。

袁紹には、もとより天下の望みがある。

それにまた先頃、北平の公孫瓚を亡ぼして、一躍領土は拡大されている。もとより兵糧財貨には富んでいるし、隆々たる勢いの折も折であったから、一も二もなく、

「淮南を捨て、河北へ来るならば、如何ようにも、後事を図ってやろう」と、それに答えた。

そこで。

袁術は浅慮にも、一切の人馬をとりまとめ、ただ水害に飢えてうごけない住民だけを

残して、淮南から河北へ移ろうと決めた。

皇帝の御物、宮門の調度ばかりでも、数百輛の車を要した。後宮の女人をのせた駕車や一族老幼をのせた驢の背だけでも、蜿蜒数里にもわたった。もちろん、それに騎馬徒歩の軍隊もつづき将士の家族から家財まで従ってゆくので、前代未聞の大規模な引っ越しだった。その大列は、蟻の如く、根気よく野を進み、山をめぐり、河を渡り、悠々晨は霧のまだきに立ち、夕べは落日に停って、北へ北へ移動して行った。

徐州の近くである。

玄徳の軍は待ちうけていた。

総勢五万、朱霊、露昭を左右にそなえ、玄徳をまん中に、鶴翼を作って包囲した。

「小ざかしき蓆織りの匹夫めが」と、袁術の先鋒から大将の紀霊が討って出る。

張飛、それを見て、

「待つこと久し」

とばかり、馬を寄せ、白光閃々、十合ばかり喚き合ったが、たちまち、紀霊を一槍に刺しころし、

「かくの如くなりたい者は、張飛の前に名のって出よ」

と、死骸を敵へほうりつけた。

次々と、袁術の麾下は、討ち減らされていった。そのうえ、乱れ立ったうしろから、一彪の軍馬が、袁術の中軍を猛襲し、兵糧財宝、婦女子など、車ぐるみ奪掠していっ

た。

白昼の公盗は、まだ戦っているうちに、行われたのである。しかもその盗賊軍は、さきに袁術を見限って嵩山へかくれた旧臣の陳蘭、雷薄などの輩だった。

「おのれ、不忠不義の逆賊めら」

袁術は怒って、悲鳴をあげる婦女子を助けんものと、自ら槍をもって狂奔していたが、かえりみると、いつか味方の先鋒も潰滅し、二陣も蹴やぶられ、黄昏かけた夕月の下に、累々と数えきれない味方の死骸が見えるばかりだった。

「すわ。わが身も危うし」と、気がついて、昼夜もわかたず逃げだしたが、途中、強盗山賊の類にはおびやかされるし、強壮な兵は、勝手に散ってしまうしで、ようやく江亭(こうてい)という地まで引揚げて、味方をかぞえてみると、千人にも足らない小勢となっていた。

しかも、その半分が、肥えふくれた一族の者とか、物の役に立たない老吏や女子供だった。

三

時は、大暑の六月なのでその困苦はひとかたでなかった。

炎天に焦(い)りつけられて、

「もう一歩もあるけぬ」と訴える老人もある——。

「水がほしい。水をくれいッ」と、絶叫しながら息をひきとってしまう病人や傷負(ておい)もある。

落人の人数は、十里行けば十人減り、五十里行けば五十人も減っていった。

「歩けぬ者はぜひもない。傷負や病人も捨てて行け。まごまごしていれば玄徳の追手に追いつかれよう」

袁術は一族の老幼や、日頃の部下も惜しげなく捨てて逃げた。

だが幾日か落ちて行くうち、携えていた兵糧もなくなってしまった。袁術は麦の摺屑を喰って三日もしのんだがもうそれすらなかった。

餓死するもの数知れぬ有様である。あげくの果て、着ている物まで野盗に襲われては ぎ取られてしまい、よろ這う如く十幾日かを逃げあるいていたが、顧みるといつか自分のそばには、もう甥の袁胤ひとりしか残っていなかった。

「あれに一軒の農家が見えます。あれまでご辛抱なさいまし」

もう気息奄々としている袁術の手を肩にかけながら、甥の袁胤は炎天の下を懸命にあるいていた。

二人は餓鬼のごとく、そこの農家の厨まで、這って行った。袁術は大声でさけんだ。

「農夫農夫、予に水を与えよ。……蜜水はないか」

すると、そこにいた一人の百姓男が嗤って答えた。

「なに。水をくれと。血水ならあるが、蜜水などあるものか。馬の尿でものむがいいさ……」

その冷酷なことばを浴びると袁術は両手をあげてよろよろと立ち上がり、

「ああ！　おれはもう一人の民も持たない国主だったか。一杯の水をめぐむ者もない身となったか」

大声で号泣したかと思うと、かっと口から血を吐くこと二斗、朽ち木の仆れるがように死んでしまった。

「あっ伯父上」

袁胤はすがりついて、声かぎり呼んだが、それきり答えなかった。

泣く泣く彼は袁術の屍を埋め、ひとり盧江方面へ落ちて行ったが、途中、広陵の徐璆というものが、彼を捕えたので、その体を調べてみると、意外な物を持っていたのを発見した。

伝国の玉璽である。

「どうして、こんな物を所持しているか」

と、拷問にかけて問いただすと、袁術の最期の模様をつまびらかに白状したので、徐璆はおどろいて、すぐ曹操に文書をもって報らせ、あわせて、伝国の玉璽をも曹操のところへ送った。

曹操は、功を賞して徐璆を広陵の太守に封じた。

また一方、玄徳は所期の目的を果たしたので、朱霊、露昭の二大将を都へ返し、曹操から借りてきた五万の兵は、

「境を守るために」と称して、そのまま徐州にとどめおいた。

朱霊、露昭の二将は都へ帰って、その由を曹操に告げると、曹操は、烈火のごとく怒って、

「予が兵を、予のゆるしを待たず何故、徐州にのこして来たか」

と、即座にふたりの首を刎ねんとしたが、荀彧が諫めていうには、

「すでに丞相がさきに、玄徳が総大将とおゆるしになったため軍の指揮も当然玄徳に帰していたわけです。ふたりは玄徳の部下として行ったものゆえ彼の威令に従わないわけにゆかなかったでしょう。もうやむを得ません、この上は車冑に謀略をさずけて、玄徳を今のうちに討つあるのみです」

「実にも」と曹操は、彼の言を容れて、それからはもっぱら玄徳を除く工夫をこらし、ひそかに、書を車冑へ送ってその策をさずけた。

霧風

一

陳大夫の息子陳登は、その後も徐州にとどまって城代の車冑を補けていたが、一日、車冑の使いをうけて、何事かと登城してみると、車冑は人を払って、

「実は、曹丞相から密書をもって玄徳を殺すべしというご秘命だが、やり損じたら一大事である。なにか其許に必殺の名案はあるまいか」と、声をひそめての相談であった。

陳登は、内心おどろいたが、さあらぬ顔して、

「いま、玄徳を殺すことは、嚢中の物をつかむも同様で、いと易いことではありませんか。城門の内に、伏兵を詰めおき、彼を招いて通過の節、十方より剣槍の餌となし給え。それがしは櫓の上にあって、彼につづく部下の者を、門橋より濠ぎわにわたって、つるべ撃ちに射伏せてお目にかけましょう」

車冑はよろこんで、

「しからば、早速にも」と、兵の手配にかかり、一方城外の玄徳へ使いを派して涼秋八月、まさに観月の好季、清風に駕を乗せて一夜、城楼の仰月台までおいで願いたい。美姫玉杯をつらねて臨座をお待ちすると云いやった。

同日、陳登は家に帰ると、すぐ父の陳大夫に、そのことを打明けて、父の顔いろをうかがってみた。しかし陳大夫が玄徳に対する誼みは、以前とすこしも変っていなかった。

「玄徳は仁者じゃ。わしたち父子は、曹操から恩禄はうけているが、さればといって、玄徳を殺すにはしのびぬ。そちはどう考えているか」

「元より私とて、車冑へ答えたことばが、本心ではありません」

「では、すぐさま、玄徳のほうへその由を、そっと報らせてやるがよい」

「使いでは不安ですから、夜に入るのを待って、自身で行って参ります」

やがて陳登は、宵闇の道を、驢に乗って出て行った。そして玄徳の旧宅を訪れたが、玄徳には会わず、関羽、張飛のふたりを呼び出し、車冑の企てをはなした。

そう聞くや否、張飛は、

「さては先ほど、白々しい礼を執って、観月の宴に、お招きしたいとかいって帰った使者がそれだろう。小賢しい曲者めが」と、牙を咬んで、すぐにも軽騎七、八十を引具し、城内へ突入して、車冑の首をひきちぎってくると、はしゃぎたてた。

「あわてるな、敵にも備えのあることだ」

関羽は、彼の軽忽をたしなめ、一計を立てて、夜の更けるのを待った。

「こんなことは、家兄の耳に入れるまでもない些事に過ぎん。ふたりだけで、黙って片づけてしまおう」

関羽の思慮に張飛も服した。

そして共に、彼の立てた計略に従った。

さきに許都からついてきた五万の軍隊は、曹操の旗じるしを持っている。関羽は、その旗幟を利用して、まだ霧の深い暁闇の頃、粛々と兵馬を徐州の濠ぎわまですすめて行った。

そして、大音声をあげ、

「開門せよ、開門せよ」と、呼ばわった。

時ならぬ軍馬に、

「何者だ」と、門内の部将は、すくなからず緊張して、容易に開ける様子もない。

関羽は声を作って、

「これは、曹丞相のお使いとして、火急の事あって、許都より急ぎ下ってきた張遼という者。疑わしくば、丞相より降したまえる旗じるしを見よ」

と、暁の星影に、しきりと旗幟を打ち振らせた。

折も折、曹操からの急使と聞いて、車冑は、思い惑った。陳登はそれより前に、城内へ帰っていたので、彼が狐疑しているていを見ると、

「何をしているのです。早く城門をお開けなさい。あのとおり丞相の旗を打ち振っているではありませんか。もし使者の張遼の心証を害して、後難を受けられても、それがしは関知しませんぞ」

と、暗に脅かした。

二

車冑もさるものである。陳登にせかれたり脅かされたりしても、

「いや、夜明けを待って開けても遅くはない。何分にも、まだ城門の外は暗いし、前触

れもない不意の使者、めったに開けることはならん」と、云い張っていた。

夜が明けては万事休すである。関羽は気が気ではなく、

「開けないか！　火急、機密の大事あって、曹丞相からさし向けられたこの張遼を、何故、城門を閉じてこばむか。……はは あ、さては車冑には異心ありとおぼえたり。よろしい、立ち帰って、この趣をありのまま丞相におつたえ申すから後に悔ゆるな」

云い放って、後にしたがう隊伍の者へ、引っ返せとわざと大声で号令を発していた。

車冑は狼狽して、

「あいや待たれよ、東の空も白みかけて、実否のほども、仄(ほの)かにわきまえられて参った。丞相のお使者に相違あるまい。——お通りあれ」

と直ちに、城門をさっと開かせた。

とたんに、濠の面にたちこめた白い朝霧が濛々(もうもう)とはいってきた。その中をどかどかと渡ってくる兵や馬蹄の跫音は余りにもおびただしかった。けれど夜はまだ明けきれていないので、顔と顔とをぶつけ合わせなければ、誰が誰やら分らなかった。

「車冑とは君か」

関羽が近づいて行くと、変に思った車冑は、突然、

「——あッ、汝らは？」と絶叫をのこして、すばやく何処かへ逃げてしまった。

沛然(はいぜん)と、ここ一箇所に、血の豪雨がふりそそぎ、城中の兵は、みなごろしの目に遭った。

大半の城兵は、まだ眠っていたところである。そこへ関羽、張飛の手勢一千は、前夜から手具脛ひいて来たのであるから、大量な殺戮も思いのまま行われた。

陳登は、いちはやく、城楼に駈けのぼって、かねてそこに伏せておいた沢山な弩弓手に、

「車冑の部下を射ろ」と、命じた。

弓をつらねていた兵は、味方を射ろという命令にまごついたが、陳登が剣を抜いてうしろに立っているので、一斉に、逃げまどう味方の上に矢を注ぎかけた。

乱箭の下に仆れる城兵も無数であった。城代の車冑は、厩から馬を引き出すと、一目散に、門楼をこえて、逃げだしたが、

「この虻め、どこへ失せるか」

追いしたってきた関羽の一閃刀に、その首を大地へ委してしまった。

夜が明けた。

玄徳は、変を聞いて、

「大変なことをしてくれた」

と、俄に家を出て、徐州城へ馳せつけようとすると、すでに関羽は鮮血淋漓となって車冑の首を鞍にひっくくり、凱歌をあげながら引き揚げてきた。

ひとり浮かぬ顔は、それを迎えた玄徳で、

「車冑は、曹操の信臣、また徐州の城代である。これを殺せば、曹操の憤怒は、百倍す

るにちがいない。自分が知っていたら、殺すのではなかったのに」と、悔やんだ。

そして、この中にまだ張飛の姿が見えないがと、案じていると、その張飛もまた、ひと足あとから、これへ駈けもどってきて、

「ああ、さっぱりした。朝酒でもぐっと飲みほしたような朝だ」と、血ぶるいしていた。

玄徳が、眉をひそめて、

「車冑の妻子眷族は、どう処分してきたか」

と訊ねると、張飛は、いと無造作に、

「それがしがあとに残って、ことごとく斬りころして来ましたから、ご安心あって然るべしです」

と昂然、答えた。

「なぜ、そんな無慈悲なことをしたか」

玄徳は、張飛の狂躁をふかく戒めたが、叱ってみても、もう及ばないことだった。許都の曹操に対して、彼の憂いと畏怖は人知れず深かった。

一書十万兵

一

その後、玄徳は徐州の城へはいったが、彼の志とは異っていた。しかし事の成行き上、また四囲の情勢も、彼に従来のようなあいまいな態度や卑屈はもうゆるさなくなってきたのである。

玄徳の性格は、無理がきらいであった。何事にも無理な急ぎ方は望まない。——今、曹操とは正しく相反いたが、それとてもこんどのような事件を惹起して、曹操の怒りに油をそそぐようなことは、決して、玄徳の好むところではなかった。

「曹操の気性として、かならず自身大軍をひきいて攻めてくるであろう。何をもって、自分は彼に抗し得ようか」

彼は、正直に憂えた。

「ご心配は無用です」

陳登が彼にそういった。

玄徳はあやしんで、その理由を反問した。すると陳登は、

「この徐州の郊外に、ひとり詩画琴棋をたのしんで、余生をすごしている高士がおります。桓帝の御世宮廷の尚書を勤め、倉厨は富み、人品もよく……」と、まるで別なことを話し出した。

「陳登、其許はわれに何を説こうというのか」

「さればです。もしあなたが、今の憂いを払わんと思し召すなら、いちどその高士鄭玄をお訪ねなされては如何かと？」

「書画琴棋の慰みなどは、玄徳の心に何のひびきもない」

「彼は*世外の雅客ですが、あなたにまで、風月に遊べとおすすめ申すのではありません。——高士鄭玄と、河北の袁紹とは共に宮中の顕官であった関係から三代の通家*であります」

「……？」

玄徳は、深い眼をすました。

「——いま曹操の威と力とを以てしても、なお彼が常に恐れはばかっている者は、河北の袁紹しかありません。河北四州の精兵百余万と、それを囲繞する文官、武将、謀士、また河北の天地の富や彼の門地など、抜くべからざる大勢力です。失礼ながらまだまだあなた如きは、そう彼の眼中にはないでしょう」

「……ウム」

玄徳は苦笑した。――そうだ曹操の眼にはまだ自分などは――と、みずからほくそ笑まれたのである。

「親しく鄭玄にお会いあって、袁紹への手紙をひとつ書いておもらいなさい。鄭玄が書簡をかけば、袁紹はきっとあなたに好意を示しましょう。袁紹の合力さえあれば、曹操とて、恐れるに足りません」

「なるほど。……御身の深謀は珍重にあたいするが、成功はしまい」

「なぜですか」

「思うてもみよ。わしはすでに袁紹の弟、袁術をこの地に滅ぼしているではないか」

「ですから、そこを鄭玄にとりなしてもらうのです。ともかく、世外の高士に、世俗の働きをさせるところが、この策の妙たるところなんです」

遂に彼を案内として、玄徳は、高士鄭玄の門をたたいた。鄭玄は快く会ってくれたのみならず、慇懃、膝下にひざまずいて志をのべる玄徳を見て、

「君のような仁者のために、計らずも世俗の用を久しぶりに論じるのは、老後の閑人にとって、むしろ時ならぬ快事じゃよ」と、さっそく筆をとって、細々と自分の意見をも加え、河北の袁紹へ宛て、一書をかいてくれた。

　どうか小さな私怨などわすれて、劉玄徳に協力を与えて欲しい。*青史は昭々、万代滅せず、今日の時運は歴々、大義大道の人に向いている。この際、劉玄徳を得るは、いよいよ袁家の大慶でもあることと信じ、自分も欣然この労をとった。

「これでよいかの」

鄭玄は自分の文を詩のように吟誦してから封をした。玄徳は押しいただいて門を辞した。驢をめぐらして城に帰ると、すぐ部下の孫乾を河北へ使いに立てた。

二

はるばる徐州の使い孫乾が、書簡をたずさえて、河北の府に来れりというので、袁紹は、日を期して謁見を与えた。

孫乾は、まず玄徳の親書を捧呈してから、

「願わくは、閣下の精練の兵武をもって、許都の曹賊を討平し、大きくは漢朝のため、小にはわが主玄徳のため、この際、平常のご抱負をのべ、奮勇一番、ご蹶起あらんことを」

と、再拝低頭、畏れ慎んで云いながらも、相手の腹中にはいって懇願した。

袁紹は一笑した。

「何かと思えば、虫のよい玄徳の頼み。彼は先頃、わが弟の袁術を殺したではないか。いずれ弟の仇を思い知らしてやろうとは考えていたが、彼に助力を与えんなどとは、思ってみたこともない。何を戸惑うてこの袁紹に……。あははは、使者にくる者もくる者。仮面でもつけて参ったか」

「閣下。そのお恨みは、曹操にこそ向けられるべきです。何事につけ廟堂の奸賊は、朝命をもって、みだりに命じ、そむけば違勅の罪を鳴らそうというのであります。わが主玄徳のごときも、まったく心なく淮南の役にさし向けられ、しかも功は問わず、非のみ責める曹操の非道に、遂に、堪忍をやぶって、今日わたくしを遠く使いせしめるに至ったものでございます。何とぞご賢慮をもって、這般のいきさつを深くご洞察ねがわしゅうぞんじます」

「おそらくそれは真実の言だろう。曹操なる者は、元来がそうした奸才に長けた人間だ。配するにお人よしの玄徳ときては、さもある筈。しかし玄徳は、一面、実直で信義に篤く、自然人望に富むという取柄もあるから、彼が心から悔いているなら救うてやらぬこともないが、一応、評議のうえ返答に及ぶであろう。数日、駅館にて休息しておるがよい」

「何分のおはからいを待ちおりまする。――ついては、べつにこの一通は、日ごろ主人玄徳を、子のごとく愛され、また、無二の信頼をおかけ下されている高士鄭玄より特に託されて参ったご書面にございまする。後にて、ご一見くだしおかれますように」と、その日は退がった。

後で、鄭玄の手紙を見てから、袁紹のこころは大いにうごいた。元々、彼としては、北支四州に満足はしていない。進んで中原に出で、曹操の勢力を一掃するの機会を常にうかがっているのである。弟の恨みよりも、玄徳を麾下に加えておいたほうが、将来の利であると考え直してきたのだった。

つぎの日。

台閣の講堂に諸大将は参集していた。

「曹操征伐の出軍、今を可とするか、今は非とするか」

について、議論は白熱し、謀士、軍師、諸大将、或いは一族、側近の者など、是非二派にわかれて、舌戦果てしもなかった。

河北随一の英傑といわれ、見識高明のきこえある田豊は、

「ここ年々の合戦つづきに、倉廩の貯えも、富めりとはいえないし、百姓の賦役も、まだ少しも軽くはなっておらない。まず、国内の患いを癒やし、辺境の兵馬を強め、河川には船を造らせ、武具糧草をつみ蓄えて、おもむろに機を待てば、かならず三年のうちに、自然、許都の内より内訌の兆しがあらわれよう。それまでは、朝廷に貢ぎをささげ、農政に務め、民を安んじ、ひたすら国力を養っておくべきである」と、述べた。

すると一名、すぐ起って、

「今のお説は、甚だしくわが意にかなわん。河北四州の精猛に、主公のご威武をいただき、何すれば、曹操ごときを、さまで怖れたもうか。兵法にいう、十囲五攻、すべて一歩の機と。今日のような変動の激しい時勢に、三年もじっと受身でいたらひとりでに国が富み栄えるなどとは、痴者の夢よりもまだ愚かしい。機なしとせば十年も機なし。活眼電瞬、今こそ、中原に出る絶好の秋ではないか」

と、大声で駁したてた。誰かとみれば、相貌端荘、魏郡の生れで、審配字を正南とい

う大将だった。

三

すると、また一名、

「いやいや、そのお説は、耳には勇ましく聞えるが、一国の浮沈を賭けて、自己の驕慢を満足させようとするようなもの。いわば大きな賭博を打つにも異ならぬ暴挙である」

と起ち上がって、審配の言に、反対した大将がある。

諸人、これを見れば、広平の人、沮授であった。

沮授はいう。

「義兵は勝ち、驕兵はかならず敗る。誰も知る戦の原則である。——曹操はいま許昌にあって、天下を制しているが、命はみな帝の御名を以てし、士卒は精練、彼自身は、機変妙勝の胆略を蔵している。故に、彼の出す法令には、誰も拒むことができない。しかるに——」

「待たれい」

審配は、奮然とまた起って、

「沮授どのには、曹操を讃美して、われらの説は、驕兵の沙汰といわるるのか」

「そうである！」

「何っ」

「敵を知らずして、敵に勝つことはできませんぞ」

「知るにあらず、尊公のはただ怖れるのだ」

「然り、自分は、曹操を怖れます。彼を、先に滅んだ公孫瓚ごときものと同一視されると、とんだことになりますぞ」

「あははは」

審配は、満座へ向って、哄笑を発しながら、

「えらい恐曹病者もいるものだ。恐曹患者と議論は無益だ」

と、云いながら、側にいる郭図の顔を見た。

大将郭図は、日ごろから沮授と仲が悪いので、彼こそ自分の説を支持するだろうと思ったからである。

案の定、郭図は次に起立して、

「いま曹操を討つのを、誰が無名のいくさと誹りましょうぞ。武王の紂を討ち、越王の呉を仆す、すべて時あって、変に応じたものです。いたずらに安泰をねがって、世のうごきを拱手傍観していた国で、百年の基礎をさだめた例がありましょうか。——しかも、賢士鄭玄さえ、遠く書をわが君に送って、玄徳をたすけ、共に曹操を討つこそ、実に今日をおいてはあるべからずと云ってきているではありませんか。わが君には、何故のご猶予ですか。疾く無益な紛論をやめて、即刻、ご出兵の命こそ、臣ら一同の待つものでございます」と、郭図のことばは、その内容は浅いが、音吐朗々、態度が堂々とし

ているので、一時、紛々の衆議を、声なくしてしまった。

「そうだ。鄭玄は一世の賢士である。彼が、この袁紹のために、わざわざ悪いことをすすめてくるはずはない」

遂に、袁紹も意をきめて、一方の出軍説を採ることになった。郭図、審配などの強硬派は、凱歌をあげて退出し、反対した田豊や沮授の輩も、

「このうえは是非もない」と、黙々、議堂から溢れて、やがて出征の命を待った。

許都へ！　中原へ！

十万の大軍は編制された。

審配、逢紀のふたりを総大将に。田豊、荀諶、許攸を参軍の謀士に。また顔良、文醜の二雄を先鋒の両翼に。

騎馬兵二万、歩兵八万、そのほかおびただしい輜重や機械化兵団まで備わっていた。

河北の地に、空もおおうばかりな兵塵のあがり出した頃、玄徳の使い孫乾は、

「得たり！　わが君のご武運はまだつきない」

と、鞭を高く、徐州へさして、急ぎ帰っていた。

ふところには「援助の儀承諾」の旨を直書した袁紹の返簡を持っている。

時に、用いかた如何に依っては、閑人の一書といえども、馬鹿にできない働きをする。高士鄭玄の一便は、かくて、河北の兵十万を、曹操へ向わしめたのであった。

丞相旗

一

その頃、北海（山東省・寿光県）の太守孔融は、将軍に任命されて、都に逗留していたが、河北の大軍が、黎陽まで進出してきたと聞いて、すぐさま相府に馳けつけ、曹操に謁して、こう直言した。

「袁紹とは決して軽々しく戦えません。多少は彼の条件を容れても、ここはじっとご自重あって対策を他日に期して和睦をお求めあることが万全であろうと考えられますが」

「貴公もそう思うか」

「勢いの旺なるものへ、あえて当って砕けるのは愚の骨頂です」

「旺勢は避けて、弱体を衝く。――当然な兵法だな。――だがまた、装備を誇る驕慢な大軍は、軽捷な寡兵をもって奇襲するに絶好な好餌でもあるが？」

曹操はそうつぶやいて、是とも非とも答えずにいたが、再び口を開いて、

「ともあれ、諸人の意見に問おう。きょうの軍議には、御身もぜひ列席してくれい」

と、いった。

その日の評議にのぞんで、曹操は満堂の諸将にむかい、

「和睦か、将た、決戦か」

の忌憚なき意見をもとめた。

荀彧が、まず云った。

「袁紹は、名門の族で、旧勢力の代表者です。時代の進運をよろこばず、旧時代の夢を固持している輩のみが、彼を支持して、時運の逆行に焦心っているのであります。かくの如き無用な閥族の代表者は、よろしく一戦のもとに、打ち破るべきでありましょう」

孔融は、彼の言が終るのを待って、

「否！」と、起ち上がった。

「河北は、沃土ひろく、民性は勤勉です。見かけ以上、国の内容は強力と思わねばなりますまい。のみならず、袁紹一族には、富資精英の子弟も多く、麾下には審配、逢紀などのよく兵を用うるあり、田豊、許攸の智謀、顔良、文醜らの勇など、当るべからざる概があります。また沮授、郭図、高覧、張郃、于瓊などという家臣も、みな天下に知られた名士である。どうして、彼の陣容を軽々と評価されようか」

荀彧は、にやにや笑って聞いていたが、孔融の演舌がすむと、やおら答えて、

「足下は、一を知って二を知りたまわず、敵を軽んずるのと、敵の虚を知るのとは、わけがちがう。そもそも袁紹は国土にめぐまれて富強第一といわれているが、国主たる彼

自身は、旧弊型の人物で、事大主義で、新人や新思想を容れる雅量はなく、ゆえに、国内の法は決して統治されていない。その臣下にしても、田豊は剛毅ではあるが、上を犯す癖あり、審配はいたずらに強がるのみで遠計なく、逢紀は、人を知って機を逸す類の人物だし、そのほか顔良、文醜などに至っては、匹夫の勇にすぎず、ただ一戦にして生捕ることも易かろう。――なお、見のがし難いことは、それらの碌々たる小人輩が、たがいに権を争い、寵を妬みあって、ひたすら功を急いでいることである。――十万の大軍、何するものぞ。彼より来るこそ、お味方の幸いである。いま一挙に、それを討たないで、和議など求めて行ったら、いよいよ彼らの驕慢をつのらせ、悔いを百年にのこすであろう」

両者の説を黙然と聞いていた曹操は、しずかに口を開いて、断を下した。

「予は戦うであろう！　議事は終りとする。はや出陣の準備につけ！」

その夜の許都は、真赤だった。

前後両営の官軍二十万、馬はいななき、鉄甲は鏘々と鳴り、夜が明けてもなお陸続とたえぬ兵馬が黎陽をさしてたって行った。

二

曹操はもちろんその大軍を自身統率して、黎陽へ出陣すべく、早朝に武装のまま参内して、宮門からすぐ馬に乗ったが、その際、部下の劉岱、王忠のふたりに、五万の兵を

分け与えて、

「其方（そち）どもは、徐州へ向って、劉玄徳にあたれ」と、命じた。

そして自分のうしろに捧げている旗手の手から、丞相旗を取って、

「これを中軍に捧げ、徐州へはこの曹操が向っておるように敵へ見せかけて戦うがよい」

と策を授け、またその旗をもふたりへ預けた。

勇躍して、ふたりの将は、徐州へ向ったが、後で、程昱（ていいく）がすぐ諫（いさ）めた。

「玄徳の相手として、劉岱（りゅうたい）、王忠のふたりでは、智力ともに不足です。誰かしかるべき大将をもう一名、後から参加させてはどうですか」

すると曹操は、聞くまでもないこととうなずいて、

「その不足はよく分っておる。だからわが丞相旗を与えて、予自身が打ち向ったように見せかけて戦えと教えたのだ。玄徳は、予の実力をよくわきまえておる。曹操自身が来たと思えば、決して、陣を按じて進んで来まい。そのあいだに、予は袁紹の兵をやぶり、黎陽（れいよう）から勝ちに乗って徐州へ迂回し、手ずから玄徳の襟がみをつかんで都への土産として凱旋するつもりだ」と、豪笑した。

「なるほど、それも……」と、程昱は二言もなく彼の智謀に伏した。

こんどの決戦は、黎陽のほうこそ重点である。黎陽さえ潰滅すれば、徐州は従って掌のうちにある。

それを、徐州へ重点をおいて、良い大将や兵力を向ければ、敵は、徐州へ多くの援護を送るにちがいない。

そうなると、徐州も落ちず、黎陽もやぶれずという二兎両逸の愚戦に終らないかぎりもない。

「丞相に対しては、めったに献言はできない。自分の浅慮を語るようなものだ」

程昱はひとり戒めた。

黎陽（河南省・浚県附近）――そこの対陣は思いのほか長期になった。

敵の袁紹と、八十余里を隔てたまま、互いに守るのみで、八月から十月までどっちからも積極的に出なかった。

「はて、なぜだろう？」

万一、彼に大規模な計略でもあるのではないかと、曹操もうごかず、ひそかに細作を放って、内情をさぐってみると、そうでもない実情がわかった。

敵の一大将、逢紀はここへ来てから病んでいた。そのため審配がもっぱら司令にあたっていたが、日頃からその審配と不和な沮授は、事ごとに彼の命を用いないらしいのである。

「ははあ、それで袁紹も、持ちまえの優柔不断を発揮して、ここまで出てきながら戦いを挑まないのであったか。この分ではいずれ内変が起るやも知れん」

彼は、そう見通しをつけたので、一軍をひいて、許都へ帰ってしまった。

——といっても、もちろん後には、臧覇、李典、于禁などの諸大将もあらかた留め、曹仁を総大将として、青州徐州の境から官渡の難所にいたるまでの尨大な陣地戦は、そのまま一兵の手もゆるめはしなかった。ただ機を見るに敏な彼は、

「予自身、ここにいても、大した益はない」

と戦の見こしをつけた結果である。それと、徐州のほうの戦況も気にかかっていたにはちがいない。

鬮

一

許都に帰ると、曹操はさっそく府にあらわれて、諸官の部員から徐州の戦況を聞きとった。

一名の部員はいう。

「戦況は八月以来、なんの変化もないようであります。すなわち丞相のお旨にしたがい、発向の折、親しく賜わった丞相旗をうちたて、曹丞相みずから征してこの軍にあり

と敵に見せかけ、徐州を隔つこと百里の前に陣をとりて、あえて、軽々しく動くことを誡め、まだ一回の攻撃もしておりません」

曹操はそう聞くと、いかにも呆れ返ったように、

「さてさて鈍物という者は仕方がないものだ。機に応じ変に臨んで処することを知らん。下手に戦うなといえば、十年でも動かずにいる気であろうか。曹操自身、軍にあるものなら、百里も敵と隔てたまま、八月以来の長日月を、無為にすごしているわけはないと、かえって敵が怪しむであろう」

彼は、歯がゆく思ったか、急に軍使を派して、

「すみやかに徐州へ攻めかかって、敵の虚実を計れ」と、厳しく催促した。

日ならずして曹操の軍使は、徐州攻略軍の陣中に着いた。寄手の二大将、劉岱、王忠のふたりは、

「何事のお使いにや？」と、＊鞠躬如として出迎えた。

軍使は、曹操の指令をつたえ、

「丞相のおことばには、其許たちへは、生きた兵をあずけてあるに、何故、藁人形の如き真似しておるかと、きついご不興である。一刻もご猶予はあるべからず」と、ありのままを伝えた。

劉岱は、聞くと、その場で、

「いかさま、長い月日、ただ丞相の大旗をたてて、こうしているのもあまり無策と思お

う。王忠殿、足下まず一押しして、敵がどう変じてくるか、一戦試みられい」と、いった。

王忠は、首を横に振って、

「これは意外な仰せではある。都を出る時、曹丞相には、親しく貴公へ向って、策をさずけ賜うたのではないか。貴公こそ先に戦って、敵の実力を計るべきだのに」

「いやいや、自分は寄手の総大将という重任をうけたまわっておる者、豈、軽々しく陣頭にすすみ得ようか。――其許まず先鋒に立ちたまえ」

「異なおことば哉。ご辺と、それがしとは、官爵の高下もないに、何で、それがしを下風に視られるか」

「いや、何も、下風に見くだすわけではないが」

「今の口ぶりはこの王忠を、部下といわないばかりではないか」

ふたりが争いだしたので軍使は眉をひそめながら、

「まあ待ちたまえ。まだ一戦もせぬうちに、味方のなかで確執を起すなど是非によらず、どちらも醜しと人にいわれよう。――それよりは拙者がいま、鬮を作るから、鬮を引いて、先鋒と後詰めの任をきめられては如何か」

「なるほど、それも一案」と、王忠も劉岱と同意したので、異存なくばと、念を押したうえ、軍使は二本の鬮をこしらえて二人に引かせた。

劉岱の鬮には、

後

と、書いてあった。

王忠が「先」を引いたのである。そこで否応（いやおう）なく、王忠は一軍を率いて、徐州城へ攻めかかった。

玄徳は徐州城の内にあって、かくと知ると、すぐ防禦を見まわった上、陳登に対策をたずねた。

陳登はその前から、寄手の丞相旗には不審を抱いていた。必定、これは曹操の詭計（きけい）であろうと、看破していたので、

「まずひと当り当ってみれば、敵の実力がわかります。策はその上でいいでしょう」

と、答えた。

「然り、それがしが参って、彼の虚勢か実体かを試み申さん」

と、列座の中から進み出た者がある。その大声だけでもすぐそれとわかる張飛であった。

二

張飛が進んで、城外の敵に当らんと望んで出ると、玄徳は、むしろ歓ばない色を顔に示して、

「いつもながらさわがしき男ではある。待て、待て」

と押し止め、行けとも、行ってはならんともいわなかった。

「それがしの武勇では、危ないと仰せられるのでござるか」

張飛が不平を洩らすと、

「いや、汝の性質は、至って軽忽で、さわがしいばかりであって、そのため事を仕損じ易いから、わしはその点を危惧(きぐ)しているのだ」と、玄徳は飾らずいった。

張飛は、なお面ふくらませて、

「もし、曹操に出会ったら、木ッ端(こっぱ)みじんに敗れて帰るだろうと、それを心配なさるのでござろう。笑止笑止。曹操が出てきたら、むしろもっけの幸い、引ッつかんで、これへ持ちくるまでのこと」

「だまれ、それだからそちはさわがしい男というのだ。曹操は、その心底には、漢室にとって、怖るべき逆意を抱いているが、名分の上では、常に勅令を号することを忘れておらぬ。——故に、今われ彼に敵対すれば、曹操は得たりとして、われを朝敵と呼ぶであろう」

「この期になっても、まだそんな名分にくよくよしておられるのですか。では、彼が攻め襲(よ)せてきても手をこまねいて、自滅を待っているつもりですか」

「袁紹(えんしょう)の救いがくれば、何とかこの危機も打開できようが、それもあてにはならないし、曹操からも敵視されては、はや、死するも門なからん……である。まったく玄徳の浮沈は今に迫っておる」

「はてさて、弱気なおことば、将たる者がご自身味方の気を減らしたもうことやある」

「彼を知り、己を知るは、将たる者の備え、決して、いたずらに憂いているのではない。いま城中にある兵糧は、よく幾月を支え得ようか。またその兵糧を喰う大部分の軍兵は、元来、曹操から預ってきた者どもで、みな許都へ帰りたがっておるであろう。かかる弱体をもって、曹操に当らんなど、思いもよらぬことである。ただ千に一つのたのみは、袁紹の来援であるが、これとても……」

彼の正直な嘆息に、帷幕の人々も何となく意気があがらない態だった。――あまりに正直すぎる大将という者も困りものだ。こんな気の弱いご主君はほかにあるまい――と張飛も奥歯をかみながら黙ってしまう。

――と。次に、関羽が前へ出ていった。

「ご深慮はもっともです。けれど、坐して滅亡を待つべきでもありますまい。それがし城外へまかり向って、およそ寄手の兵気虚実をさぐる程度に、小当りに当ってみましょう。策は、その上で」

と、陳登と同意見をのべた。穏当なりと認めたか、玄徳は、

「行け」

と、関羽にゆるした。

関羽は、手勢三千を率して城外へ打って出た。折ふし、十月の空は灰いろに閉じて、鵞毛のような雪が紛々と天地に舞っていた。

城を離れた三千騎の兵馬は、雪を捲いて寄手王忠軍へ衝ッかけていた。

雪と馬、雪と戟、雪と兵、雪と旗、卍となって、早くも混戦になった。

「そこにあるは、王忠ではないか。なんで楯のかげばかり好むぞ」

大青龍刀をひっさげながら、関羽は馬を乗りつけて、敵の中軍へ呼びかけた。

王忠も躍りあわせて、

「匹夫っ、降るなら、今のうちだぞ。わが中軍には、曹丞相あり。あの御旗が目に見えぬか」

といった。

ふる雪に、牡丹のような口を開いて、関羽はからからと大笑した。

「曹操がおるなれば、なによりも望む対手。これへ出せ」

三

王忠は、唾して云い返した。

「かりにも、曹丞相ほどなお方が、汝ごとき下賤の蛮夫と、なんで戦いを交えようか。もう一度生れ直してこい」

「ほざいたな。王忠」

関羽が馬を駆け寄せると、王忠も槍をひねって、突っかけてくる。関羽はよいほどにあしらって、わざと逃げだした。

「口ほどにもない奴」と、浅慮にも、王忠は図にのって関羽を追っかけた。

「口ほどもないか、あるか、鞍の半座を分けてつかわす。さあ、王忠、こっちへ来い」

関羽は、青龍刀を左の手に持ち変えた。王忠は、あわてて馬の首をうしろへ向けた。が、早くも関羽の臂は彼の鎧の上小帯をつかみ、

「じたばたするな」

と、ばかり軽々小脇に引っ抱えて馳けだした。

潰乱する王忠軍を蹴ちらして、馬百匹、武器二十駄を分捕って、関羽の手勢はあざやかに引揚げた。

帰城すると、早速、関羽は王忠をしばりあげて、玄徳の前に献じた。

玄徳は王忠に向って、

「汝、何者なれば、詐って、曹丞相の名を偽称したか」と、詰問した。

王忠は答えて、

「詐りは、われらの私心ではない。丞相がわれらに命じて、御旗をさずけ、擬兵の計事をさせられたのである」と、ありのままに云った。

そして、なお、

「不日、袁紹を破って、丞相がこれに来給えば、徐州ごときは、一日に踏みつぶしてしまわれるであろう」と豪語を放った。

玄徳はどう考えたか、王忠の縄を解いて、

「君の言は、まことに、神妙である。事の成行きから、丞相のお怒りをうけ、征を受けて、やむなくこの徐州を守るものの、玄徳には曹操に敵対する意志はない。君もしばらく、当城にあって、四囲の変化を待ち給え」と、彼を美室に入れて、衣服や酒を与えた。

王忠を奥に軟禁してしまうと、玄徳はまた近臣を一閣に集めて、

「誰ぞ、この次に、もうひとりの劉岱を、敵の陣から生捕ってくる智者はないか」と、いった。

関羽は、雑談的に、

「やはり家兄のお心はそこにありましたか。実は、王忠と出会った時、よほど一戟のもとに斬って捨てんかと思ったなれど、いやいや或いは兄のご本心は、曹操と和せず戦わず——不戦不和——といったような微妙な方針を抱いておられるのではないかとふと考えつき、わざと手捕りにして持ち帰りましたが」と語って、自分の推測があたっていたか否かを、率直にたずねた。

すると、玄徳は、会心の笑みをもらして、

「さなり、さなり！　不戦不和とは、よくわが意中の計を観た。さきに張飛がすすんで行こうといったのを止めたのも、張飛のさわがしい性質では、必ず王忠を殺してくるにちがいないとおそれたからである。王忠、劉岱のごとき輩を殺したところで、われには何の益もなく、かえって曹操の怒りを煽るのみであるし、もし、生かしておけば、曹操

がわれに対する感情もいくらか緩和されてくるであろう」

そう聞くと、張飛はまた、前へ進み出て、玄徳にいった。

「わかりました。そうご意中を承れば、こんどは、此方が出向いて、必ず劉岱をひきずり参らん。どうか此方をおつかわし下さい」

「参るもよいが、王忠と劉岱とは、対手がちがうぞ」

「どう違いますか」

「劉岱は、むかし兗州の刺史であった頃、虎牢関の戦いで、董卓と戦い、董卓をさえ悩ましたほどの者である。決してかろんずる敵ではない。それさえわきまえておるならば行くがよい」

不戦不和

一

どうも煮えきらない玄徳の命令である。争気満々たる張飛には、それがもの足らなかった。

「劉岱が虎牢関でよく戦ったことぐらいは、此方とても存じておる。さればとて、何程のことがあろう。即刻、馳せ向って、この張飛が、彼奴をひッ掴んでこれへ持ちきたってご覧に入れます」

「そちの勇は疑わぬが、そちのさわがしい性情をわしは危ぶむのだ。必ず心して参れよ」

玄徳の訓戒に、張飛は、むっと腹をたてて、

「さわがしさわがしと、まるで耳の中の虻か、懐中の蟹みたいに、この張飛をお叱りあるが、もし劉岱を殺して来たら、何とでもいうがいい。いくら兄貴でも主君でも、そう義弟をばかにするものじゃない」と、云いちらして、彼はぷんぷん怒りながら閤外へ出て行った。

そして、三千の兵を閲して、

「これから劉岱を生捕りに行くんだ。おれは関羽とちがって軍律は厳しいぞ」

と、兵卒にまで当りちらした。

張飛に引率されて行く兵は、敵よりも自分たちの大将に恐れをなした。――一方、寄手の劉岱も、張飛が攻めてきたと知って、ちぢみ上がったが、

「柵、塹壕、陣門をかたく守って、決して味方から打って出るな」と、戒めた。

短兵急に押しよせた張飛も、蓑虫のように出てこない敵には手の下しようもなく、毎日、防寨の下へ行っては、

「木偶の棒っ。――糞ひり虫。――糞ひることも忘れたのだろ」と、士卒をけしかけて、悪口雑言をいわせたが、何といわれても、敵は防禦の中から首も出さなかった。

張飛は、持ち前の短気から、業をにやしてきたとみえ、

「もうよそよそ。このうえは夜討ちだ。こよい二更の頃に、夜討ちをかけて、蛆虫どもを踏みつぶしてくれる。用意用意」と、声あららかに命じ、準備がととのうと、

「元気をつけておけ」と、昼のうちから士卒に酒を振舞い、彼自身も、したたか呑んだ。

「景気のいい大将」と、兵隊たちも、酒を呑んでいるうちは、張飛を礼讃していたが、そのうちに、何か気に喰わないことがあったのか、張飛は、咎もないひとりの士卒を、さんざんに打擲したあげく、

「晩の門出に、軍旗の血祭りにそなえてくれる。あれに見える大木の上にくくり上げておけ」

と、云いつけた。

士卒は、泣き叫んで、掌を合わせたがゆるさない。高手小手にいましめられて、大木のうえに、生き磔刑とされてしまった。

夕方になると、たくさんな鴉がその木に群れてきた。張飛に打ちたたかれて、肉もやぶれ皮も紫いろになっている士卒は、もう死骸に見えるのか、鴉はその顔にとまって、羽ばたきしたり、嘴で眼を突ッついたり、五体も見えないほど真黒にたかってさわい

だ。

「ひィっ……畜生っ」

悲鳴をあげると、鴉はぱっと逃げた。ぐったり、首を垂れていると、また集まってくる。

「――助けてくれっ」

士卒はさけび続けていた。

すると、夕闇を這って、仲間のひとりが、木に登ってきた。何か、彼の耳もとにささやいてから、縄目を切ってくれた。

「畜生、この恨みをはらさずにおくものか」

半死半生の目に会った士卒も、その友を助けた士卒も、抱き合って、恨めしげに張飛の陣地を振向き、闇にまぎれて何処ともなく脱走してしまった。

二

陣営のうちで、張飛はまだ酒をのみつづけていた。

そこへ士卒の一伍長が、あわただしく馳けこんできて、

「見張りの者の怠りから大失態を演じました。申しわけもございません」

と、懲罰に処した樹上の士卒が、いつの間にか逃走した由を、平蜘蛛のようになって慄えながら告げた。

「知っとる知っとる。将として、それくらいなこと、知らんでどうする。……あははは、それでいいのだ」

彼は、大杯をあげて、自ら祝すように飲み干し、幕営を出て、星を仰いだ。

「そろそろ二更の頃だな。――わが三千の兵は三分して各自の行動に移れ。――その一は、間道をしのび、その一は、山を越え、その一は、止まって敵の前面へ向う」

張飛の命令が伝わると、やがて夜靄のなかに、まず二千の兵が先に、どこかへうごいて行った。

それは、敵の防塞の背後へまわって忍ぶ潜兵らしかった。

「まだちと早い。もう一杯飲んでからでいい」

張飛は、残る三分の一の兵をそこに止めて、なお一刻ほど、酒壺を離さず、時おり、星の移行を測っていた。

その宵。

劉岱の防寨のほうでは、早くも、今夜敵の張飛が夜討ちをかけてくるということを知って、ひどく緊張していた。

「あわてるな。敵の脱走兵の訴えとて、めったに信じるとは危険だ。おれ自身、その兵を取調べてみよう。ここへ其奴を引ッ張ってこい」

劉岱は、部下の動揺を戒めて、その夕方、密告に馳けこんできたという二人の敵の脱走兵を、自分の前に呼びだした。

見ると、ひとりはただの士卒だが、もう一名のほうは、手足も傷だらけで、顔は甕のごとくはれあがっている。

「こら、敵の脱走兵。貴様たちは、張飛から策をうけて、今夜、夜討ちをしかけるなどとあらぬことを密告に来、わが陣地を攪乱せんとたくらんできたにちがいあるまい。そんな甘手にのる劉岱ではないぞ」

「めっそうもないことを。……手前どもは鬼となっても、張飛のやつを、全滅の憂き目に会わせてくれねばと……死を賭して、ご陣地へ逃げこんで来た者でございます」

「いったい、なんで張飛に対し、そのように根ぶかい恨みを抱くのか」

「くわしいことは、先にご家来方まで、申しあげた通りで、そのほかに、仔細はございません」

「なんの咎もないのに打擲されたあげく、大樹の梢にしばりあげられたというが」

「へい。あまりといえば、むごい仕方ですから、その返報にと思いまして」

「……これ。誰かあの脱走兵の訴人を裸体にしてみい」

劉岱は傍らの者に命じた。

言下に、訴人の兵は、真っ裸にされた。――見れば、顔や手足ばかりでなく、背にも臂にも、縄目のあとが痣になっていた。そして全身、鼈甲の斑みたいにはれている。

「……なるほど、詐りでもないらしいが」と、疑いぶかい劉岱も、半分以上、信じてきたが、まだ決しかねて、敵の夜討ちに備える手配も怠っていた。

すると、果たして。

二更もすこし過ぎた頃、防寨の丸木櫓にのぼっている不寝番が、

「夜襲らしいぞ」と、警板をたたいた。

夜靄のうちから潮のような鬨の声が聞えた。と思うと、陣門の前面に、敵が柴をつんで焼き立てる火光がぼっと空に映じた。矢うなりはもう劉岱の身辺にも落ちてきた。

「しまった！……敵兵の密訴は嘘でもなかったのだ。それっ、一致して防戦にあたれ」

あわてふためいた劉岱は、自分も得物を取って、直ちに防ぎに走りだした。

三

諸所へ火を放ち、矢束を射込み、鼓を鳴らし、鬨の声をあげなどして、張飛の夜襲はまことに張飛らしく、派手に押しよせてきた。

劉岱は、それを見て、

「彼奴、勇なりといえども、もとより智謀はない男、何ほどのことやあらん」

とひと跳びの意気で、防戦にあたった。

劉岱の指揮の下に、全塁の将卒がこぞって駈け向ったので、たちまち、夜襲の敵は撃退され、いかに張飛が、

「退くなっ」と、声をからしても、総くずれのやむなきに立到り、張飛も柴煙濛々たる

なかを、逃げる味方と火に捲かれて、逃げまどっていた。

「こよいこそ、張飛の首はわが手のもの。寄手の奴ばらは一人も生かして返すな」

劉岱は、最後の号令を発し、ついに、防寨の城戸(きど)をひらいて、どっと追いかけた。

張飛はそれと見て、

「しめた。思うつぼに来たぞ」

にわかに、馬を向け直し、まず劉岱を手捕りにせんと喚きかかった。

それまで、逃げ足立っていた敵が、案に相違して、張飛と共に、俄然攻勢に転じてきたので、要心深い劉岱は、

「これは怪訝(いぶか)しい」

とあわてて、味方の陣門へ引っ返そうとしたところ、時すでに遅かった。

その夜、正面に来た寄手は、張飛の兵の三分の一にすぎず、三分の二の主隊は、防寨のうしろや側面の山にまわっていたものなので、それが機をみるや一斉になだれこんで来たため、すでに彼の防塁は、彼のものでなくなっていた。

「計られたか」

と、うろたえている劉岱を見つけて、張飛は馬を駈け寄せてゆくなり引っ掴んで大地へほうりだし、

「さあ、持って帰れ」と、士卒にいいつけた。

すると、防寨の中から、

「その縄尻は、私たちに持たせて下さい」

と走り出てきた二名の兵卒がある。それは張飛の命に依ってわざと張飛の陣を脱走し、劉岱へこよいの夜襲を密告して、彼らの善処をいとまなくさせた殊勲の二人だった。

「ゆるす。引っ立てろ」

張飛は、その二人に縄尻を持たせて、意気揚々ひきあげた。

残余の敵兵も、あらかた降参したので、防寨は焼き払い、劉岱以下、多くの捕虜を徐州へ引きつれて帰った。

この戦況を聞いて、玄徳のよろこびかたは限りもない程だった。わが事のように、彼の巧者な手際（てぎわ）を褒めて、

「張飛という男は、生来、ものさわがしいばかりであったが、こんどは智謀を用いて、戦の功果をあげた。これでこそ、彼も一方の将たる器量をそなえてきたものといえよう」

そういって彼自身、城外に出迎えた。張飛は大音をあげて、

「家兄（このかみ）、家兄。いつもあなたは、この張飛を、耳の中の虻（あぶ）か、懐中の蟹のごとく、ものさわがしき男よと口癖におっしゃるが、今日は如何？」

と、得意満面でいう。

玄徳が打ち笑って、

「きょうの御身は、まことに稀代の大将に見える」というと、そばから関羽が、

「しかしそれも先に、家兄がふかく貴様をたしなめなかったら、こんなきれいな勝ちぶりはしまい。この劉岱の首などは、とうに引きちぎッてたずさえて来たであろう」と、まぜかえした。

「いや、そうかも知れんて」

張飛が、爆笑すると、玄徳も笑った。関羽も哄笑した。

三人三笑のもとに、縄目のまま、引きすえられていた劉岱は、ひとりおかしくもない顔をしていた。

四

その劉岱のすがたへ、ふと眼をとめると、玄徳は何思ったか、劉岱の縛めを解いて、

「さあ、こちらへ」と、一閣の内へ、自身で案内して行った。

そこには、さきに捕虜とされた王忠が贅沢な衣服や酒食を与えられて、軟禁されていた。

玄徳は、敵の虜将たる二人を、美酒佳肴の前にならべて置いてこういった。

「敵の玄徳に、酒食を饗せらるるは心外なりと思し召すやも知れませんが、どうかそんなご隔意はすてて充分おすごし下されたい」

杯をすすめ、礼言を重んじ、すこしも対手を敗軍の虜将と蔑むふうもなく、

「——まことに、この度のまちがいは、不肖玄徳にとっても、あなた方にとっても、不幸なる戦いでした。もともと、自分は丞相から大恩をうけていますし、まして丞相の命は、朝廷の御命です。何でそれに叛きましょうか。常に、折あらば報ぜんと思い、事ありては、かく誤解されている身の不徳を嘆いているのです。どうか、都へお立帰りの上は、この玄徳の衷情を、丞相へくれぐれも篤くお伝えしていただきたい」

劉岱と王忠は、彼の慇懃と、その真実をあらわしていう言葉に、ただ意外な面持であった。

で、二人も、誠意をもって答えずにいられなかった。

「いや、劉予州。御身の真実はよく分った。けれど、われわれは足下の擒人である。どうして都の丞相へ、そのことばをお取次ぎできようか」

「一時たりとも、縄目の恥をお与えして、申しわけないが、元より玄徳には、ご両所の生命を断たんなどという不逞な考えはありません。いつでも城外へお立ち出で下さい。それも玄徳が丞相の軍に対して、恭順を示し奉る実証のひとつとお分り下されば、有難いしあわせです」

果たして、翌日になると、玄徳はふたりを城外へ送りだしたのみか、捕虜の部下もすべて劉岱、王忠の手に返した。

「まったく、玄徳に敵意はない。しかも彼は、兵家の中にはめずらしい温情な人だ」

ふたりは感激して、匆々、兵をまとめ、許都へさして引揚げて行ったが、途中まで来ると、一叢の林の中から、突として、張飛の軍隊が襲ってきた。

張飛は二将の前に立ちふさがって、眼をいからしながら、

「せっかく生捕りにした汝らふたりを、むざむざ帰してたまるものか。兄貴の玄徳が放してもおれは放さん。通れるものなら通ってみろ」と、例の丈八の大矛をつきつけて云った。

劉岱と王忠も今は戦う気力もなく、ただ馬上で震えあがっていた。すると、後からただ一騎、かかることもあろうかと玄徳のさしずで追いかけてきた関羽が、

「やあ張飛！　張飛！　またいらざる無法をするか。家兄の命にそむくか！」

と、大声で叱りつけた。

「やあ兄貴か、何で止める。今こやつらを放せば、ふたたび襲ってくる日があるぞ」

「重ねて参らば、重ねて手捕りにするまでのことだ」

「七面倒な！　それよりは」

「ならんと申すに」

「だめか」

「強いて両将を討つなら、関羽から先に対手になってやる。さあ来い」

「ば、ばかをいえ」

張飛は横を向いて、舌打ちを鳴らした。

劉岱、王忠のふたりは、重ね重ねの恩を謝し、頭を抱えんばかりの態で許都へ逃げ帰

った。

その後。

徐州は守備に不利なので、玄徳は小沛の城に拠ることとし、妻子一族は関羽の手にあずけて、もと呂布のいた下邳の城へ移した。

奇舌学人

一

劉岱、王忠は、やがて許都へたち還ると、すぐ曹操にまみえて、こう伏答した。

「玄徳にはなんの野心もありません。ひたすら朝廷をうやまい、丞相にも服しておりまず。のみならず土地の民望は篤く、よく将士を用い、敵のわれわれに対してすら徳を垂れることを忘れません。まことに人傑というべきで、ああいう器を好んで敵へ追いやるというのも甚だ策を得たものではあるまいと存じまして」

皆まで聞かないうちに、曹操の眉端はピンとはね上がっていた。烈火の如き怒りをふくんだ気色である。

「だまれ、汝らは曹操の臣か玄徳の臣か。予の丞相旗をかかげ、わが将士を率い、何のために徐州へ赴いたか」

彼はまた左右の武将をかえりみて云った。かくの如く、他国に征して、他国にわが名を辱めた不届き者は、諸人の見せしめ、各営門を曳き廻した上、死罪にせよ、と厳命した。

すると、かたわらに在った孔融が、彼の怒気をなだめて云った。

「もともと劉岱、王忠の輩は、玄徳の相手ではありません。それは、丞相もあらかじめお感じになっていたことかと拝察いたします。しかるを今、その結果を両名の罪にばかり帰して、これを死罪になし給えば、かえって諸人の胸に丞相のご不明を呼び起し、同じ主君に仕える者どもは、ひそかに安き思いを抱かないでしょう。これは、人心を得る道ではありません」

孔融のことばが終る頃には、曹操の顔いろも常に返っていた——実にもと、うなずいて、二人の死罪はゆるす代りに、その官爵を取りあげて、身の処置は、後日の沙汰と云い渡した。

その後、日をあらためて、曹操は自身大軍をひきいて、徐州へ攻め下らんと議したが、孔融はまた、彼に自重をすすめた。

「今、極寒の冬の末に向って、みだりに兵を動かすのも如何なものでしょうか。来春を待ってご発向あるも遅くはありますまい。その間になすべきことがないではありません。まず外交内結、国内を固めておくべきでしょう。愚臣の観るところでは、荊州の劉表と、襄城（河南省・許昌西南）の張繡とは、ひそかに聯携して、あえて、朝廷にさえ不遜な態度を示しています。――いま丞相が使臣をそれへ遣わされて、その不平を慰撫し、その欲するものを与え、その誇るものを煽賞し、一時、虫をこらえて、礼を厚うしてお迎えあらば、彼らはかならず来って丞相の麾下に合流しましょう。――すでに荊州襄城のふたつを、丞相の勢力下に加えておしまいになれば、天下、ひびきに応ずるごとく、諸〻の群雄も、風になびいてくるにちがいありません」

「その経策は、予の意志とよく合致する。さっそく、人をやろう」

そこで、襄城の張繡へは、曹操の代理として、劉曄が使いに立った。

襄城第一の謀士賈詡は、曹操の使いを迎えて、心中大いに祝しながら、来意を問うと、劉曄は、

「当今、乱麻の世にあたって、その仁、その勇、その徳、その信、その策、真に漢の高祖のような英傑を求めたなら、わが主君、曹操をおいてはほかにあろうとも思われません。あなたは湖北に隠れなき烱眼洞察の士と聞いていますが、どう思われますか」

「然り。わたくしの考えも同じである」

賈詡は、そう答えた上、その答えの詐りでない証拠にと、主人張繡にむかって、曹操の美徳をたたえ、

「この際、おすすめに任せて、曹丞相に服し給うこそ、ご当家にとっても、最善な方策

でありましょう」と、転向をうながした。

ところへまた、折も折、河北の袁紹からも、同じような目的のもとに、特使が来て、袁紹の書簡を襄城にもたらした。

二

同じ密命をもった一国の使臣と使臣が、その目標国の城内で、しかも同じ時にぶっつかったのである。

曹操の使臣たる劉曄は、すくなからず心をいためた。――河北の袁紹からきた特使とあっては、いかに自国を贔屓目に見ても、ひけめを抱かずにはいられなかったからである。

「ご心配には及ばん。あなたは、拙者の私邸に移って、成行きを見ておられるがいい」

彼が唯一の力とたのむ賈詡がそういってくれたので、劉曄はいささか希望をもち、賈詡の私邸に泊っていた。

賈詡は、袁紹の使いを、城中に迎えて、対面した。そして、問うて曰く、

「さきごろ、貴国では、兵を催して、曹操を攻められた由ですが、まだ寡聞にして、その結果を聞いておりません。勝敗はどうついたのですか」

特使は、答えていう。

「なにぶん冬期にかかりましたので、しばらく戦を休め、決戦は来春のこととして、待

機しておるわけであります。——折からわが大君袁紹におかれては、常に荊州の劉表と襄城の張繡とは、共に真の国士なり、と仰せられていましたが、せつに両雄を傘下にお迎えありたい意志があります。依って不肖それがしを使いとして、今日、さし向けられた次第。よろしく台下にお取次ぎあらんことを」

再拝して、切口上を述べたてるのを、賈詡はあざ笑って、

「なにかと思えば、そんなことであったか。特使にはご苦労だったが、はやはや国へ立ち帰って、袁紹にしかと告げよ。——自分の骨肉たる袁術に対してさえ、常に疑いをさし挟んで容れ得なかったではないか。そんな狭量をもって、いずくんぞ天下の国士を招いて用いることができようか——と」

書簡を破りすてて、追い返してしまったので、それを後で聞いた彼の主人張繡は色を失って、

「なんで、儂にも取次がずに、そんな無礼を振舞ったか」と、賈詡をなじった。

賈詡は、恬然として、

「同じ下風につくなら、曹操に降ったほうがましだからです」と、いった。

張繡は、顔を横に振って、

「否とよ。其方はもう往年の戦を忘れたのか。儂と曹操とは、宿怨のあいだがら、以来何も溶けてはいない。——いまもし、彼の誘交にまかせて、彼の下風に降れば、後にかならず害されるにきまっておる」

「いやいや、それは余りにも、英傑の心事を知らないものです。曹操の大志、なんで過去の敗戦などを、いつまで怨みとしていましょう。――また、袁紹と比較してみると、曹操には、三つの将来が約されています。一は、天子を擁し、二は時代の気運にそい、三は、大志あってよく治策を知ることです」

「しかし、袁紹は富強だが、曹操は、それに較べると、まだ甚だ弱小だが」

「わたくしは、現世を問うのではありません。将来を云っているのであります。まず一、二年ぐらいな安泰をお望みなら、袁紹のほうへおつきなさい」

賈詡にそう突き放されると、張繡の自信も、心細いものだった。賈詡は次の日、劉曄を伴ってきて、張繡に会わせた。――劉曄も口をきわめて、

「曹操は、決して、過去の讐(あだ)などを、くよくよ心にとめている人ではありません。そんなことにこだわっているほどなら、何で今日、礼を厚うして、わたくしなどを差しつかわしましょうや」

と、説いた。

遂に、張繡の心もうごいて、曹操の誘いにまかせ、襄城を発して、降をその門に誓った。

曹操は、自身出迎えて、張繡の手を取らんばかり、堂に迎えた。そして、彼を揚武将軍(ようぶしょうぐん)に任じ、またこの斡旋(あっせん)に功労のあった賈詡を執金吾(しっきんご)とした。

襄城の誘降は、外交だけで、かくの如き大成功を見たが、一方、荊州のほうは、完全

に失敗していた。

三

荊州の劉表（湖北・湖南を領す。州治は襄陽）は、諸国に割拠する群雄のうちでも、たしかに群を抜いた一方の雄藩であった。

第一には、江岸の肥沃な地にめぐまれていたし、兵馬は強大だし、かつては江東の孫策の父孫堅すら、その領土へ侵入しては、惨敗の果てその身も戦死をとげ、恨み多き哀碑を建てて、いたずらに彼を誇らせたほどな地である。

――で、当然のように。

曹操から派遣された誘降の使者は、劉表の一笑に会って、まるで対手にもされず追い返されてしまったのである。

その経過を聞いて、張繡は、曹操に随身した手初めの働きにと、

「自分から劉表へ書簡をしたためましょう。わたくしと彼とは、多年の交わりですから」

と、申し出た。

彼は、書簡のうちに、天下の趨勢やら、利害やらこまごま書いて、公私の両面から、説破を筆に尽したが、なお念のために、

「たれか、弁舌の士が、これをたずさえて行けば、かならず功を奏すかと思いますが」

と、云い添えて、曹操の手もとへさし出した。

「誰か、しかるべき説客はないだろうか」

曹操がたずねると、侍臣のうちから孔融が答えた。

「わたくしの知る範囲では、平原の禰衡しかありません。禰衡ならば、荊州に使いしても、先にひるまず丞相のお名も辱めまいと思われますが」と、推薦した。

「禰衡とは、いかなる人物か」

「わたくしの邸の近所に住んでいるものであります。才学たかく、奇舌縦横ですが、生れつき狷介で舌鋒人を刺し、諷言飄逸、おまけに、貧乏ときていますから、誰も近づきません。――しかし、劉表とは、書生時代から交わりがあって今でも文通はしておるらしいようです」

「それは適任だ」

すぐ召し呼べとあって、相府から使いが走った。

平原の禰衡、字は正平。迎えをうけて、ふだん着の垢臭い衣服のまま、飄々乎としてやってきたが曹操以下の並居る閣のまん中に立つと、無遠慮に見廻して、

「ああ、人間がいない、人間がいない。天地の間は、こんなに潤いのに、どうして人間は、こういないのだろう！」と、大声を発していった。

曹操は聞きとがめて、

「禰衡とやら、なんで人間がいないというか、天地間はおろか、この閣中に於てすら、

多士済々たる予の麾下の士が眼に見えぬか」と、彼も、大音でいった。

禰衡は、かささと、枯葉のように笑って、

「ははあ、そんなにおりましたかな。願わくば、どう多士済々か、どう人間らしいのがいるか、つまびらかに、その才能をうかがいたいものだが」と、何のおそれ気もなく云い放った。

かねて、奇弁畸行の学者と、その性情を聞いている上なので、曹操も別に咎めもせず、また驚きもせず、

「おもしろい奴、しからば右列の者から順に教えてやるから、よく眼に観、耳に聞いておぼえておくがよい――まずそれにおる荀彧、荀攸はみな智謀ふかく、用兵に達し、いにしえの蕭何とか、陳平などという武将も遠く及ばん人材である。また次なる張遼、許褚、李典、楽進の輩は勇においてすぐれ、その勇や万夫不当、*みな千軍万馬往来の士である。なお見よ。左列の于禁、徐晃のふたりは、古の岑彭、馬武にも勝る器量をそなえ、夏侯惇は、軍中の第一奇才たり。曹子孝は、平常治策の良能、世間の副将というべきか。――どうだ、学人。これでも人なしというか」

四

禰衡は、聞くとたちまち、腹をかかえて傍若無人に打笑った。

「さてさて、丞相もよい気なもの哉。――わが観る眼とは、大きに違う」

「臣を観ること君に如かず――というに、この曹操が麾下に対してさる眼ちがいでは大事を誤ろう。学人、忌憚なく、汝の評をいってみよ」

「では、わしが遠慮なく、列座の面々を月旦するが、気を腐らしたもうなよ。――まず、荀彧には病を問わせ、喪家の柩を弔わしむべし。荀攸には、墓を掃かせ、程昱には門の番をさせるがいい。郭嘉には、文を書かせ詩でも作らせておけば足る。張遼には、鼓の皮でも張らせ、鉦をたたかせたら上手かも知れん。許褚には、牛馬や豚を飼わせておけばよくやるだろう。李典は、書簡を持たせて、使奴につかえば似合う。満寵には、酒糟でも喰らわせておき、酒樽のタガを叩かせておくとちょうどいい。徐晃は、狗ころしに適任だ。于禁は、背に板を負わせて、墻をきずかせればよく似合うし、夏侯惇は片目だから眼医者の薬籠でも持たせたら、恰好な薬持ちになれるだろうに。――そのほかの者どもに至っては、いちいちいうもわずらわしいが、衣を着るゆえに衣桁の如く、飯をくらうゆえに飯ぶくろの如く、酒を飲むゆえに酒桶の如く、肉をくらうがゆえに肉ぶくろに似たるのみだ。時に、手足をうごかし、時に口より音を発するからとて、人間なりとは申されん。蟷螂も手足を振舞い蚯蚓も音を発する。――丞相のおん眼はふし穴か、これがみな人間に見えるとは。――ああ、おかしい、ああおかしい」

ひとり手を打って笑う者は禰衡だけで、あまりな豪語と悪たいに、満堂激色をしずめて寂としてしまった。

さすがの曹操も、心中ひどく怒りを燃やしていた。あらかじめ、奇舌縦横の野人と、

断りつきを承知で招いたので、どうしようもなかったが、にが虫を嚙みつぶしたような面持で、

「学人。さらばそちに問うが、そち自身は、そもそも、なんの能があるかっ」

と、憤然、高いところから声をあらげて質問した。

禰衡は、にんやりと唇を大きくむすんで、傲慢不遜な鼻の穴を、すこし仰向けながら、鼻腔で息をした後、

「――天文地理の書、一として通ぜずということなく、*九流三教の事、暁らずということなし。そのことばは、かくいう禰衡を称するためできているようなものだ。……いやまだ云い足らん。上はもって君を尭舜にいたすべく、下はもって徳を孔顔に配すべし。……ちと難しいな。わかるまい。もっとくだけていおうならば、胸中には、国を治め、民を安んずる経綸がいっぱいで、ほかに私慾をいれる余地もないくらいだというのだ。こういう器をこそ、ほんとの人間というので、そこらの糞ぶくろとひとつに観られては迷惑する」

すると、突然、列座のなかほどで、剣環が鳴ったと思うと、

「いわしておけば、いいたい放題な悪口を。――うぬっ、舌長な腐れ学者め！　うごくなっ」と、どなりながら、起ちあがった者がある。

見れば、さきほどから穏やかでない眉をして、じっと怺えていた張遼が、遂に、堪忍ぶくろを切って剣のつかへ手をかけ、あわや跳びかかって、禰衡を斬ッてしまおうとす

る形相であった。

「待てっ」

曹操は、鋭く押しとどめて、かつ、語をあらためて、列臣へ告げわたした。

「いま、禁裡の楽寮に、鼓を打つ吏員を欠いておると聞く。――近日、朝賀のご酒宴が殿上で行われるから、その折、禰衡をもちいて鼓を打たそうではないか。――いかに学人、行くとして可ならざるなきそちの才能とあれば、鼓も打てよう。異存はあるまいな」

彼を困らしてやろうという曹操の考えであることは分りきっている。だが、禰衡はあえて辞さなかった。むしろ得意げに、

「なに、鼓か。よろしい」と、ひきうけて、その日は、悠々と退いた。

雷鼓

一

実に、とんでもない漢を、推薦してしまったというほかはない。人の推挙などという

ものは、うっかりできないものである――と、ひとり恐れ悔いて、当惑の色ありありと見えたのは、禰衡を推挙した孔融であった。

その日、そのせいか、孔融はいつ退出したか、誰も知らなかった。

あとに残った人々の憤々たる声や怒るつぶやきはやかましいほどだった。

張遼のごときは、わけても憤りが納まらないで、曹操に向って、

「なぜあんな乞食儒者に、勝手な熱をふかせて、丞相たるあなたが斬捨てておしまいにならなかったのですか」と、烈しく詰問った。

曹操は、それに答えて、

「いや、予も腹にすえかねて、身が震えるほどだったから、よほど斬捨ててくれようかと思ったが、彼の畸行は、世間に評判のようだし、彼の奇舌は、世上に虚名を博しておる。いわば一種の反動者として、民間へは妙な人気のありそうな漢だ。――そういう人気者へ、丞相たる予が、まじめに怒ってそれを手打ちにしたなどと聞えると民衆はかえって、予の狭量をあざけり、予に期待するものは失望を抱くであろう……愚である愚である。それよりも彼が誇る才能には不得手な鼓を打たせて、殿上で嘲ってやったほうが、面白かろうではないか」と、いった。

時に、建安の四年八月朔日、朝賀の酒宴は、禁裡の省台にひらかれた。曹操ももちろん、参内し、雲上の諸卿、朝門の百官、さては相府の諸大将など、綺羅星のごとく賓客の座につらなっていた。

拝賀、礼杯の儀式もすすみ、宴楽の興、ようやくたけなわとなった頃、楽寮の伶人や、鼓手など、一列となって堂の中央にすすみ、舞楽を演じた。

かねて、約束のあった禰衡も、その中にまじっていた。彼は、鼓を打つ役にあたって、「漁陽の三撾」を奏していたが、その音節の妙といい、撥律の変化といい、まったく名人の神響でも聞くようであったので、人々みな恍惚と聞きほれていた。

――が、舞曲の終りとともに、われに返った諸大将は、とたんに声をそろえて、禰衡の無礼を叱った。

「やあ、それにおる穢き者。朝堂の御賀には、楽寮の役人はいうまでもなく、舞人鼓手もみな、浄らかな衣服を着るのに、汝、何ゆえに汚れたる衣をまとい、あたりに虱をふりこぼすぞっ」

さだめし顔をあからめて恥じるかと思いのほか、禰衡はしずかに帯を解きはじめて、

「そんなに見ぐるしいか」

と、ぶつぶつ云いながら、一枚脱ぎ、二枚脱ぎ、ついに、真ッ裸になって赤い犢鼻褌一つになってしまった。

場所が場所なので、満堂の人は呆っ気にとられ、あれよあれよと興ざめ顔に見ていたが、禰衡はすましたもので、赤裸のまま、ふたたび鼓を取って三通まで打ち囃した。

荒胆では、人におくれをとらない諸武将すら、度胆をぬかれた顔しているので、たまりかねて曹操が雷喝した。

「畏れ多くも、朝賀の殿上において赤裸をあらわすは何者だっ！　無礼ものめッ！」

禰衡は、鼓を下においてぬっくと立ち、正しく曹操の席のほうへ臍を向けて、彼にも負けない声でいった。

「天をあざむき、上をいつわる無礼と、父母からうけたこのからだを、ありのまま露呈してご覧に入れる無礼と、どっちが無礼か、思いくらべてみよ。──わしは、この通り正しく裏も表もない人間であることを見せてはばからん。丞相、口惜しければ、閣下も、冠衣を脱ぎ去って、わしのように、表裏一枚の皮しかないところを見せたまえ」

「だっ、だまれ」

曹操も、遂に怒ってしまったか。──雲上殿裡、二つの雷鳴が嚙みあっているような声と声の震動だった。

二

曹操は遂に、激して云った。

「これ、腐れ学者。──汝は口をあけば常に自分のみを清白のようにいい、人を見ればかならず、汚濁のように誹るが、どこにそんな濁った者がいるか」

禰衡も、負けずにいう。

「臭いもの身知らずである。──丞相には、自分の汚濁がお分りにならないとみえる」

「なに。予を濁れるものというか」

「然り。——あなたは賢そうに構えているが、その眼はひとの賢愚をすら識別がつかない。眼の濁っている証拠である」

「……申したな。おのれ」

「また、詩書を読んで心を浄化することも知らない。語は心を吐くという。あなたの口の濁っているのは、高潔な修養をしていない証拠だ」

「……ウウむ」

「ひとの忠言を聞かない、これを耳の濁りという。古今に通ぜぬくせに、我意ばかり猛々しい。これを情操の濁りと申す。日々坐臥の行状は、一として潔かなるなく、一として放恣ならざるはない。これ肉体の濁りである」

「…………」

「さらに、その諸濁の心は、誰ひとり頭の抑え手もないままに、いつとなく思いあがって、遂には、反逆の心芽を育て、行く行くは、身みずからの荊棘を作るにいたる。——愚かしきかな。笑うべき哉」

「…………」

「われ禰衡は、天下の名士であるものを、おん身は、礼遇もしないばかりか、鼓を打たせて辱めようとされた。まことに小人の沙汰である。むかし陽貨が孔子をうらんで害を加えんとしたり、臧倉などという輩が孟子に向って唾を吐いたしぐさにも似ておる。おん身の内心には、人もなげなる覇道の遂行を思いながら、行うことといったら、かくの如き小心翼々たるものだ。小心にして鬼面人をおどすもの、これを、匹夫という。——実にも稀代の匹夫が玉殿にあらわれたものだ。時の丞相曹操！　ああ偉大だ！　偉大な匹夫だ！」

手をたたいて慢罵嘲笑する彼の容子は、それこそ、偉大な狂人か、生命知らずの馬鹿者か、それとも、天が人をしていわしめるため、ここへ降した大賢か——とにかく推しはかれないものがあった。

曹操の面は、蒼白になっている。否、殿上はまったく禰衡一人のために気をのまれてしまったかたちで、この結果が、どんなことになるかと、人ごとながら文武の百官は唾をのみ歯の根を噛んで、悽愴な沈黙をまもりあっていた。

孔融は心のうちで、今にも曹操が、禰衡を殺害してしまいはせぬかと——眼をふさいで、はらはらしていた。

その耳には、やがて満座の諸大将が、剣をたたき、眦をあげて、

「舌長なくされ学者め。いわしておけば野放図もない悪口雑言。四肢十指をばらばらに斬りさいなんで目にものをみせてくれる」

騒然、立ちあがる気配が聞えた。——孔融はハッと眼をみひらいたが、とたんに満身の毛穴から汗がながれた。

曹操も立ちあがっていたからである。——が、曹操は、剣をつかんで雪崩れ行こうとする諸大将のまえに両手をひろげて、こう叫んでいた。

「ならん、誰が禰衡を殺せと命じたか。——予を偉大な匹夫といったのは、当らずといえども遠からずで、そう怒り立つ値打はない。しかも、この腐儒などは、鼠のごときもので、太陽、大地、大勢を知らず、町にいては屋根裏や床下でひとり小理窟をこね、誤って殿上に舞いこんでも、奇矯な動作しか知らない日陰の小動物だ。斬り殺したところでなんの益にもならん。それよりは予が、彼に命じることがある」

一同を制した後、曹操は、あらためて禰衡を舞台から呼びよせ、衣服を与えて、

「荊州の劉表と交わりがあるか」と、たずねた。

三

「むむ。劉表とは多年、交わりがあるが——」と、禰衡が鼻さきで答えると、

「しからば、予のために、すぐ荊州へ下って、使いをせい」という曹操の命であった。

いま彼の命令とあれば、宮中でも相府でも、行われないことはなかったが、禰衡は、首を横に振った。

「いやだ」

「なぜ、いやか」

「おおかた用向きは分っておるから、わしの任ではないと思うだけだ」

「予がまだ何もいわぬのに、使命は推察がつくというか」

「荊州の劉表を説いて、あなたの門に駒をつながせたら、あなたはたちまちご機嫌がよ

くなるだろう」

「その通りだ。劉表に会ってよく利害を説き、この曹操に降を誓わせて帰ったら——汝を宮中の学府に入れ、公卿として重く用いてつかわすが、どうだな」

「ははは、鼠が衣冠したら、さぞ滑稽であろう」

「予は、汝の一命を、汝に貸し与えておくものである。否も応もいわさん。すぐ出立せい」

曹操は、武官を顧みて、

「この者に、良い馬をとらせ、華々しく、酒肴を調えて、門出の餞別をしてつかわせ」

と、いいつけた。

人々は、禰衡をかこんで、わざと口々に囃したて、また、杯をあげて、彼にもしたたかに飲ませた。

そして東門廊まで大勢で送りだし、馬を引き寄せて、鞍の上まで手伝って押し上げた。

曹操はまた下知して、

「予の命をおびて出立する大使のために、一同、東門の外に整列して、見送りをいたせ」

と、いった。

さっき禰衡が、名声ある学者に対して、礼遇をしないという点をあげて罵っていたから、曹操は、さっそく彼の意を迎えて、この使者を有効に用いてやろうとする考えになっていたに違いない。しかし、それと分りきっていても、文武の諸官は、心外な様子を示して、

「あんな気のふれた乞食儒者に、厳かな列送の礼がとれるものか」

と、誰ひとり真面目に立つ者はいなかった。ことに、荀彧などは、ぷんぷん怒りながら、部下の兵に向って、公然と、

「禰衡がここへ出てきても、立って送る必要はないぞ。みんな坐っていてよろしい。あぐらを組んで、あいつが否応なく立ってゆく泣ッ面を見送ってやれ」と、いってはばからなかった。

馬に乗せられた禰衡は、やがて馬の歩むままに、壮大なる東華門のうちからのこのこ出てきた。

馬も使者も、しょぼしょぼとしていたが、内では歓送の声と、旺な音楽がどよめいていた。門を出て見ると、荀彧の隊にならって、どの兵隊も大将もあぐらを組んでうららかに坐りこんでいる。

「……ああ、悲しい」

禰衡は、馬をとめて、そう呟いていたが、たちまち声をはなって哭きだした。

日向の兵隊も日陰の兵隊もみなゲラゲラ笑い出した。荀彧は心地よげに、禰衡を見てからかった。

「先生。――晴れの首途に、何をそんなに泣くのでござるか」

すると禰衡は言下に答えた。

「見まわせば、数千の輩が、みな腰をぬかして、立つことを知らない。さながら死人の原だ。死人の原や死人の山のなかを行く。これが悲しくなくてどうしよう」

「われわれを死人だと。あははは、そういう貴様こそ、おれたちの眼から見れば、首のない狂鬼だぞ」

「いや、いや。わしは漢朝の臣だよ……」

禰衡の返辞は、まるで見当ちがいである。何をまた云いだそうとするのか、荀彧は面喰らったかたちで、眼をしばたたいた。

四

「なに漢朝の臣だと。――われわれもみな漢朝の臣だ。貴様ひとりが、なんで漢朝の臣か」

「そうだ、漢朝の臣は、ここにはわしひとりしか居ない。おまえ方はみな曹操の臣だろう」

「どっちでも同じこった」

「嘘をいえ、盲どもめ」

「盲だと」

「ああ暗い暗い、このとおり世の中は真っ暗だ。――聞けよ、蛆虫(うじむし)たち、この禰衡だけは、汝らとちがって、反逆者の臣ではないぞ」

「反逆者とは誰のことをいうか」

「もちろん曹操のことである。この禰衡(ねいこう)をさして、首のない狂鬼だなどとおまえ方はいうが、反逆者に与(くみ)するおまえ方の首こそ明日をも知れないものだ」

禰衡と荀彧(じゅんいく)の問答を、その周りで聞いていたほかの部将たちは、いよいよ憤って、

「荀彧！　なぜそいつを鞍から引きずり下ろしてしまわないのだ。おれたちの前へほうってくれ。膾斬(なますぎ)りに叩ッ斬ってくれるから」と戟や剣をひしめかした。

荀彧も、殺意と癇癪(かんしゃく)が、一緒にこみあげて、ひとの手を待つまでもなく、ただ一太刀にと思ったが、曹操でさえ、堪忍して使者に用いたものを、みだりにここで殺しては
――と、じっとこらえて、

「いや待て待て。丞相もさきほど仰せられた。こいつは鼠のごときものだと。鼠を斬ったら、おれたちの刀のけがれだ。まあ、鎮まれ鎮まれ」

禰衡は聞くと、馬の上から左右の大将たちを、キラキラ眺めまわして、

「とうとうわしを鼠にしおったな。だが、鼠にはなお人に近い性がある。気の毒だが、おまえ方はまず糞虫(くそむし)だ。糞壺(ふんこ)にうごめく蛆虫(うじむし)としかいえんな」

「なにをッ」

戟戛(げきかつ)して、つめよる諸将を、荀彧はやっと押しへだてて、

「まあ、いわしておけ、正気じゃない。いずれ荊州に行ってしくじるか、能もなく立ち帰って、大恥をさらすか、どっちにしろそれまで胴の上に乗ッかっている彼奴の首にすぎん。あははは、むしろ嗤え嗤え」

諸将から兵隊まで、こぞって嘲り嗤うなかを、禰衡は通って、禁門の外へのがれた。

或いは、そのまま家へ帰って、逃げかくれてしまいはせぬかと、二、三の兵があとを尾けて行ったが、そうでもなく、驢背の姿は、急ぎもせず、怠りもせず、黙々と、荊州の方角へ向って行った。

日ならずして、禰衡は、荊州の府に着いた。

劉表は、旧知なのでさっそく会うことは会ったが、内心、

(うるさい奴が来たものだ)と、いう顔つきである。

禰衡の怪舌は、ここでも控え目になどしていないから、使者の格で来た手前、大いに劉表の徳を称しはしたが、一面またすぐ毒舌のほうで相殺してしまうから何にもならなかった。

劉表はこころに彼を嫌い、うるさがっていたので、態よく、江夏の城へ向けてしまった。

江夏には、臣下の黄祖が守っている。黄祖と禰衡とは、以前、交際があったので、

「彼も会いたがっているし、江夏は風景もよく、酒もうまいから、数日遊んでおいでなさい」

と、態よく追い払ったのである。

その後で、ある人が、劉表に向って、不審をただした。

「禰衡の滞城中、おそばで伺っておると、実に無遠慮な――というよりも言語道断な奇舌をもてあそんで、あなたを罵り辱めておったが、なぜあなたは彼を殺しもせず、江夏へやってしまったのですか」

劉表は笑って答えた。

「曹操さえ忍んで殺さなかったのは、理由のあることに違いない。曹操の考えは、この劉表の手で、彼を殺させようとして、使者によこしたものだろう。もし自分が禰衡を殺したら、曹操はさっそく天下に向って、荊州の劉表は、学識ある賢人を殺したりと、悪(あ)しざまに吹聴(ふいちょう)するにきまっている。――誰がそんな策にのるものではない。曹操も喰えない漢(おとこ)だからな。はははは」

鸚鵡州

一

禰衡が江夏へ遊びに行っている間に、曹操の敵たる袁紹のほうからも、国使を差向けて、友好を求めてきた。

荊州は両国からひッぱり凧になったわけである。いずれを選ぶも劉表の胸ひとつにある。こうなると劉表は慾目に迷って、かえって大勢の判断がつかなくなった。

「韓嵩。其方の考えではどう思うな。曹操についたほうがよいか、袁紹の求めに従ったほうが利か?」

従事中郎将の韓嵩は、群臣を代表して、つつしんで答えた。

「要するに、その大方針は、あなたのお胸から先に決めなければなりますまい。もしあなたに天下のお望みがあるなら曹操に従うべきです。もし天下に望みがなければ、どっちでも歩のいいほうをにらみ合わせて荷担すればよろしいでしょう」

劉表の顔色を見ると、まんざら天下に望みがないふうでもない。で、韓嵩はまた云い足した。

「なぜならば、曹操は天子を擁し、その戦は、常に大義を振りかざすことができます」

「しかし袁紹の雄大な国富と勢力も侮れんが」

「ですから、曹操が敗れて、自ら破綻を生じ、いまの位置から失脚でもすれば、そこに必然彼に取ってかわる機会もあるというものではありませんか」

劉表はなお決しかねていたが、翌る日、また韓嵩をよび出して云いつけた。

「いろいろ考えてみたが、まず其方が都へのぼって、仔細に洛内の実情や、曹操の内ぶところをうかがって来ることがよいな。こっちの去就は、そのあとできめてもよかろう」

韓嵩はよろこばない色を示して、しばらく考えていたが、やがてそれに答えて、

「わたくしは節義を守る人間だということをお信じねがいます。あなたが天子に順なるを旨とされて、天子の下にある曹操とも提携して行こうというお考えならば、使いに参ってても心安くぞんじますが、もしそうでないと、わたくしは節義のために非常に苦境におちいるやも知れません」

「なぜそんな心配を抱くのか。わしには分らんが」

「てまえを都へお遣しになると、曹操はかならずわたくしの歓心を迎えましょう。また万一には天子から官爵をくだし賜わるかも知れません。諸州の臣下が上洛した場合の例を見てもそれが考えられます。……するとてまえは、正しく漢朝の恩を着ますし、また

漢家の臣であるに相違ありませんから、あなたに対しては故主、旧のご主人といったような気持になるかと思います。――そうなると事ある場合、天子の命に服しても、あなたのお為には働けないかも知れません」

「何かと思えば、そんな先の先までの取越し苦労をしているのか。諸州の雄藩の臣にも、朝廷から官爵をもらっている者はいくらでもあるではないか。まあ、わしにはわしとして、別に考えのあることじゃ。すみやかに都にのぼり、曹操の内幕や、虚実のほどを充分にさぐって来い」

韓嵩はやむなく命をうけて、荊州の物産や数々の珍宝を車馬に積み、数日ののち城下を発して許都へ向った。

彼はさっそく相府の門をおとずれて、多くの土産ものを披露した。

曹操は先ごろ自分の使いとして、禰衡をやってあるところへ変だなとは思ったが、ともかく対面して、好意を謝し、また盛宴をひらいて長途の旅をなぐさめたりなどした。そしてまた如才なく朝廷に奏請して、彼のために侍中零陵の太守という官職を与えて帰した。

半月ほど滞在して、韓嵩が都を立つと、すぐそのあとで、荀彧が、曹操のまえに出て云った。

「なぜあんな者を、無事に帰してしまわれたのですか。彼は、許都の内情をさぐりに来たものに違いない。それを賓客あつかいなどして、まことに言語道断である。もうすこし中央の府たるものは、他州の外臣に対して、戒心を厳にせねばなりませんな」

二

「もっともな言である」と、一応は聞いているようだったが、うなずきのなかに笑いをたたえて、曹操はやがて荀彧に諭した。

「予には、作戦以外に、虚実はない。だから何を探って帰ろうと、予の実力の正価を知って戻るのみで、かえって歓迎すべき諜客（ちょうかく）といえようではないか。——それにいま荊州へは禰衡（ねいこう）を派遣してある。予が期待しているのは、その禰衡を劉表の手で殺してくれることである。なにをそれ以上いま駈引きをする必要があろうか」

彼の高論に、荀彧も服し、諸人もなるほどと感心した。

一方の韓嵩は、荊州へ立ち帰ると、すぐ劉表にまみえて、許都の上下にみちている勃興気運のさかんなことを極力告げて、

「臣、愚考いたしますに、あなたの御子のうち、お一方様を、朝廷の仕官にさし出して、都へ人質として留めおかれたら、曹操も疑うことなく、従って将来、ご家運のほどもいよいよ長久と存じられますが」と、述べた。

気に入らないとみえて、劉表は彼の話なかばから横を向いていたが、突然、

「二心をいだく双股膏薬（ふたまたこうやく）め。——韓嵩を縛して斬り捨てい！」と、あたりの武士へ命じた。

武士たちは剣に手をかけながらさっと韓嵩のうしろに立った。韓嵩は手を振って叩頭百遍しながら、

「――ですから臣がお使いをうける前に、再三申しあげたではございませんか。わたくしは私の信じることを申しあげるのが、最善の臣道と心得、またお家の為と思っておすすめしたに過ぎません。お用いあるとないとは、あなたのお考え次第のことです」と、陳弁これ努めた。

侍臣の蒯良も、劉表のかたわらにあって共々、彼の言い訳をたすけて、

「韓嵩のいっていることは、少しも詭弁ではありません。彼は都へ立つ前にも、口を酸くして、今のとおりなことを申し述べていました。ですから、都へ行ったため、にわかに豹変したものとも、二心あるものともいえませぬ。――それに、彼はすでに、朝廷から恩爵をうけて帰りましたから、いま直ぐにご成敗ある時は、朝廷に対しても、おそれあること、平にここはご寛大にさしおかれますように」と懇願した。

劉表は、まだ甚だ釈然としない気色であったが、蒯良の事理明白なことばに、否むよしもなく、

「目通りはかなわん。死罪だけは許しておくが、獄に下げて、かたくつないでおけい」

と、命じた。

韓嵩は、武士たちの手に、引っ立てられながら、

「都へ行けばこうなる、荊州へ帰ればかくの如くなると、分りきっておりながら、遂

に、自分の思っていた通りに自分を持ってきてしまった。不信の末はかならず非業に終るし、信ならんとすれば、またこうなる。世に選ぶ道というものは難しい！……」

と、大きく嗟嘆をもらして行った。

彼の姿が消えると、すぐ入れちがいに、江夏から人が来て、

「賓客の禰衡が、とうとう黄祖のために殺されました」

という耳新しい事実を伝えてきた。

「なに、奇舌学人が……黄祖の手にかかって？」

予期していたことではあるが、そう聞くと、みな愕然とした色を顔にたたえた。劉表は、さっそく江夏からきた者を面前に呼び出して、

「どういう経緯で殺したのか、またあの奇儒が、どんな死方をしたか？」

と、半ば、曹操に対するおそれと、半ば、好奇心をもって自身訊ねた。

三

江夏の使いは、顚末を仔細にこう語りだした。——

その話によると、

禰衡は江夏へ行ってからも相変らずで、人もなげに振舞っていたが、ある時、城主の黄祖が、彼が欠伸しているのを見て、

「学人。そんなに退屈か」と、皮肉に訊ねた。

禰衡は、打ちうなずいて、

「なにしろ話し相手というものがないからな」

「城内には、それがしもおり、多くの将兵もいるのに、なんでまた」

「ところが一人として、語るに足る者はおらん。都は蛆虫の壺だし、荊州は蝿のかたまりだし、江夏は蟻の穴みたいなものだ」

「するとそれがしも」

「そんなもんじゃろ。何しても退屈至極だ。蝶々や鳥と語っているしかない」

「君子は退屈を知らずとか聞いておるが」

「嘘をいえ。退屈を知らん奴は、神経衰弱にかかっておる証拠だ。ほんとうに健康なら退屈を感じるのが自然である」

「では一夕、宴をもうけて、学人の退屈をおなぐさめいたそう」

「酒宴は真っ平だ。貴公らの眼や口には、酒池肉林が馳走に見えるか知らんが、わしの眼から見るとまるで芥溜めを囲んで野犬がさわいでいるような気がする。そんな所へすえられて、わしを肴に飲まれてたまるものか」

「否、否。……きょうはそんな儀式張らないで二人きりで飲りましょう。あとでお越し下さい」

黄祖は去ったが、しばらくすると、小姓の一童子をよこして、禰衡を誘った。

行ってみると、城の南苑に、一枚の莚と一壺の酒をおいたきりで、黄祖は待っていた。

「これはいい」

口の悪い禰衡も初めて気に入ったらしく、莚の上に坐った。

側には、一幹の巨松が、大江の風をうけて、颯々と天声の詩を奏でていた。壺酒はたちまち空になって、また一壺、また一壺と童子に運ばせた。

「学人に問うが……」と、黄祖もだいぶ酩酊して、唇をなめあげながら云いだした。

「学人には……だいぶ長いこと、都に居ったそうだが、都では今、誰と誰とを、真の英雄と思われるな？」

禰衡は、言下に、

「大人では孔文挙、小児なら楊徳祖」と、答えた。

黄祖は、すこし巻舌で、

「じゃあ、吾輩はどうだ。この黄祖は」と、片肱を張って、自分を前へ押しだした。

禰衡はからからと笑って、

「君か。君はまあ、辻堂の中の神様だろう」

「辻堂の神様？　それは一体どういうわけだ」

「土民の祭をうけても、なんの霊験もないということさ」

「なにッ。もう一ぺんいッてみろ」

「あははは。怒ったのか。——お供物泥棒の木偶人形が」

「うぬっ」

黄祖はかっとして剣を抜くやいなや、禰衡を真二つに斬り下げて、その満身へ、返り血をあびながら発狂したようにどなっていたということである。

「片づけろ片づけろ。この死体をはやく埋めてしまえ。此奴は死んでもまだ口をうごかしている！」

——以上。

ありのままな顚末（てんまつ）を聞いて、劉表も哀れを催したか、その後、家臣をやって、禰衡の屍（かばね）を移し、鸚鵡州（おうむしゅう）の河畔にあつく葬らせた。

禰衡の死はまた、必然的に、曹操と劉表との外交交渉のほうにも、絶息を告げた。

曹操は、禰衡の死を聞いた時、こういって苦笑したそうである。

「そうか、とうとう彼も自分の舌剣で自分を刺し殺してしまったか。彼のみではない。学問に慢じて智者ぶる人間にはままある例だ。——そういう意味で彼の死も、鴉（からす）が焼け死んだぐらいな意味はある」

太医吉平（たいいきっぺい）

一

そのむかし、まだ洛陽の一皇宮警吏にすぎなかった頃、曹操という白面の青年から、おれの将来を卜してくれといわれて、

「おまえは治世の能臣だが、また乱世の奸雄だ」

と予言したのは、洛陽の名士許子将という人相観だった。

怒るかと思いのほか、その時、曹操という素寒貧の一青年は、

「奸雄、結構結構」と、歓んで立ち去ったといわれている。

子将の予言はあたっていた。

しかし今日の曹操が在ることを誰が風雲のあいだに予見していたろう。歳月は長しといえどもまだそれから今日までわずか十数年の星霜しか過ぎていないのである。

或いは、曹操自身でさえ、こう早く天下の相貌が変って、現在のような位置になろうとは思いのほかであったかもしれない。

年といえば、まだ男ざかりの四十台で覇心いよいよ勃々たるものがある。

彼をして、かくも迅速に、今日の大を成さしめたものはもちろん彼自身の素質だが、それを扶けたのは彼をめぐって雲のごとく起った謀士良将の一群であり、とりわけ荀彧のような良臣の功も見のがせない。

荀彧は常にかれの側にいて、実によく善言を呈している。いまの彼は曹操の片腕とも

いうべき存在であった。

その荀彧は、ではどんなに老成した人物かというと、曹操より七ツも年下で、まだ三十だいの人物だった。

潁川の産れで家柄はよく、後漢の名家の一つで、傑士荀淑の孫にあたっている。名家の子や孫に、英俊はすくないが、荀彧はまだ学生の頃からその師何顒に、

「王佐の才である」と、歓称されていた。

王佐の才とは、王道の輔佐たるに足る大政治家の質があるということである。乱世にはめずらしい存在といわねばならぬ。

だから河北の袁紹なども、かつては、上賓の礼をとって、かれを迎えようとしたが、荀彧はいちど曹操と会ってから、たちまち肝胆相照らして、曹操の麾下へ進んで加わったものであった。

曹操には、やはりそれだけの魅力があった。曹操の長所のうちで最も大きな長所は有為な人物を容れるその魅力と包容力である。

かれもまた、よく士を愛し、とりわけ荀彧に対してなどは、

「君は予の張良である」とさえいって歓んだ。張良といえば、漢の高祖の参謀総長に位する重臣である――このことばの裏をうかがうと、ひそかに自分を漢の高祖に擬しているなど、かれの腹中には、なおなお底知れないものが蔵されている。

――であるからして、奇舌学人の禰衡が死んだことなどは、かれの眼から見れば、ま

ったく鴉が焼け死んだくらいな一笑話に過ぎなかったのもあたりまえである。

さはいえ、また。

かりそめにも曹操の使いとして立てた一国の使者であるものを、荊州の地で、しかも劉表の一部下が手にかけて殺したということは、重大な国際問題として取上げる材料になる。

「このままには捨ておきがたい。彼を討つよい口実でもある」

曹操はこの際、一気に大軍を向けて、荊州を奪ろうかと議した。

諸将も、奮いたったが、荀彧は賛成しなかった。その理由は、

「袁紹との戦も、まだ片づいていませんし、徐州には玄徳が健在です。それを半途に、また、東方に軍事を起すのは、心腹の病をあとにして、手足の瘡を先にするようなものでしょう。――まず病の根本たる袁紹から征伐し、つぎに玄徳をのぞき、江漢の荊州などはそれからにしても遅くはありません」というのであった。

かれの言に従って、曹操は、荊州への出軍を一時思いとどまった。

二

そういう風に、荀彧の言には、曹操もよく従った。

曹操が今日の成功をおさめ得た重大な機略の根本は、なんといっても朝廷の危急に際して、献帝のお身をいち早くこの許都へ奉迎したことにあるが――それも荀彧が最初か

ら、

「主上を奉じて人望に従う大順こそ、あなたの運命をひらく大道でもあります。他人に先んじられぬうちに早くご決行なさい」と、切にすすめた大策であったのである。

当時、他の諸将軍が、洛陽の離散から長安の大乱と果てなき兵燹乱麻のなかに、ただおたがいの攻伐にばかり日を暮し合っていた際に——ひとりそこへ着眼した若き荀文若——荀彧の達見はさすがのものであった。

袁紹の謀臣、沮授なども、同じ先見を抱いて、袁紹にその計をすすめたこともあるが、袁紹の優柔不断な性格がぐずぐずしているまに、機を逸して曹操に先を越されてしまい、歴代漢朝の名門でありながら、その強大な勢力も今では地方的な存在に置きかえられてしまったのである。

荀彧は、内治の策にも、着々と功績をあげてきた。

許都を中心に、屯田策を採用し、地方の良民のうえに、さらに人望のある戸長を用い、各州郡に田官というものをおいて、その単位を組織し善導し、大いに農耕を奨励したりしたので、一面戦乱のなかにありながら、産業は振興して、五穀の増産額だけでも年々百万石を超えてゆくという活況であった。

このように、今、許都は軍事経済の両面とも、盛大に向っていた。

けれど首府の殷賑がそのまま朝廷の盛大をあらわすものとはいえなかった。——許都の旺なるは、曹操の旺なるを示すだけに止まるものであって、極端な武権政治が相府というかたちでここに厳存し、朝廷の勢威も存立もかえって日ごとに薄れてきたかのごとく誰の眼にも見えてきた。

——ここに。

その推移をながめながら、怏々と、ひと知れず心を苦しめていたひとは、この国舅とよばるる車騎将軍——董承であった。

功臣閣の秘宮を閉じて、帝御みずからの血をもって書かれた秘勅をうけてから日夜、肝胆をくだいて、

「いかにして、曹操をころすべきか。どうしたら武家専横の相府をのぞいて、王政をいにしえに回復できようか」と、寝食もわすれて、そればかりに腐心していたが、月日はいたずらに過ぎ、頼みにしていた玄徳も都を去ってしまうし、馬騰も西涼へ帰ってしまった。

その後、一味の王子服などとも、ひそかに密会はかさねているが、何分にも実力がまるでなかった。公卿の一部でも、相府の武権派に対して、明らかに反感をいだいているし、曹操の驕慢独歩な宮門の出入ぶりをながめるにつけ、無念の思いを秘めている朝臣はかなりあったが、

「ぜひもない時勢」と、無気力なあきらめの中に自分を隠しておくことを、みな保身の術として口をむすんでいた。

董承は、そういううちに、病にかかって、日ましに容体も重り、近頃は、まったく自

邸に病臥していた。

帝は、かれの病の篤い由を聞かれると、ひと事ならずお胸をいためられて、さっそく典薬寮(てんやくりょう)の太医、吉平(きっぺい)というものに命ぜられて、かれの病を勅問された。

吉平は、みことのりを奉じて、さっそく董承のやしきへ赴いた。有難いお沙汰に、一門の者ども、出迎えに立ったが、その時、吉平のまえに進んで、薬籠を捧げ持ったのは、董家の召使いの慶童(けいどう)という小姓であった。

三

吉平はもと洛陽の人で本草(ほんぞう)にくわしく、夙(つと)に仁徳があって、その風采は神渺(しんびょう)たるものがあり、当代随一の名医といわれていた。

迎えに出た董一家の者にむかって、帝の優渥(ゆうあく)なる恩命を伝え、それから静かに病室へはいって、董承の容体をつまびらかに診察した。

「ご心配には及びません」

吉平は、慶童子の捧げている薬籠を取って、八味の神薬を調合(あわ)せ、

「これを朝暮にさしあげてください。かならず十日のうちにお元気になりましょう」

と、いって、その日は帰った。果たして、食慾もつき、容体も日ごとにあらたまってきた。けれど依然、病床から離れるほどにはならなかった。

「いかがですか」

吉平は毎日のように来て、かれの脈をみたり、舌苔(ぜったい)をのぞいていた。

「もうおよろしいでしょう。すこし苑(にわ)でも歩いてみるお気持になりませんか」

「……どうも、まだ」

董承は、仰向いたまま、板のように薄い自分の胸に、両手を当てながら顔を振った。

「おかしいですな。……もうどこもお悪くはないはずですが」

「……でも、すこし動くと、まだここが」

「お胸がくるしいので？」

「このとおり、何か話しても、すぐ語韻(ごいん)が喘(あえ)いでまいるのじゃ」

「ははは、神経ですよ」と、吉平(きっぺい)は笑い消したが、実はこの病人については、初めから吉平もこころのうちで首をかしげていた。実際、ひどく衰弱はしているが、単なる老衰(ろうすい)でもないし、持病らしい宿痾(しゅくあ)も見あたらないのである。

「時務のお疲れでしょう。何かひどく、心悸(しんき)を労されたことはありませんか」

「いや閑職の身じゃ。さしたることも……」

「左様ですかの。何せい、はやく国舅(こっきゅう)がおなおりくださらぬと、陛下のご軫念(しんねん)もひとかたではございませぬ。きのうも今朝も、ご下問がございました」

「…………」

陛下ということばを聞くと、董承(とうじょう)の瞼(まぶた)は涙をためてくる。眦(まなじり)から枕の布へしばし流涕がやまなかった。

きょうばかりではない。帝の御名が出るといつも彼の眼があやしく曇る。吉平はかれの病根とそれを思いあわせて、独り何かうなずいていた。

およそ一箇月ばかりの後の正月十五日のことだった。こよいは*上元の佳節というので、親族や知己朋友が集まっていた。董承も病室ではあるが、吉例として数献の酒をかたむけ、いつかとろとろと牀によって眠ってしまった。

………

……と。彼を取りかこんで、口々に云い逸る人々がある。

（国舅国舅。かねてのこと、成就の時はきましたぞ。荊州の劉表、河北の袁紹とむすび、五十万の軍勢をおこす。また西涼の馬騰、幷州の韓遂、徐州の玄徳なんども、各地から心をあわせて一せいに起ち、その兵七十万と聞えわたる。――曹操その故におどろきあわてて諸方へ討手をわかち、ために、洛内は今、まったく手薄となりました。相府、都市の警兵をあわせても、千人に足りますまい。――時しもこよいは上元の佳節、相府でも宴をひらいて乱酔しておること必定です。いでやすぐさまお越しあれ、一味のものは早、馬を寄せて、門前にお待ちもうしておりますぞ）

――誰かと見まわせば、血詔を奉じて、密盟に名をつらねている一味の王子服、种輯、呉碩、呉子蘭などの人々だった。

四

……董承がなお疑わしげに見まわしていると、面々は、かれの手を取り沓をそろえて、

(今こそ、天の与える時節。はや陣頭に立って、一挙に曹操を討ちとり給え)

と、病室から拉して行った。

見れば、邸の門々には、味方の兵がみちている。董承もそれに励まされて、物具を着こみ、槍をひッさげ、郎党の寄せる馬上へとび移るや、攻め鼓の潮とともに、相府の門へ襲せかけた。

火を八方から放ち、味方の勇士と共に府内へなだれ入った。

(逆賊曹操、逃ぐるな)と、火中に敵を追いまわし追いまわして、槍も砕け、剣も火と化すばかり戦ううち、焔々たる炎のなかに、曹操の影が、ぱっと不動明王のように見えた。

(おのれっ、居たかっ)

跳びかかって、董承が大剣を加えると、曹操の首は、一炬の火の玉となって、宙へと飛び上がった。……あれよと、仰ぐうちにも、焔の首は黒煙をつらぬいて、どこまでもどこまでも昇天して行き、やがて、その赤きもあまりに遠ざかって薄れたかと思うと、白玲瓏たる十五夜の月が、下界を嘲笑うかのように満々と雲間にかかっていた。——

…………

「……ううむ。う、う、む」

董承はうなされていた。

「国舅国舅。いかがなされた？」

しきりと自分をゆり起していた者がある。董承はハッと眠りからさめて、その人を見ると、こよい客として奥に来ていた侍医の吉平であった。

「ああ。……さては、夢？」

遍身の汗に、肌着もしとどに冷えていた。

そのひとみは、醒めてまだ落着かないように、天井を仰いだり、壁を見まわしていた。

「水などひと口おあがりなされたがよい」

「ありがとう。……ああ、あなたじゃったか、なにか、わしは囈言をいうたかの」

「国舅……」と、吉平は声をひそめて、病人の手をかたく握った。

「ようやくあなたの病根をつきとめました。──あなたのご病気は、あなたの腹中にも爪のさきにもない。乱脈な世の大患を、ふかくそのお心に煩って、悪熱をやどし、一面には、漢室の衰えに痛恨して、お食もすすまぬ重態となられたのでござろうが」

「……えっ」

「おかくしあるな、それも病を篤うさせた原因の一つです。日頃からおよそは、察していましたが、それほどまでにお覚悟あって、君のため三族を捨てて、忠義の鬼とならんと遊ばすお心根なら、この吉平もかならずお力添えいたしましょう。──いや、あなたのご病気を誓って癒して進ぜましょう」

「国手、なにを申されるか。壁にも耳のある世間、めったなことを……」

「まだ、それがしをお疑いか。医は人間の病をなおすことのみが能ではない。真の太医は国の患いも医すと聞いている。わたくしに、それほどな力はないが、志はあるつもりなのに、意志の薄弱な長袖者と思われておつつみあそばさるるか――」

そう嘆じると、吉平は指を口へ入れて、ぶっと喰いやぶった。そして、他言せぬという誓いを、血をもって示した。

董承は、愕として、その面を見つめていたが、吉平の義心を見きわめると、今はこの人につつむ理由もないと、一切の秘事をうちあけた後、血詔の衣帯をとり出して示した。

吉平はそれを拝すると、共々、漢朝のために哭いて、やがて威儀を改めていうには、

「ここに大奸曹操を一朝にして殺す妙策があります。しかも兵馬を用いず、庶民に兵燹の苦しみも及ぼさずに行えることですから、わたくしにお任せおき下さるまいか」

「そんな妙計があろうか」

「かれは健康ですが、ただ一つ*頭風の持病をもっているので、その持疾が起ると、狂気のごとく骨髄の痛みを訴えます。それに投薬するものは、わたくし以外にありません」

「あっ？　……では毒を」

ふたりは、ひたと口をつぐんだ。その時、室の帳外に、風のないのに、何やら物の気

配のうごく気がしたからであった。

美童

一

冬をこえて南枝の梅花のほころぶを見るとともに、董家の人々も眉をひらいた。近ごろ主人の董承はすっかり体も本復して、時おり後閣の春まだ浅い苑に逍遥する姿などを見かけるようになったからである。

「……雁が帰る。燕が来る。春は歩いているのだ。やがて、吉平からも何かいい報らせがあろう」

かれの皮膚には艶が出てきた。眉に希望があらわれている。

（一服の毒を盛って、曹操の一命を！）

正月十五日の夜、吉平のささやいたことばがたえず耳の底にある。その実現こそ、彼の老いた血にも一脈の熱と若さを覚えさせてくる待望のものだった。天地の陽気はまさに大きくうごきつつあることを彼は特に感じる。

こよいも彼は食後ひとり後苑へ出て疎梅のうえの宵月を見出していた。薫々たる微風が梅樹の林をしのんでくる。――彼の歩みはふと止まった。

一篇の詩となるような点景に出会ったからである。

男と女だった。

ふたりは恋を語っている。

暗香疎影――ふたつの影もその中のものだし、董承の影と明暗の裡にたたずんでいるので――彼らはすこしも気がつかないらしい。

「……一幅の絵だ」

董承は口のうちで呟きながら、恍惚と遠くから見まもっていた。

水々しい春月が、男女の影に薄絹をかけていた。男はうしろ向きに――羞恥んでいるのか、うつ向いて爪を噛んでいる。

背中あわせに、女はそこらの梅を見ていた。そのうちに、女から振向いて、何か、男に云いかけたが、男はいよいよ肩をすぼめ、かすかに顔を横に振った。

「お嫌？」

女は、思いきったように、ひら――と寄ってのぞきこんだ。

その刹那、老人の体のなかにもあった若い血は、とたんに赫怒となって、

「不義者めッ」と、突如な大声が、董承の口を割ってでた。

男女はびっくりしてとびはなれた。もちろん董承のあたまにはもうそれを詩と見てい

ることなど許されない。——女性は後閣に住んでいる彼の秘妾であり、男はかれの病室に仕えていた慶童子とよぶ小さい奴僕だった。

「この小輩め。不、不埒者めが！」

董承は逃げる慶童の襟がみをつかんで、さらに大声で彼方へどなった。

「誰ぞ、杖を持ってこい、杖と縄を」

その声に、家臣たちが、馳けつけてくると、董承は、身をふるわして杖で打てといいつけた。

秘妾は百打たれ、慶童は百以上叩かれた。

それでもなお飽きたらないように、董承は、慶童子を木の幹に縛らせた。そして秘妾の身も後閣の一室に監禁させた。

「疲れたから今夜は眠る」と、ふたりの処分を明日にして自分の室へかくれてしまった。

ところが、その夜中、慶童は縄を嚙み切って逃げてしまった。

高い石塀を躍りこえると、どこか的でもあるように深夜の闇を跳ぶがごとく馳けていた。

「見ていやがれ、老いぼれめ」

美童に似あわない不敵な眼を主人の邸へふり向けていった。もとより幼少の時、金で買われてきた奴隷にすぎないから、主従の義もうすいに違いないが、生れつき容姿端麗な美童だったから、董承も身近くおいて可愛がり、家人もみな目をかけていた者だった。

——にも関わらず、慶童は、怨むことだけを怨んだ。その奴隷根性の一念から怖るべき仕返しをこころに企んで、彼はやがて盲目的に曹操のところへ密訴に馳け込んでいた。

二

時ならぬ深夜、相府の門をたたいて、

「天下の大変をお訴えに出ました。丞相を殺そうとしている謀叛人があります」

と、駈け込んで来た一美童に、役人たちは寝耳に水の愕きをうけた。

いやもっと愕いたのは、慶童の口から、董承一味の企てを、直接聞きとった曹操自身であった。

「どうして其方は、そんな主人の大事を、つぶさに知っておるのか。そちも一味の端くれであろうが」

とわざと脅しをかけてみると、慶童はあわてて顔を横に振って、

「滅相もないことを仰っしゃいませ。私は何も存じませんが、正月十五日の夜、いつもくる典医の吉平と主人が、妙に湿ッぽく話しこんでいたり、慨嘆して哭いたりしていますので、次の間の垂帳のかげでぬすみ聞きしていましたところ、いま申しあげたように、

丞相様に毒を盛って、他日きっと殺してみせると約束しているではございませんか……。怖ろしさのあまり身がふるえ、それからというもの、私は主人の顔を仰ぐのも何だか恐くなっておりました」

曹操は動じない面目を保とうとしていたが、明らかに、内心は静かとも見えなかった。

階下の家臣に向って、

「事の明白となるまでその童僕は府内のどこかへ匿(かく)まっておけ。なお、この事件については、一切口外はまかりならぬぞ」と、云い渡し、また慶童に対しては、

「他日、事実が明らかになったならば、其方にも恩賞をつかわすであろう」といって退けた。

次の日、また次の日。相府の奥には不気味な平常のままが続いていた。――と思うと、あれから四、五日目の明け方のことだった。にわかに一騎の使いが駈けて、典医吉平の薬寮を訪ね、

「昨夜から丞相がまたいつもの持病の頭風をおこされ、今朝もまだしきりと苦しみを訴えておられまする。早暁お気のどくでござるが、すぐご来診ねがいたい」

との、ことばであった。

吉平は心のうちでしめたと思ったが、さあらぬ態で、

「すぐお後より――」と先に使いを帰しておき、さてひそかに、かねて用意の毒を薬籠

の底にひそめ、供の者一名を召しつれ驢に乗って患家へ赴いた。

曹操は、横臥して、彼のくるのを待ちかねていた。

自分の顔を、拳で叩きながら、吉平の顔を見るなり、たまらないように叫んだ。

「太医、太医。はやくいつもの薬を調合せてこの痛みをのぞいてくれい」

「ははあ、またいつものご持病ですな。お脈にも変りはない」

次の間へさがると、彼はやがて器に熱い煎薬を捧げてきて、曹操の横たわっている病牀の下にひざまずいた。

「丞相。お服みください」

「……薬か」

片肱をついて、曹操は半身をもたげた。そして薬碗からのぼる湯気をのぞきながら、

「いつもと違うようだな。……匂いが」と、つぶやいた。

吉平は、ぎょっとしたが、両手で捧げている薬碗にふるえも見せず、なごやかな目笑を仰向けて答えた。

「丞相の病根を癒し奉ろうと心がけて、あらたに媚山の薬草を取寄せ、一味を加えましたから、その神薬の薫りでございましょう」

「神薬。……嘘をいえ。毒薬だろう！」

「えっ」

「飲め。まず其方から飲んでみせい。……飲めまい」

「………」

「なんだ、その顔色は！」

がばと、起つや否、曹操は足をあげて、煎薬の碗と共に、吉平の顎を蹴とばした。

「この藪医者を召捕れっ」

次いで、彼の吶号がとどろいた。応っ——とばかり一団の壮丁は、声と共にとびこんできて、吉平を高手小手に縛りあげてしまった。

三

吉平の縄じりをとって、相府の苑にひき出した武士獄卒たちは、

「さあ、ぬかせ」

「誰にたのまれて、丞相に毒をさしあげたか」

と、打ち叩いたり、木の枝に逆しまに吊るしあげたりして拷問したが、

「知らん。むだなことを訊くな」

とばかりで、吉平は悲鳴一つあげなかった。

曹操は、侍臣を見せにやって、

「容易に口をあくまい。こっちへひっぱって来い」と、命じた。

聴訴閣の一面に座を設け、やがて階下にひきすえられた吉平を、曹操は、くわっと睨めつけて云った。

「老いぼれ、顔をあげろ。医者の身として、予に毒を盛るなど、ただごとの謀ではあるまい。汝をそそのかした背後の者をのこらず申せ。さすれば、そちの一命だけは助けてとらそう」

「ははは」

「汝、なにを笑うか」

「おかしいゆえ、笑うのみじゃ。おん身を殺さんと念じる者、ひとりこの吉平や、わずかな数の人間と思うか。主上を僭し奉る憎ッくき逆賊、その肉を啖わんと欲するものは、天下に溢るるほどある。いちいちそんな大勢の名があげられようか」

「口幅たいヘボ医者め。何としても申さぬな。きっといわんな」

「益なき問答」

「まだ拷問が足らんとみえる。もっと痛い目をみたいか」

「事あらわれたからには、死ぬるばかりが望みじゃ。ひと思いに斬りたまえ」

「いや、容易にはころさぬ。獄卒ども、この老医の毛髪がみな脱け落ちるまで責めつけろ。息の根の絶えぬほどに」

下知をうけると、獄卒たちは仮借をしない。あらゆる方法で吉平の肉身をいじめつけた。けれど吉平の容子は――その五体の皮肉こそ朱にまみれてはいたが――常の落着きとすこしも変るふうはなかった。

むしろ見ている人々のほうが凄惨な気につつまれてしまった。曹操は余り度をこし

て、臣下の胸に自分を忌み厭うものの生じるのをおそれて、

「獄に下げて、薬をのませておけ、毒薬でなくてもよろしいぞ」

と、唾するように云った。

それからも連日、苛責はかれに加えられたが、吉平はひと口も開かなかった。ただ次第に、乾魚のように肉体が枯れてゆくのが目に見えて来るだけである。

「策を変えよう」

曹操は一計を按じて、近ごろ微恙であったが、快癒したと表へ触れさせた。そして、招宴の賀箋を知己に配った。

その一夕、相府の宴には、踵をついでくる客の車馬が迎えられた。相府の群臣も陪席し、大堂の欄や歩廊の廂には、華燈のきらめきと龕の明りがかけ連ねられた。

こよいの曹操はひどく機嫌よく、自身、酒間をあるいて賓客をもてなしなどしている風なので、客もみな心をゆるし、相府直属の楽士が奏する勇壮な音楽などに陶酔して、

「宮中の古楽もよいが、さすがに相府の楽士の譜は新味があるし、哀調がありませんな。なんだか、心が濶くなって、酒をのむにも、大杯でいただきたくなる」

「譜は、相府の楽士の手になったものでしょうが、今の詩は丞相が作られたものだそうです」

「ほう。丞相は詩もお作りになられますか」

「迂遠なことを仰っしゃるものではない。曹丞相の詩は夙に有名なものですよ。丞相は

あれでなかなか詩人なんです」

そんな雑話なども賑わって酒雲吟虹、宴の空気も今がたけなわと見えた折ふし、主人曹操はつと立って、

「われわれ武骨者の武楽ばかりでも、興がありますまいから、各位のご一笑までに、ちょっと、変ったものをご覧に入れる。どうか、酒をお醒ましならぬように」

と、断りつきの挨拶をして、傍らの侍臣へ、何か小声でいいつけた。

四

なにか余興でもあるのかと、来賓は曹操のあいさつに拍手を送り、いよいよ興じ合って待っていた。

ところが。——やがてそこへ現れたのは、十名の獄卒と、荒縄でくくられた一名の罪人だった。

「……？」

宴楽の堂は、一瞬に、墓場の坑みたいになった。曹操は声高らかに、

「諸卿は、このあわれな人間をご承知であろう。医官たる身でありながら、悪人どもとむすんで、不逞な謀をしたため、自業自得ともいおうか、予の手に捕われて、このような醜態を、各〻のご酒興にそなえられる破目となりおったものである。……天網恢々、なんと小癪な、そして滑稽なる動物ではないか」

「…………」

もう誰も拍手もしなかった。

いや、咳一つする者さえない。

ひとり、なお余息を保っている吉平は、毅然として、天地に恥じざるの面をあげ、曹操をにらんで云った。

「情けを知らぬは大将の徳であるまい。曹賊。なぜわしを早く殺さぬか。——人は決してわしの死を汝に咎めはしまい。けれど人は、汝がかくの如く無情なることを見せれば、無言のうちに汝から心が離れてゆくぞ」

「笑止な奴。そのような末路を身で示しながら、誰がそんな口賢いことばに耳をかそうか。獄の責苦がつらくて早く死にたければ、一味徒党の名を白状するがよい。——そうだ、各〻、吉平の白状を聞き給え」

彼は直ちに、獄吏に命じて、そこで拷問をひらき始めた。

肉をやぶる鞭の音。

骨を打つ棒のひびき。

吉平のからだは見るまに塩辛のように赤くくたくたになった。

「…………」

満座、酒をさまさぬ顔はひとつとしてなかった。

わけてもがくがくと、ふるえおののいていたのは、王子服、呉子蘭、种輯、呉碩の四人だった。

曹操は、獄吏へ向って、

「なに、気を失ったと。面に水をそそぎかけて、もっと打て、もっと打て」と、励ました。

満水をかぶると、吉平はまた息を吹きかえした。同時に、その凄い顔を振りながら、

「ああ、わしはたッた一つ過った。――汝にむかって情を説くなど、木に魚を求めるよりも愚かなことだった。汝の悪は、王莽に超え、汝の姦佞なことは、董卓以上だ。いまに見よ。天下ことごとく汝をころして、その肉を啖わんと願うであろう」

「いうてよいことはいわず、いえばいうほど苦しむことをまだ吐くか」

曹操は、沓をあげて、彼の横顔を蹴った。吉平は大きなうめき声をだして絶え入った。

「殺すな。水をのませろ」

酒宴の客はみなこそこそと堂の四方から逃げだしていた。

王子服達の四人も、すきを見てぱっと扉のそばまで逃げかけたが、

「あ、君達四人は、しばらく待ちたまえ」

と、曹操の指が、するどく指して、その眼は、人の肺腑をさした。

王子服達のうしろには、すでに大勢の武士が墻をつくっていた。曹操は冷ややかに笑いながら四人の前へ近づいてきた。

「各〻には、そう急ぐにもあたるまい。これから席をかえて、ごく小人数で夜宴を催そう。……おいっ、特別の賓客をあちらの閣へご案内しろ」

「はっ。……歩け！」

一隊の兵は、四人の前後を、矛や槍でうずめたまま、一閣の口へながれこんだ。呉子蘭の足も王子服の足も明らかにふるえていた。四人の魂はもうどこかへ飛んでしまっている。

五

やがて後から曹操が大股に歩いて入ってきた。

胸におぼえのあることなので、王子服らの四人は、かれの眼を、正視できなかった。

「君たちは、この曹操を殺したがっておるそうだな。董承の邸にあつまって、だいぶ相談したそうじゃないか」

激語になると、曹操は、白面の一書生だった頃の地金が出てくる。また彼はその洛陽時代には、宮門の警吏をしていたので、罪人に対する手ごころは巧みでことのほか峻烈だった。

「い、いいえ。……丞相。……何かおまちがいではありませんか」

王子服が、空とぼけて、顔を振りかけると、その頬を、いやというほど平手で撲って、

「ひとを愚にするな。そんな小役人へするような答えに甘んじる曹操ではない」

「お怒りをしずめて下さい。董承の家に集まったのは、まったく平常の交わりにすぎません」

「平常の交わりに、血書の衣帯などを拝み合うのか」

「えっ。……な、なに事を仰せられるのか、とんと思いあたりがございませんが」

「ふ、ふん……」

曹操は、鼻さきで白々と笑いながら、閣の入口をふり向いてどなった。

「兵士！　慶童をそれに連れてきておるか」

「ひきつれて来ました」

「よしっ。ここへ突きだせ」

「はっ」

番兵が手をあげると、階下にどよめいている兵たちが、美少年慶童をひっ張ってきて、四人のまえに突き仆した。

曹操は指さして、

「この者を存じておるか」と、いった。

王子服も呉子蘭も、あっと色を失った。种輯は、愕きのあまりとびあがって、

「慶童！　慶童ではないか貴様は。いったい何だってこんな所へ出てきたのだ」

慶童はそれに対して、小賢しい唇を喋々とうごかした。

「何しに来ていたって、大きなお世話でしょう。それよりもお前さんたちは、もう観念したらどうです。いけませんよ。そんなそらッとぼけた顔していたって」

「こ、この小輩め！　何を申すか、身に覚えもないことを」

「覚えがなければ、もう、落着いていたらどうです。お前さんたち四人に、馬騰、玄徳も加わって一味六人が、義状に連判したのはあれは何日でしたッけね」

「うぬっ」

种輯が跳びかかろうとすると、曹操は横あいから、その脛を跳ねとばした。

「不逞漢めっ。予の面前で、予の生き証人を何とする気だ。――汝らことごとく前非を悔い、ここにおいて有ていにすべてを自白すればよし、さもなくば、難儀は一門三族にまで及ぶがどうだ！」

「……………」

「泥を吐け。――素直に一切を、ここに述べて、予のあわれみを乞え」

すると、四名ひとしく毅然と胸をならべて答えた。

「知らん！」

「存ぜぬ！」

「覚えはない！」

「いかようにもなし給え！」

曹操はずいと身を退いて、四つの顔を一様に見すえていたが、

「よしっ、もう問わん」

ひらりと、閣外へ身をうつし、兵のあいだを割って、彼方へ立ち去ってしまった。

もちろん閣の口はすぐ厳重に閉ざされ、鉄槍の墻をもってぐるりと昼夜かこまれていた。

次の日。

曹操は、千余の騎兵をしたがえ、車馬の行装もものものしく公然と、国舅董承の邸を訪問した。

火か人か

一

董承に対面を強いて、客堂で出会うとすぐに曹操は彼にただした。

「国舅のお手もとへは、予から出した招待の信箋が届かなかったであろうか」

「いや、ご書箋はいただいたが、折返して不参のおもむきを、書面でお断り申しあげてある」

「昨夜の会に、百官みな宴に揃いながら、国舅ひとりお顔が見えん。いかなるわけでご不参だったか」

「されば、昨年からの痼疾の病のため、心ならずも」

「はははは。卿の痼疾の病は、吉平に毒を盛らせたら癒えるものであろう」

「げッ。……な、なんのお戯れをば」

董承は、震い恐れた。

語尾はかすれて、歯の根もあわない。曹操はその態を白眼に見て、

「近ごろも、太医吉平と、お会いあるか」

「い、いえ、久しく会いませぬが……」

従えてきた武士へ向って、あの者をここへ連れてこいと命じた。言下に、三十余名の獄吏と兵は、客堂の階下へ、物々しく吉平をひきすえた。

踉踉とよろめいてきた吉平は、幽鬼のごとく、ぺたとそれへ坐ったが、しかも烈しい眼光と呼吸をもって、

「天をあざむく逆子、いつか天罰をうけずに済もうか。これ以上、わしを拷問して何を得るところがある」と、彼のほうから叫んだ。

曹操は、耳にもかけず、

「王子服、呉子蘭、呉碩、种輯の四人はすでに捕えて獄に下したが、そのほかにまだもう一名、不逞の首魁が、この都のうちにおるらしい。……国舅、あなたにもお心当り

はないかな？」

「………」

董承は生ける心地もなく、ただあわてて顔を横に振った。

「吉平。汝は知らんか」

「知らぬ」

「汝に智恵をさずけて、予に毒をのませんと計った首謀者は何者か」

「三歳の童子ですら、みずから為すことはみずから知る。朝廷破壊の逆臣、天に代って、生命をとらんと誓ったのは、かくいう吉平自身である。何でひとの智恵を借ろうか」

「舌長な曲者め。しからば、汝の手の指のひとつ足らぬは如何なるわけか」

「すなわち、この指を咬み切って悪逆曹操をかならず討たんと、天地に誓いをたてたのじゃ」

「ええ、いわしておけば」

と、曹操は、獅子のごとく忿怒して、残る九本の指をみな斬り落せと獄吏に命じた。

吉平は、ひるむ気色もなく、九本の指を斬られてもまだ、

「われ口あり、賊を呑むべし。われ舌あり賊を斬るべし」とさけんだ。

「その舌を引き抜いてしまえ」

曹操の大喝に、獄卒たちが彼を仰向けに押したおすと、吉平は初めて絶叫をあげ、

「待て。待ってくれ。舌を抜かれてはたまらん。乞う。しばしわしの縄を解いてくれい。この上はわしの手で、首謀者を丞相の前へ突きだして見せるから」と、いった。

「望みにまかせて解いてやれ。狂いだそうと、何ほどのこともなし得まい」

曹操のことばに、彼は縄を解かれた。

吉平は大地に坐り直し禁門のほうに向って両手をつかえた。そして流涕滂沱、再拝して後いった。

「――臣、不幸にしてここに終る。実に、極まりもございませんが、天運なんぞ悪逆に敗れん。鬼となっても禁門を守護しておりますれば、時いたる日を御心ひろくお待ちあそばすように」

曹操は雷火のように立ち上がって、

「斬れッ！」

と、どなったが、兵の跳びかかる剣風も遅しとばかり吉平はわれと吾が頭を、階の角にたたきつけて死んでしまった。

二

凄愴の気はあたりをつつむ。

その凄気を圧して、

「次に、慶童をひき出せっ」と、曹操の叱咤はいよいよ烈しい。一片の情、一滴の涙も知らぬような面は、閻王を偲ばしめるものがあった。

呼びだした慶童を突きあわせて、董承の吟味にかかる段となると、彼の姿は、火か人か、猛言辛辣、彼の部下すら、正視していられないほどだった。

董承も初めのうちは、

「知らぬ、存ぜぬ。いっこう覚えもないことじゃ。何とてわしを、さように嫌疑したもうか」と、あくまで彼の厳問を拒否していたが、なにしろ召使いの慶童が、傍からいろいろな事実をあげて、曹操の調べにうごかぬ証拠を提供するので、にわかに、云いぬけることばを失って、がばと床にうっ伏してしまった。

「恐れ入ったかっ」

勝ちほこるが如く曹操が雷声を浴びせると、とたんに董承は身を走らせて、

「ここな人非人めが」と、慶童の襟がみをつかんで引き仆し、手ずから成敗しようとした。

「国舅に縄を与えい！」

曹操の部下は、その峻命にこたえて、一斉におどりかかり、たちまち、董承に縛をかけて、欄階にくくりつけてしまった。

そして客堂をはじめ、書院、主人の居室、家族の後房、祖堂、宝庫、傭人たちの住む邸内の各舎まで、千余の兵でことごとく家探しをさせ、ついに、血詔の御衣玉帯と共に、一味の名を書きつらねた血判の義状をも発見して、ひとまず相府へひきあげた。

もちろん董一家の男女は一名もあまさず捕われ、府内の獄に押しこめられたので、哀号悲泣(あいごうひきゅう)の声は憐れというもおろかであった。

　時に、荀彧は、府門を通って、思わず耳をおおい進んで曹操の座側へのぼると、さっそく彼に向って質(ただ)した。

「遂に、激発なされましたな。これからの処置をどうなさるおつもりですか」

「荀彧か。いくら予が堪忍づよくても、これに対して平気ではおられん」と、帝の血詔と、義盟の連判とを、荀彧の眼のまえに示し、なお冷めやらぬ朱の眦(まなじり)を吊って云った。

「――見よこれを。献帝の今日あるは、ひとえにこの曹操が功ではないか。平安燼滅(へいあんじんめつ)のあと、新都の建業、王威の恢復など、どれほど粉骨砕身してきたか知れん。しかるに、いまとなってこの曹操をのぞかんとするは何事であるか、暴に対しては暴をもって酬うが予の性格である、逆子乱臣と呼ばば呼べ、予は決意した。いまの天子をのぞいて、他の徳のある天子を立てようと」

「お待ちなさい」

　荀彧はあわてて、彼の激語をさえぎりながら、

「いかにも、許都の中興は、一にあなたの勲(いさおし)にちがいありません。――けれどその勲功も帰するところ、天子を奉戴(ほうたい)したからこそできたことでしょう。もしあなたの旗のうえに、朝威がなかったら。あなたの今日もありませんでした」

「うむ。それには違いないが……」

「それを今、あなた自身が、朝廷の破壊者となったら、その日からあなたの府軍には、もう大義の名はありませんぞ。同時に、天下があなたを視る眼は一変します」

「分った。もういうな」

曹操は、自分の胸の火を、自分で消しまわるに苦しんでいるようだった。

人いちばい明晰な理念と、人いちばい烈しい感情とが、ここ数日、いかに彼を懊悩させたかは、他人の想像も及ばなかった。しかも彼の充血した眼は容易に冷静に返り得ないのである。その結果として、董承の一家一門、そのほか王子服、呉子蘭などの一党とその家族ら、あわせて七百余人は、都のちまたを引き廻されて、一日のうちにみな斬殺されてしまった。

三

董貴妃は深窓にあるうちから美人の誉れがあった。召されて、宮中に入り、帝の寵幸をたまわってから、やがて身は懐妊のよろこびを抱いていた。

彼女は董承の娘であった。

虫のしらせか、その日貴妃は、なんとなく落ち着かない。絶えず胸さわぎのようなものを覚えていた。

秘園の春は浅く、帳裡の瓶花はまだ紅唇もかたい。

「貴妃、すぐれない顔色だが、どこか悪いのではないか」

帝は、伏皇后を伴うて、共に彼女の後宮を見舞われた。

貴妃は、雲鬢重たげに、

「いいえ……」と、かすかに花顔を横に振っていう。

「なんですか、ふた晩つづいて、父の夢を見たものですから」

そう聞くと、帝も皇后も、ふと眉をくもらせた。董承のことはかねがねべつな意味で、案じられているところである。

折ふし、宮中に騒然たる物音がわきはじめた。何事かと疑っているうちに、後宮の碧門を排し、突忽として姿を現した曹操と武士たちが、玉廊を渡ってこれへ馳けてきた。

曹操は、突っ立ったまま、

「ああ。何たる悠長さだ。陛下。董承の謀叛もご存じないのか」と、声を励ましていった。

帝は、冷静に、

「董卓は、もう亡んでいる」と、機智をもって答えられた。

「董卓などのことではありません！　車騎将軍董承のことである」

「えっ……董承がどうしたというのか。朕は何事もわきまえぬが」

「御みずから指をかみやぶり、玉帯に血詔を書いて降し給うたことはもうお忘れか」

愕然、帝は魂を天外へ飛ばし、龍顔は蒼白となって、わななく唇からもう御声も出なかった。

「一人謀叛すれば九族滅すという。知れきった天下の大法である。——それッ武士ども、董承のむすめ貴妃を、門外にひき出して斬ってしまえ」

曹操の下知に、帝も皇后も、のけ反るばかり愕かれて、臣下たる彼へむかって、万斛の涙をながして憐愍を乞うたが、曹操は、頑としてきかない。彼の満面、彼の全身、さながら憤情の炎であった。

貴妃もまた曹操の足もとへ伏し転んで、

「自分のいのちは惜しみませんが、胎内のお子を産みおとすまで、どうかお情けに、生きることをゆるして下さい」と、慟哭して訴えた。

曹操の感情も、極端に紛乱していたが、われとわが半面の弱気を、強いて猛罵するかのように、

「いかん！　いかん！　かなわぬ願いだっ。逆賊の胤を世にのこしおけば、やがて予に対して祖父の讐の母の仇のと、後日のたたりをなすは必定である。——これまでの運命と思いあきらめ、せめて屍を全うしたがいい」

と、一すじの練帛をとり寄せて、貴妃の眼のまえにつきつけた。斬られるのがいやなら自決せよという酷薄無残な宣告なのである。

貴妃は哭いて、練帛を手にうけた。悲嘆に狂乱された帝は、

「妃よ、妃よ、朕をうらむな。かならず*九泉の下にて待て」

と、さけばれた。

「あははは。女童（めわらべ）みたいな世まい言を」

曹操は、強いて豪笑しながら、しかもさすがに、そこの悲鳴号泣には、耳をふさぎ眼をそらして、大股に立ち去ってしまった。

哀雲後宮をつつみ、春雷殿楼をゆるがして、その日なお董承と日ごろ親しい宮官何十人が、みな逆党の与類と号されて、あなたこなたで殺刃をこうむった。

曹操は血を抱いて、やがて禁門を出ずると、直ちに、自身直属の兵三千を、御林の軍と称して諸門に立てさせ、曹洪（そうこう）をその大将に任命した。

小児病患者

一

粛正の嵐、血の清掃もひとまず済んだ。腥風（せいふう）都下を払って、ほっとしたのは、曹操よりも、民衆であったろう。

曹操は、何事もなかったような顔をしている。かれの胸には、もう昨日の苦味も酸味もない。明日への百計にふけるばかりだった。

「荀彧。――まだ片づかんものが残っておるな。しかも大物だ」

「西涼の馬騰と、徐州の玄徳でしょう」

「それだ。両名とも、董承の義盟に連判し、予に対して、叛心歴々たるものども。何とかせねばなるまい」

「もとより捨ておかれません」

「まず、そちの賢策を聞こう」

「由来、西涼の州兵は、猛気さかんです。軽々しくは当れません。玄徳もまた徐州の要地をしめ、下邳、小沛の城と掎角の備えをもち、これも小勢力ながら、簡単に征伐はできないかと思われまする」

「そう難しく考えたら、いずれの敵にせよ、みな相当なものだから、どっちへも手は出まい」

「河北の袁紹なくんば憂いはありませんが、袁紹の国境軍は、過日来、官渡のあたりに、いよいよ増強されておるようです。丞相の大敵は、何といっても彼で、彼こそ今、丞相と天下を争うものでしょう」

「だから、その手足たる玄徳を、先に徐州へ攻めようと思うのだが」

「いやいや、滅多に今、この許都を手薄にはできません。それよりは、甘言をもって、まず西涼の馬騰を都へよびよせ、あざむいてこれを殺し、次に玄徳へも、おもむろに交術を施して、その鋭気をそぎ、一面、流言の法を行って、彼と袁紹とのあいだを猜疑せしめるを以て、万全の計とわたくしは考えます」

「ちと悠長すぎる。計りごと遅々なれば計りごと変ず。そのまに、また四囲の情勢が変ってこよう。――それに応じてまた中途から計りごとをかえたりするのは、下の下策ではないか」

曹操はどこまでも、玄徳をさきに討とうと望んでいるらしい。玄徳に対しては、ひと頃、熱愛を傾けて交わっていただけに、反動的な感情がいまはこみあげている。国事に関する大策にでも、どうしても幾分かの感情をまじえないではいられないのは、曹操の特質であった。

謀議の室を閉じて、ふたりがこう議しているところへ、ちょうど郭嘉が入ってきた。郭嘉もまた曹操が信頼している帷幕のひとりである。

「いいところへ来た。其方はどう思うか」

郭嘉は即答した。

「それは一気に玄徳を討伐してしまうに限ります。なぜなら、玄徳はまだ徐州を治めても、歳月は浅いので、州民の心はつかみきれておらない。また袁紹は気勢ばかりあげているが、部下の田豊、審配、許攸などの良将もみな一致を欠き、加うるに、袁紹自身の優柔不断、なんで神速の兵をうごかせましょうや」

その説は、自分の志望と合致したので、曹操はたちどころに決心して、軍監、参謀、

各司令、糧食、輸送などの各司令を一堂によび集め、

「兵二十万をととのえ、五部隊にわかち、三道より徐州へ攻め下れ」と、軍令を発した。

諸大将の兵馬はたちまち徐州へむかった。――早くもこのことは伝播して徐州へ伝わってゆく。

まっさきに、それを早耳に入れたものは孫乾であった。

下邳の城にある関羽のところへ急を告げ、その脚ですぐ玄徳のほうへ馬を飛ばした。

玄徳は、小沛の城にいる。彼の驚愕もひと通りでない。

「血詔の秘事露顕して董国舅以下のあえないご最期。いずれはかくあろうかとも覚悟していたが……」

「袁紹へ、書簡をおしたためなさいまし。それを携えて、河北の救援を求めにまいりましょう。それしか方法はありません」

孫乾は、玄徳の一書をうけて、ふたたび駒の背に伏し、河北へむかって、夜を日についで急いでいた。

二

孫乾は、冀州へ着いた。

まず袁家の重臣田豊を訪れて、彼の斡旋のもとに、次の日、大城へ導かれて、袁紹に

謁見した。

どうしたのか、袁紹はいたく憔悴していて、衣冠もただしていない。

田豊はおどろいて、

「どうなさいましたか？」と、怪しんで問うた。

袁紹は、ことばにも力がなく、

「わしはよくよく子ども運がわるいとみえる。児女はたくさんあるがみな出来がよくない。ひとり第五男だけは、まだ幼いが、天性の光がみえ、末たのもしく思っていたところ、何たることじゃ。この頃また疥瘡を病んで、命もあやうい容態になってしもうた。……財宝万貨、なに一つ不足というものはないが、老いの寿命と子孫ばかりは、どうにもならぬものである」

他国の使者が、佇立しているのも忘れて、袁紹は、ただ子の病を嘆いてばかりいた。

田豊も、なぐさめかねて、

「それはどうも……」

と、しばらく用件を云いだしかねていたが、やがて、一転の機を話中につかんで、

「時にいま絶好な便りを手にしました。それはこれにおる劉玄徳の臣が、早馬で告げにきたことですが」と、袁紹の英気を励まし、

「――曹操はいま大軍を率いて、徐州へ向っているとあります。必定、都下は手薄とならざるを得ません。わが君、この時に起たれて、天機に応じ、虚をついて、一せいに都

へ攻め入り給わば、必勝は火をみるよりも明らかであり、上は天子を扶け、下は万民の大幸と、謳歌されるでありましょう」

「……ほう」

と、袁紹の返辞は、依然、生ぬるい。どこか呆気た面持しか見えない。

田豊は、なお説いて、

「諺にも、天の与うるを取らざれば、かえって天の咎めを受く、といいます。いかがです。天下はいま、進んでわが君の掌中にころげ込もうとしていますが」

「いや、それもよいが」

袁紹は重たげに、頭を振ってそれに答えた。

「何となくいまは心がすすまん。わしの心が楽しまねば、自然戦っても利があるまい」

「どうしてですか」

「五男の病気が気がかりでの。……ゆうべも泣いてばかりいて、ひと晩中、よう睡りもせなんだ」

「お子さまのご病気は、医者と女にまかせておかれたらどうですか」

「珠を失ってから悔いてもおよぶまい。そちはわが児が瀕死の日でも、狩猟の友が誘いにきたら共に家を出るか」

田豊は、黙ってしまった。

熱心に支持してくれた田豊の好意はふかく心に謝していたが、孫乾もつらつら袁紹の人物ときょうの容子をながめて、（――これ以上強いるのは無益）と、諦めてしまった。で、田豊の眼へ目顔で合図しながら、退出しようとすると、袁紹もすこし悪い気がしたとみえて、

「立ち帰ったら劉玄徳へはよろしく伝えてくれい。そしてもし、曹操の大軍にささえ難く、徐州も捨てるのほかないような場合になったらいつでも我が冀州（きしゅう）へ頼って参られるがよいとな。……呉々（くれぐれ）、悪く思わないように」と、重ねていった。

城門を退出してから、田豊は足ずりして、

「惜しい！　実に惜しい。小児の病気ぐらいに恋々として、遂に天機を見のがすとは」

と、長嘆した。

孫乾は、馬を求めて、

「いやどうも、いろいろお世話になりました。いずれまた、そのうちに」

と、半日の猶予もしていられない身、すぐ鞭を打って徐州へ引返した。

玄徳冀州（きしゅう）へ奔（はし）る

一

小沛の城は、いまや風前の燈火にも似ている。

そこに在る玄徳は、痛心を抱いて、対策に迫られている。

孫乾は冀州から帰ってきたものの、その報告は何のたのみにもならないものである。

彼は明らかに周章していた。

「家兄。そうふさいでいては、名智も策も出やしません。味方の士気にも影響する。同じ戦うなら、もっと陽気にやろうじゃありませんか」

「お、張飛か。そちのことばももっともだが、いかんせんこの小城、敵は二十万と聞えている」

「二十万だろうが、百万だろうが、憂いとするには足りません。なぜならば、曹操は短気なので兵馬はみな許都からの長途を、休むひまなく馳け下ってきたにちがいありません。陣地に着いても四、五日ほどは、疲労しきっていて物の用に立ちますまい」

「――が、いずれ敵は、長陣を覚悟のうえで、十重二十重にこの城をとり巻こう」

「ですから、その用意の調わぬうち――また長途のつかれも癒えぬうちに――それがしが部下の猛卒をひッさげて奇襲を行い、まず敵の出鼻に、大打撃を加え、しかるのち下邳城の関羽と掎角の形をとって、一縮一伸、呼応して敵に変化のいとまなからしめる時は、彼の大軍は、かえって、彼の弱点となり、やがて破綻を来たすことは明らかではありませんか」

張飛の言を聞いているとまったく陽気になってくる。彼は憂鬱を知らない男だし、玄徳はあまりに石橋をたたいて渡る主義で、憂いが多すぎる。

「豎子曹操。なにほどのことやあらんです。拙者におまかせなさい。いまの妙策はいけませんか」

「いや、感心した。そちという者は、武勇一点ばりで変哲もない男かと多年思っていたが、先ごろは、良計を用いて、劉岱を生捕ったし、いままた、兵法にかなった妙計をわしへ告げおる。——よかろう、汝の存分に、曹操の先鋒を討ち砕け」

肚をきめれば、大腹な玄徳である。それに近ごろ張飛をすこし見直していたところなので、直ちに彼の策をゆるした。

張飛は、手具脛ひいて、

「いざ来い。眼にもの見せてくれん」と、用意おさおさ怠りなく、奇襲の機をうかがっていた。

敵二十万の大軍は、まもなく近々と小沛の県界まで押してきた。

ところがその日、一陣の狂風が吹いて、中軍の牙旗がポキッと折れた。

あまり御幣はかつがない曹操だが、着陣したその日なので、「はてな?」と、しばし馬上に瞑目し、独り吉凶を占うていたが、なお試みに、

「これは吉兆か凶兆か」と、諸将をかえりみて訊ねた。

荀彧がすすみ出て、

「風はどう向いて吹きましたか」

「東南からであった」

「折れた旗の色は」

「真紅の旗」

「紅の旗が、東南風で折れましたか。さらばご懸念にはおよびません。これ、兵法の天象篇占風訣の一項に見えるとおり、敵に夜陰のうごきある兆です」

と彼はいった。

先鋒の毛玠も、わざわざ駒を返してきて、同じ意見を曹操に達した。

「――紅旗、東南風に仆るるは、夜襲の敵意なりと、むかしから兵家は云い伝えています。ご用心あるように」

曹操は天に謝して、

「われを誡めたもうは、天、われを扶くるのである。怠ってはなるまい。九陣にわかれ、八面に兵を埋伏し、各〻、英気をふくんで、夜陰を待ちかまえろ」

と、必殺の捕捉陣をしいて、陽の没するのを合図に、全軍くろぐろと影を沈めていた。

二

「家兄。――お支度は」

「ととのうた。張飛、兵馬の用意はいいか」

「もとより抜かりはありません。孫乾も行きたがっていますが、彼には守りを頼みました。そう皆、城を空にして出かけてもいけませんから」

「あいにくと、夜襲には不向きな月夜だな……。敵に悟られるおそれはないか」

「闇夜をえらぶのが、夜襲の定法になっています。ですから今宵のような月明りに、敵はひとしお安心していましょう」

「それも一理だ」

「ことに敵は、きょう着いたばかりですから、人馬みなくたくたになって眠りこんでいましょう。いざ、出かけましょう」

初めの計画では、張飛一手で奇襲するはずだった。が、いかに奇策を行うにせよ、眼にある大軍なので、玄徳も自身出向くことになり、兵を二手にわけて城を出た。

張飛は、自分の計りごとが、用いられ、自分の思うまま戦えるので、愉快でならない。ひそかに必勝を信じ切っている。折から月明煌々の下、枚をふくんで敵陣に近づいた。

「どうだ？」

物見を放ってうかがわせると、

「哨兵まで眠りこけています」

との答え。

「そうだろう、おれの神算は図にあたった！」

気負いぬいていた彼。

それっと、合図の諸声あげながら、一団になって、まっしぐらに敵中へ駈け入った。

何処ぞ敵の中軍、曹操の陣や何処にある？　——と見まわしたが、四林のうちは、ただひろい空沢で零々落々、草もねむり、木も眠り沈み、どこかにせせらぐ水音の聞えるばかりで、敵の一兵だに見当らない。

「はてな？　こいつは、いぶかしい？」

張飛も部下も、拍子ぬけしてうろたえた。すると林の木々や、四沢の山がいちどにどっと笑いだした。

「や、や？　……。さては、敵は地を変えているぞ」

すでに遅し！　木も草もみな敵兵と化し鯨声は地をゆるがして、むらむらと十方をおおいつつんで叫んだ。

「張飛を生け捕れ」

「玄徳をのがすなッ」——と。

かくて、仕掛けた奇襲は、反対に受け身の不意討ちと化した。隊伍は紛裂し、士気はととのわず、思い思いの敵と駈けあわすうち、敵の東のほうからは張遼の一陣、西のほうからは許褚、南からは于禁、北からは李典。また東南よりは徐晃の騎馬隊、西南よりは楽進の弩弓隊、東北よりは夏侯惇の舞刀隊、西北よりは夏侯淵の飛槍隊など、八面鉄桶の象をなしてその勢無慮十数万――その何十分の一にも足らない張飛、玄徳の小勢をまったく包囲して、

「一匹も余すな」と、ばかり押しつめてきた。

さしもの張飛も鐙に無念を踏んで、

「南無三」

右に突き、左をはらい、一生の勇をここにふるったがとうてい無理な戦いだった。

味方は討たれ、或いは敵へ降参をさけんで、武器を捨て、彼自身も数箇所の手傷に、満身朱にまみれてしまった。

徐晃に追われ、楽進に斬ってかかられ、炎のような息をついてようやく一方に血路をひらき、つづく味方をかえりみると、何たる情けなさ、わずかに二十騎ほどもいなかった。

「者ども！　もう止せ、馬鹿げた戦だ。死んでたまるか、こんな所で、――さあ、おれについて来い」

遂に、帰路をも遮断されてしまい、むなしく彼は芒碭山方面へ落ちのびて行った。

玄徳もまた、いうまでもない運命に陥ちていた。

大軍にうしろを巻かれ、夏侯惇、夏侯淵に挟撃され、支離滅裂に討ち減らされて、わずか三、四十騎と共に、小沛の城へさして逃げてくると、もう河をへだてた彼方に、火の手がまッ赤に空を焦がしていた。――根城のそこも、すでに曹操に占領されていたのである。

三

玄徳は道を変えて、夜の明けるまで馳けつづけた。すでに小沛の城は敵手に陥されてしまったので、

「このうえは徐州へ」と、急いだのである。

ところがその徐州城へ近づいてみると、暁天にひるがえっている楼頭の旗はすべて曹操軍の旗だったので、

「――これは？」と、玄徳はしばし行く道も失ったように、茫然自失していた。

陽ののぼるにつれて、四顧に入る山河を見まわすと、濛々と、どこも彼処も煙がたちこめていた。そしてそこには必ず曹操の人馬がはびこっていた。

「ああ過った。――智者でさえ智に誇れば智に溺れるというものを、図にのった張飛ごときものの才策をうかと用いて」

玄徳は臍を噛んだ――痛烈にいま悔いを眉ににじませている――が彼はすぐその非を知った。

「わしは将だ。彼は部下。将器たるわしの不才が招いた過ちだ」

さしずめ玄徳は、落ちてゆく道を求めなければならない。

いかにしてこの危地を脱するか？　――またどこへさして落ちて行くか？

当面の問題に、彼はすぐ頭を向けかえた。

「そうだ、ひとまず冀州へ行って、袁紹に訴ろう」

いつぞや使いした孫乾に言伝けして――もし曹操に敗れたら冀州へ来給え、悪いようにはせぬから――といっていたという袁紹の好意をふといま玄徳は思い出していた。

途中、ゆうべからつけまわしている楽進や夏侯惇の軍勢に、さんざん追いまわされて、彼も馬も、土にのめるばかりな苦しみにあえぎつつも、ようやく死地から脱れたのは、翌日、青州の地を踏んでからであった。

それからも、野に臥し、山に寝ね、野鼠の肉をくらい、草の根をかみ、あらゆる危険と辛酸に試されたあげく、やっと青州府の城下にたどりついた。

城主袁譚は、袁紹の嫡男であったから、

「かねて父から聞いています。もうご心配には及ばぬ」

と、旅舎を与えられ、一方、彼の手から駅伝の使いは飛んで、父の袁紹のところへ、
徐州、小沛は、はや陥落す。

玄徳、妻子にもはなれ、身をもって、青州まで落ちまいる。いかが処置いたすべきや。

と、さしずを仰いでいた。

「かねての約束、たごうべからず――」

と袁紹はただちに一軍を迎えに差向けて、玄徳の身を引取った。

しかも、冀州城外三十里の地――平原というところまで、袁紹自身、車馬をつらねて出迎えにでていた。

よほどな優遇である。

やがて、城門にかかると、玄徳は馬を降りて、

「流亡の敗将が、何の功によって、今日このような礼遇をいただくのでしょうか。あまりな過分です」と、地に拝伏して、それからは下馬して歩いた。

城内に入ると、袁紹はあらためて、彼に対面し、過ぐる日、孫乾の使いをむなしく帰したことを、こう云いわけした。

「子煩悩とわらわれようが、子どもの病気はかなわんものでな。あの前後、わしも心身つかれ果てていたので、ついにお救いにも行けなかった。しかしここは河北数州の府、大船にのったお心で、幾年でもおいでになられるがよい」

「まことに面目もありませぬ。一族を亡ぼし、妻子をすて、恥もかえりみず、孤窮、門下に身を寄せてきたそれがし、過分なご好遇は却っていたみいります。ただ何分のご寛仁を……」

玄徳は肩身がせまい。ひたすら謙虚に、身を低く、頼むばかりであった。

恋の曹操

一

小沛、徐州の二城を、一戦のまに占領した曹操の勢いは、旭日のごときものがあった。

徐州には、玄徳麾下の簡雍、糜竺のふたりが守っていたが、城をすててどこかへ落ち去ってしまい、あとには陳大夫、陳登の父子が残っていて、内から城門をひらき、曹操の軍勢を迎え入れたものであった。

曹操は、陳父子に対して、

「さきにはわが恩爵をうけ、後には玄徳に随身し、今はまた門をひらいて予を迎う。――咎めれば咎める罪状は成り立つが、もし力をつくして、領内の百姓を宣撫するなら、前日の罪はゆるしてやろう」

と、いった。

陳父子は慴伏して、

「違背なく仕りますれば」と、ひたすら彼の寛仁を仰ぎ、その日から力を城内民の鎮撫にそそいで、治安の実績をあらわした。

ふかく玄徳になついていたので、一時は不安にかられてさわいでいた城内民も曹操の政令と宣撫にようやく落着いて、常態に復しかけてきた。

「まず、徐州はこれでいい」

曹操の考えは次の作戦に移っていた。

戦争と政治は、併行する。二本の足を、交互に運ぶようなものである。

「――残るは下邳の一城」

と、彼はもうその地方まで呑んでいる気概であったが、大事をとって一応、事情に明るい陳登に下邳の内情をたずねてみた。

「下邳の城は丞相もご承知の関羽雲長が、守り固めております。――かねて玄徳はかかる場合を案じてか、二夫人と老幼のものを、関羽にあずけ、丞相の軍が発向する前に、疾く下邳のほうへ移していたものであります」

陳登はなお云い足して、

「なぜ玄徳が妻子を下邳へうつしたかといえば、申すまでもなく、かつては猛将呂布がたて籠って、さんざんに丞相の軍をなやましたことのある難攻不落な地ですから、それでこのたびも、特に、関羽をえらんで大事な家族を託したものと思われます」と、語った。

曹操は往年の戦を思い出しながら、

「なにさま、予にとって、下邳は宿縁あさからぬ古戦場だ。――しかし呂布を攻めた時とちがって、このたびは長びくことは禁物である。なぜならば袁紹というものが、すでに大軍を北にうごかしているからだ。――作戦は一に急を要する」

荀彧をかえりみて、急に下邳を陥す名案はないかとたずねた。

荀彧は、しばらく、半眼のまま口をとじていたが、

「関羽を城中においては、百たび攻めても陥ちますまい。策の妙諦は、ただいかにして、関羽を城外へおびきだすかにありましょう」と、いった。

「それには？」と、たたみかけて、曹操が問うとまた、

「押しつめて、わざとゆるみ、敵を驕らせて味方は潰走して見せる。その間、ひそかに大軍をまわし、中道を遮断すれば、関羽は十方に道を失い、孤旗をささえて悲戦の下に立つしかありません」

「なるほど、関羽さえ擒人にすれば、不落の城も、不落ではないからな」

曹操は、荀彧の策をとって、あらまし用兵の方向をさだめ、議が終ると、こう自分の意中をかたわらに告げた。

「実をいうと、予は遠い以前から、関羽の男ぶりに恋しておる。沈剛内勇、まことに寛闊な男で、しかも武芸は三軍に冠たるものがある。……こんどの戦こそ、日頃の恋をとげるにはまたとない好機。なんとかして彼を麾下に加えたいものである。怪我なく生け

捕って、許都のみやげに連れもどりたい。——各〻、予が意を酌んで、充分に策をねってくれよ」

二

むずかしい注文である。諸将は顔を見あわせていた。

郭嘉（かくか）は、曹操の前へすすんで、そのむずかしさを正直にいった。

「関羽の勇は、万夫不当と、天下にかくれもないものです。討ち殺すさえ、容易ではありません。しかるにそれを手捕りにせよとのご命令では、どれほどの兵を犠牲にするやも計られず、また下手をすれば、却って彼に乗じられるおそれがないとも限りませんが」

すると、張遼（ちょうりょう）が、右列を出て、

「お案じあるな。拙者が関羽を説いてお味方へ降らせましょう」と、いった。

程昱（ていいく）、郭嘉（かくか）、荀彧（じゅんいく）などの諸将はみな、なかば疑って、

「君はその自信があるのか」と、口をそろえて反問した。

「ある！」

張遼は、ひるみなく答えた。

「諸氏は関羽の勇だけをおもんぱかっておられるようだが、拙者のもっとも至難と考えるところは、彼が人いちばい、忠節と信義にあつい点である。しかし幸いにも、拙者と

彼とは、――形の交わりはないが、つねに戦場の好敵手として、相見るたび、*心契の誼みに似たものを感じ合っている。おそらく彼も拙者のことを記憶しておるにちがいないと思う」

「よかろう。張遼にひとつ、説かせようではないか」

曹操は、かれの乞いを容れようとした。英雄、英雄を知る。張遼と関羽のあいだに心契があるということは、いかにもあり得べきことと同感をもったからである。

だがなお、程昱、郭嘉などは、うなずかなかった。勧降の使いとして、説客を向けてみるもいいがもし効がなければ、敵の決意をよけい強固にさせるだけで、速戦即決をとらんとする方針にはむしろ害を生じる可能性のほうが多いのではあるまいか――と。

「いや、その儀なら拙者に、いま陣中にある徐州の捕虜二百ほどをおあずけ下されば、違算なく下邳の城を奪い、荀彧どのが先に申されたとおり関羽を野外におびきだして、まず彼の位置を孤立させてお目にかける」

張遼の自信は相当つよい。

玄徳を離れた徐州の捕虜を用いて一体どうするのかと、その計を問うと、

「わざと、捕虜を放して、下邳の城へ追いこむのです。もとより味方と味方とが合流すること、関羽も当然、城へ入れるであろう。――つまり風の吹く日まで火ダネをそこへ埋けこんでおくような計略であるが」と、説明した。

曹操は手を打って、

「それぞ、敵土埋兵の巧妙なる一手だ。まず、張遼にやらせてみよう」

参謀部の方策はきまる。

降参人二百ばかり、利をさとされて、陣地から潰乱して走りだした。もちろん夜が選ばれた。

夜明けから朝にかけて、彼らは下邳の城へまぎれこんだ。正真正銘の味方にちがいないので、関羽以下の部将もみななんの疑いも抱かなかった。

「徐州へは、曹操の直属軍がかかってきたので、ひとたまりもなく落城しましたが、曹操とその中軍は、勝ち誇って、そこに止まっています。われわれを追いかけてきたのは夏侯惇、夏侯淵の一部隊にすぎません。それも長途の急行軍でつかれぬいていますから、城を出て、逆寄せをくわせれば、それを平野に捕捉して、殲滅を与え得ることは、間違いなしと、保証していえます」

そんな声が、城内にまきちらされた。関羽は、雑兵たちのことばなので、すぐは受けとらなかったが、次々の物見の報らせにも、

「敵は存外、少数です」

「下邳へ向ってきた兵力は、敵全軍の五分の一にも過ぎません」

と、あるので、遂に城門をひらかせて、英姿颯爽と、一軍をひきいて、蒼空青野の戦場へ出て行った。

手をかざして望むと夏侯惇、夏侯淵の二軍は、鳥雲の陣をしいて旌旗しずかに野に沈んでいた。

三

――と見るうち、甲盔さんらんたる隻眼の大将が、馬をすすめて関羽のまえに躍りかけ、

「やあ、髯長の村夫子、なんじ何とて柄にもなき威容を作り、武門のちまたに横行なすか。すでに不逞の頭目玄徳も無頼漢の張飛もわが丞相の威風に気をうしない、風をくらって退散したのに、なんじまだ便々と下邳にたて籠って何んするものぞ。――早々故郷へ立ち帰って、村童の鼻汁をふいておるか、髯の虱でも取っておれ」と、舌をふるって悪罵した。

関羽は、沈勇そのものの眉に口を緘し、爛たる眼を向けていたが、

「おのれ、そういう者は曹操の部下夏侯惇であるな」

やはり彼にも感情はあった。心では烈火のごとく怒っていたものとみえる。――そのすがたにぶんと風を生じたかと思うと、漆艶の黒鹿毛と、陽にきらめく偃月の青龍刀は、

「うごくな！　片眼」

と、ひと声吼えておどりかかって来た。

もとより計る気の夏侯惇、善戦はしながらも、逃げては奔り、返しては罵りちらした。

関羽は大いに怒って部下三千を叱咤し、自分も二十里ばかり追いかけた。

しかし彼の獅子奮迅ぶりに、味方もつづききれなかった。

関羽は気がついて、

「ちと、深入り」

急に引っ返しかけたが、それと共に、左に敵の徐晃、右には許褚の伏軍がいちどに起って、彼の退路をふさいだ。

蝗の飛ぶような唸りは百張の弩が弦を切って放ったのであった。

さすがの関羽も、その矢道は通りきれない。道をかえんと駒を返すとそこからもわっと伏兵の旋風が立つ。

こうして彼は次第に、気の長い猛獣狩りの土蛮が豹を柵へ追いこむように追いつめられて、ついに曹操の大軍のうちに完封された。

日もはや暮れて野は暗い。彼が逃げあがったのはひくい小山の上だった。夜に入ると、下邳のほうに、焔々たる猛火が空をこがし始めた。

さきに城内へまぎれこんだ反間の埋兵が内から火を放って夏侯惇の人数を入れ、苦もなく、さしもの難攻不落、下邳の城を曹操の手へ渡してしまったものであった。

「計られたり、計られたり。このうえは、なんの面目あって主君にまみえようぞ。そうだ……夜明けと共に」

彼は、討死を決心した。

そして、明日をさいごの働きに、せめては少し身を休めておこう。馬にも草を喰わせておこう——そう心しずかに用意して、あわてもせず、夜の白むのを待っていた。

——朝露がしっとりと降りる。東雲（しののめ）は紅（くれない）をみなぎらしてきた。手をかざして小山のふもとを見れば、長蛇が山を巻いたように、無数の陣地陣地をつないで霞も黒いばかりな大軍。

「ものものしや……」

関羽は苦笑した。

山上の一石に、ゆったり腰をすえ、甲（かぶと）よろいの革紐（かわひも）などを締め、草の葉露をなめてやおら立ちかけた。

すると、そこへ。

麓のほうから誰か登ってきた。

関羽はひとみを向けた。

自分の名を呼びかけてくるのである。

「……何者？」と、疑わしげに待ちかまえていると、やがて近く寄ってきたのは口に鞭（むち）をくわえ頬に微笑をたたえた張遼（ちょうりょう）であった。

四

ふたりは旧知の仲である。

平常の交わりはないが、戦場往来のあいだに、敵ながら何となくお互いに敬慕していた。

士は士を知るというものであろう。

「おう、張遼か」

「やあ、関羽どの」

ふたりは、胸と胸を接するばかり相寄って、ひとみに万感をこめた。

「ご辺はこれへ、何しに参られたか。——察するに曹操から、この関羽の首を携えてこいと命ぜられ、やむなくこれへ参られたか」

「いや、ちがう。平常の情を思い、貴公の最期を惜しむのあまり……」

「しからば、この関羽に、降伏をすすめにこられた次第か」

「さにもあらず。以前、それがしが貴公に救われたこともある。なんで今日、君の悲運をよそにながめておられようか」

張遼は石を指して、

「まず、それへかけ給え。拙者も腰をおろそう」と、ゆったり構え、「……すでにお覚りであろうが、玄徳も張飛も、共に敗れ去って行方もしれない。ただ玄徳の妻子は、下邳城の奥にいるが、そこも昨夜わが軍の手に陥ちてしまったから、二夫人以下の生殺与奪は、まったく曹丞相のお手にあるものといわねばならぬ」

「……無念だ。……この関羽をお見込みあって、ご主君よりお預け給わったご家族をむなしく敵の手にまかすとは」

関羽は、首をたれて、長大息した。――自分の死は、眼前の朝露を見るごとくだったが無力な女性方や、幼い主君の遺子などを思うと、さしもの英豪も、涙なきを得なかった。

「……が、関羽どの。そのことについてなら、いささかご安心あるがよい。曹丞相は、下邳の陥落とともに、ご入城になったが、第一に玄徳の妻子を、べつな閣に移して、門外には番兵を立たせ、一歩でもみだりに入る者はたちどころに誅殺せよとまで――きびしく保護なされておる」

「おう、そうか」

「実は、その儀をお伝えしたいと思って、曹丞相のおゆるしのもとにこれへ参ったわけでござる」

聞くと関羽は、屹と眼光をあらためて、

「さてはやはり、恩を売りつけて、われに降参をすすめんとする意中であろう。笑うべし、笑うべし。曹操もまた、英雄の心を知らぬとみえる。……たとい今、この絶地に孤命を抱くとも、死は帰するにひとし、露ほども、生命の惜しい心地はせぬ。――この関羽に降伏をすすめにくるなど、ご辺もちとどうかしておる。はやはや山を降り給え。後刻、快く戦おう」

苦々しげに云い反く関羽の横顔をながめて張遼は、わざと大きくあざ笑った。

「それを英雄の心事と、自負されるに至っては、貴公もちと小さいな。……あははははは、貴公のいう通りに終ったら、千載のもの笑いだ」

「忠義をまっとうして討死いたすのが、なんで笑いぐさになるか」

「されば、ここで貴公が討死いたせば、三つの罪があとで、数えられよう。忠義も潔いも、その罪と相殺になる」

「こころみに訊こう。三つの罪とは何か」

「死後、玄徳がまだ生きておられたら如何？　孤主にそむき、桃園のちかいを破ることに相なろう。——第二には、主君の妻子一族を託されながら、その先途をも見とどけず、ひとり勇潔にはやること、これ短慮不信なりといわれても、ぜひあるまい。もう一条は、天子を思い奉り、天下の将来を憂えぬことである。一身の処決を急ぎ、生きて祖宗のあやうきを扶翼し奉らんとはせず、みだりに血気の勇を示そうとするは——けだし真の忠節とは申されまい。……貴公は、武勇のみでなく学識もある士とうけたまわっておるが、このへんの儀は、どう解いておられるか。関羽どの、あらためてそちらへ伺いたいものだが」

五

関羽は頭をたれたまま、やや久しく、考えこんでいた。

張遼の言には、友を思う真情がこもっていた。また、道理がつくされている。

理と情の両面から責められては、関羽も悶えずにいられなかったとみえる。

張遼は、ことばを重ねて、

「ここで捨てるお命を、しばし長らえる気で、劉玄徳の消息をさぐり、ふたつには、玄徳から託された妻子の安全をまもり、義を完うなされたらどうですか。……もしそのお心ならば、不肖悪いようには計らいませんが」と、説いた。

関羽は、好意を謝して、

「かたじけない。もしご辺の注意がなければ、関羽はこの一丘の草むらに、匹夫の墓をのこしたでござろう。思えば浅慮な至りであった。――しかし、なにを申すも敗軍の孤将、ほかに善処する道も思案もなかったが、いまご辺の申されたように、義に生きられるものならば、どんな苦衷や恥を忍ぼうとも、それに越したことはないが」

「そのためには、一時、曹丞相へ降服の礼をとり給え。そして堂々貴公からも条件を願い出られては如何？」

「望みを申そうなら三つある。――そのむかし桃園の義会に、劉皇叔と盟をむすんだ初めから、漢の中興を第一義と約したことゆえ、たとい剣甲を解いて、この山をくだるとしても、断じて曹操に降服はせん。漢朝に降服はいたすが、――曹操には降らん！　これが第一」

「して、あとの二つの条件は」

「劉皇叔の二夫人、御嫡子、そのほか奴婢（ぬひ）どもにいたるまで、かならずその生命と生活の安全を確約していただきたいことでござる。しかも鄭重なる礼と俸禄（ほうろく）とをもって」

「その儀も、承りおきます。次に、さいごの一条は」

「いまは劉皇叔の消息も知れぬが、一朝お行方の知れた時は、関羽は一日とて、曹操のもとに晏如（あんじょ）と留まっておるものではござらん。千里万里もおろか、お暇も告げず、直ちに、故主のもとへ立ち帰り申すであろう。……以上、三つの事、しかとお約束くださるならば、おことばに任せて山を降ろう。――さもなければ、百世末代、愚鈍の名をのこすとも、斬り死にして、今日を最期といたすのみでござる」

「心得ました。即刻、丞相にお旨をつたえて、ふたたびこれへ参るとします。――暫時（ざんじ）のご猶予を」

張遼は、山を駆け下りて行った。至情な友の後ろすがたに、関羽は瞼（まぶた）を熱くした。馬にとびのると、張遼は一鞭あてて、下邳（かひ）へ急いだ。――そしてすぐ曹操の面前にありのままな次第を虚飾なく復命した。

もちろん関羽の希望する三条件も、そのまま告げた。剛腹な曹操も、この条件の重さに、おどろいた顔色であったが、

「さすがは関羽、果たして、予の眼鑑（めがね）にたがわぬ義人である。——漢に降るとも、曹操には降らぬというのも気に入った。——われも漢の丞相、漢すなわち我だ。——また二夫人の扶養などはいと易いこと。……ただ、玄徳の消息が分り次第、いつでも立ち去るというのは困るが」

と、その一箇条には、初め難色があったが、張遼がここぞと熱意をもって、

「いや、関羽が、ふかく玄徳を慕うのも、玄徳がよく関羽の心をつかんだので、もし丞相が親しく彼をそばへ置いて、玄徳以上に、目をおかけになれば、——長いうちには必ず彼も遂に丞相の恩義に服するようになりましょう。士はおのれを知るものの為に死す——そこは丞相がいかに良将をお用いになるかの腕次第ではございませぬか」

と、説いたので、曹操も遂に、三つの乞いをゆるし、すぐ関羽を迎えてこいと、恋人を待つように彼を待ちぬいたのであった。

大歩（たいほ）す臣道（しんどう）

一

一羽の猛鷲(もうしゅう)が、翼をおさめて、山上の岩石からじっと、大地の雲霧をながめている。

――

遠方から望むと、孤将(こしょう)、関羽のすがたはそんなふうに見えた。

「お待たせいたしました」

張遼はふたたびそこへ息をきって登ってきた。そして自分の歓びをそのまま、

「関羽どの、歓ばれよ。貴公の申し出られた三つの条件は、ことごとく丞相のご快諾を得るところとなった。さあ、拙者と同道して、山を降りたまえ」と、告げた。

すると、関羽は、

「あいや、なお少々、ご猶予を乞いたい。さきに申した条件は、関羽一個の意にすぎない。この関羽としては、ついに、そうするしか道はないと覚悟したが、なお二夫人のお心のほどははかられぬ……」

「それまでご斟酌(しんしゃく)にはおよぶまいに」

「いやいやそうでない。お力のない女性方(にょしょうがた)とはいえ、ご主君に代るご主筋――一応はおふた方の御意(ぎょい)をも仰がずには、曹操の陣門へ駒をつなぐわけには参らぬ。それがし、これより城中に入って、親しく二夫人の御前にまみえ、事の次第をお告げして、ご承諾をうけて参るほどに、まず曹操から下知(げち)をくだして、麓の軍勢を、この上より三十里外に退かせ給え」

「では、その後で、かならず丞相の陣門へ、降服して参られるか」

「きっと、出向く」

「しからば、後刻」と、武士と武士のことばをつがえて、張遼は速やかに立ち去った。

曹操は、やがて張遼から、その要求を聞いて、実にもとうなずき、すぐ、

「諸軍、囲みを解いて、速やかに三十里外に退くべし」と、発令した。

謀将荀彧はおどろいて、

「まだ関羽の心底はよくわかりません。もし、変を生じたらどうしますか」

と、伝令をとめて、曹操に諫言した。

曹操は、快然一笑して、

「関羽がもし約束を詐るような人物ならば、なんで予がこれほど寛大な条件を容れよう。――またそんな人間ならば、逃げ去っても惜しくない」

といって、ためらいなく全軍を遠く開かせた。

小手をかざして山上から兵霞の退くのをながめていた関羽は、やおら黒鹿毛をひいて麓にくだり、無人の野を疾駆して、間もなく下邳城に着き、城内民安穏を見とどけてから城の奥へかくれた。

深院の後閣、哀禽の音が昼をひとしお寂としていた。

番兵が秘扉をひらいて、彼を簾外へいざなうと、玄徳の妻室甘夫人と、側室の糜夫人は、

「オオ、関将軍か」と、幼児の手をひいてまろび出てきた。

「和子さまにも、おふた方にも、おつつがなくお在せられましたか」

関羽は、階をへだてて平伏し、二夫人の無事をながめた安心やら……こもごもな感慨につつまれて、しばらくは面も上げなかった。

糜夫人は涙ながら、

「夕べ、落城となって、死を決めていましたが、思いのほか、殺されもせず、このとおり曹操から手厚く守られています。……将軍、お身もよう無事でもどってくれましたね。どうか生命をいとしんで、皇叔のお行方をたずねて下さい」と、甘夫人も共々、袖を面にあてて、玄徳の生死を案じ、この先、どうしていいか、それすらまったく見失っていた。

一時、曹操に降って、主君のお行方をさがすつもりで——と関羽が交渉の仔細を告げると二夫人とも泣きはれた眼をみはって、

「でも、曹操に随身してしまったら、もう皇叔の居どころが分っても、お側へは行かれますまい。関将軍とておなじこと、その時はどうなさるおつもりですか」

と、さすがにやや気色ばんで難詰った。

二

一夫多妻を伝統の風習としているこの民族の中では、玄徳の室など、至極さびしいほうであった。

甘夫人は、糜夫人より若い。沛県のひとで、そう美人というほどでもない。単に、清楚な婦人である。

美人のおもかげは、むしろ年上の糜夫人のほうに偲ばれる。

それも道理で、もう女の三十路をこえているが、青年玄徳に、はじめて恋ごころを知らしめた女性なのである。

実に今を去る十何年か前。

まだ玄徳が、沓を売り蓆を織っていた逆境の時代――黄河のほとりにたって、洛陽船を待ち、母のみやげにと茶を求めて帰る旅の途中、曠野でめぐり逢った白芙蓉という佳人が、いまの糜夫人であった。

五台山の劉恢の家に養われて、久しく時を待っていた彼女は、その後玄徳に迎えられて、室に侍したものであった。

一子がある。六歳になる。

けれど病弱だった。

今日のような境遇になってみると、むしろ平和な日に安心して逝ったので、心のこりのない気がするものは、玄徳の母であった。

長命したほうである。

それに、玄徳としては、まだ不足だったが、老母としては、充分に安心して逝ったであろうほど、子が世に出たのも見て逝った。

その老母は、徐州の城にいたころ、世を去ったのである。

——で、二夫人と、病弱な一児のほかは、奴婢、召使いたちしかいない。

玄徳もどんなにか、他国の空でこの二夫人と、一児の身を、案じ暮していることだろうか。二夫人が、玄徳を慕って、すでに敵の擒人となっている境遇も思わず、今にでもすぐ会えるように思っているのは男と男との戦いの世界などにはうとい深苑の女性として、無理もないことであった。

「……その儀は、決してご心配にはおよびませぬ。降服と申しても、ただの降服ではありません。三つの条件を、曹操とかたく約してのことです。——もしご主君の居所がわかったときは、暇も乞わず、すぐ劉皇叔のもとへ馳せ参りますぞと——約束の一条に加えてありまする。ですから、その折には、関羽がお供いたして、かならずご一同さまと皇叔とを、ご対面おさせ申しましょうほどに、じっと、それまでは、敵地でのご辛抱をおねがい申しあげまする」

彼の至誠に、二夫人は、

「よいように……ただそちのみを、頼みに思いますぞ」

と、涙にくれていうばかりだった。

関羽はやがて、残兵十騎ばかりを従えて、悠々と、曹操の陣門を訪れた。

曹操は、自身轅門まで出て、彼を迎えた。

あまりの破格に、関羽があわてて地に拝伏すると、曹操もまた、礼を施した。

関羽は、いつまでも地から起たず、

「それではご挨拶のいたしようがありません」と、いった。

「将軍、なにを窮するのか」

曹操が、気色うるわしく訊ねると、

「すでに、この関羽は、あなたから不殺の恩をうけました。なんで慇懃なご答礼をうけられましょう」

「将軍に害を加えなかったのは将軍の純忠によることです。また相互の礼は予は漢の臣、おん身も漢の臣、官位はちがってもその志操に対する礼である。ご謙譲には及ばんことだ。いざ予の帷幕へ来給え」

曹操は、先に大歩して、案内に立つ。

通ってみるとすでに一堂には花卓玉盞をととのえて盛宴の支度ができている。

そして中堂をめぐって整列していた曹操の親衛軍は、関羽のすがたを見ると一斉に迎賓の礼をとった。

三

降将とはいえ、さながら賓客の礼遇である。曹操は関羽を堂にむかえて、すこしも下風に見る容子はなく、おもむろに対談しはじめた。

「きょうは実に愉快な日だ。曹操にとっては、日頃の恋がかなったような――また一挙に十州の城を手に入れたよりも大きな歓びを感じる。しかし羽将軍には、どう思われるか」

「面目もない——その一言につきております」

「さりとは似あわしからぬことば、それは世のつねの敗軍の将のことで、羽将軍のごときは、名分ある降服というべきで辱るどころではない。堂々臣道の真を践まれておる」

「さきに張遼を通じて、お約束を乞うた三つの箇条は、とくとおきき届けくだされた由、丞相の大恩としてふかく心に銘記します」

「案じ給うな、武人と武人の約束は金鉄である。予も徳のうすい人間であるが、四海を感ぜしめんためには、誓って違背なきことを改めて、もう一度いっておく」

「かたじけない。さるお誓いのあるうえは、やがて故主玄徳の行方がわかり次第にこの関羽は直ちにお暇も乞わずに立ち去るものとお思いください。火を踏み、水を越ゆるともその時には、あなたの側にとどまっておりますまい」

「ははは、羽将軍は、なお曹操の心事をお疑いとみえるな。ご念には及ばん……」

曹操はいったが、笑いにまぎらした中に、おおい得ない感情が圧しつぶされていた。その苦味を打ち消すように、

「さあ、あちらの閣に、盛宴のしたくができておる。わが幕僚たちともお紹介わせしよう。来給え」と、先に立って、酒宴のほうへみちびいた。

万歳の杯をあげて、諸将もみな酔ったが、平常でも朱面の関羽が、たれの顔よりも朱

かった。

酔に乗じて、曹操は、

「羽将軍、君が会わんと願っているひとは、おそらく乱軍のなかでもう屍になっているかも知れんな。むしろ霊を祭って、ひそかに弔ってあげたほうがよいだろう」と、ささやいた。

関羽は、酔うとよけい、酒の脂で真っ黒な艶をみせる長髯を撫しながら、

「それと分った時でも、それがしはきっと、丞相の側に居なくなるでしょう」

と、髯の中で笑った。

「どうしてか。玄徳が討死にしてしまったら、もう君の行く先はあるまい」

「いや、丞相」と、幅のひろい胸を向け直して、「――この髯が、鴉になって故主の屍を探しに飛んで行きましょう」と、いった。

冗談などいうまいと思っていた関羽が、計らずも、戯れたので、曹操は手をたたいて、

「そうか。あはは、なるほど、その髯が、みんな翼になったら、十羽ぐらいな鴉になろうな」と、哄笑した。

かくてまず、徐州地方に対する曹操の一事業はすみ、次の日、かれの中軍は早くも凱旋の途についた。

関羽は、主君の二夫人を車に奉じ、特に、前から自分の部下であった士卒二十余人と

共に、車をまもって、寸時も離れることなく、――

やがて許都へのぼった。

許都へ来ては、諸将は各〻の営寨にわかれ帰って、平常の服務につき、関羽は、洛内に一館をもらって、二夫人をそこへ住まわせた。

一館の第宅を、内外両院にわけて、深院には夫人たちを奉じ、外院には士卒と自分などが住まい、両門のわきには、日夜二十余人の士卒を交代で立たせた。

そして関羽も、時々、無事閑日の身を、そこの門番小屋の中において、書物など読みながら、手不足な番兵の代りなど勤めている日もあった。

四

帰洛して、ひとまず軍務もかたづくと、こんどは、山積している内外の政務が、彼の裁断を待っている。

曹操は政治にたいしても、人いちばいの情熱をもって当った。許都を中心とする新文化はいちじるしく勃興している。自己の指導ひとつで、庶民生活の様態があらたまってきたり、産業、農事の改革から、目にみえて、一般の福利が増進されてきたりするのを見ると、

「政治こそ、人間の仕事のうちで、最高な理想を行いうる大事業だ」

と信じて、年とるほど、政治に抱く興味と情熱はふかくなっていた。

この頃——

ようやくそのほうも一段落して、身に小閑を得ると、彼はふと思い出して、

「そうだ——時に例の関羽は、都へきてから、なにして暮しておるか」と侍臣にたずねた。

それに答えて近衆が、

「相府へはもちろんのこと、街へも出た様子はありません。二夫人の御寮を護って、番犬のように、門側の小屋に起居し、時々院の外を通る者が、のぞいて見るとよく読書している姿を見うけるそうで」と、彼の近況を語ると、曹操は打ちうなずいて心から同情を寄せるように、

「さもあらん、さもあらん。——英雄の心情、悶々たるものがあろう」と、独りつぶやいていた。

その同情のあらわれた数日の後、曹操は急に関羽を参内の車に誘った。

そして朝廷に伴って、天子にまみえさせた。もとより陪臣なので、殿上にはのぼれない。階下に立って拝謁したにとどまるが、帝も関羽の名は疾くご存じであるし、わけて御心のうちにある劉皇叔の義弟と聞かれて、特に御目をそそがれ、

「たのもしき武人である。しかるべき官位を与えたがよい」と、勅せられた。

曹操のはからいで、即座に、偏将軍に任じられた。関羽は終始黙々と、勅恩を謝して退がってきた。

まもなく曹操は、また、関羽のために、勅任の披露宴をかねて、祝賀の一夕を催し、諸大将や百官をよんで馳走した。

席上、関羽は、上賓の座にすえられ、曹操が、音頭をとって乾杯したが、その晩も、関羽は黙々と飲んでいるだけで、うれしいのか迷惑なのか分らない顔していた。

宴が終ると、曹操はわざわざ近臣数名に、

「羽将軍をお送りしてゆけ」

と、いいつけ、綾羅百匹、錦繍五十匹、金銀の器物、珠玉の什宝など、馬につけて贈らせた。

だが、関羽の眼には、珠玉も金銀も、瓦のようなものらしい。そのひとつすら身には持たず、すべて二夫人の内院へ運ばせて、

「曹操がこんなものをよこしました」と、みな献じてしまった。

曹操は、後に、それと聞いて、

「いよいよゆかしい漢だ」と、かえって尊敬をいだいた。同時に、彼が関羽に対する士愛と敬愛は、異常なほど高まるばかりだった。

三日に小宴、五日に大宴、といったふうに饗応の機会をつくって、関羽を見ることを楽しみとしていた。

武将が良士を熱愛する度を云い現わすことばとしてこの国の古くからの――馬にのれ

ば金を与え、馬を降れば銀を贈る——というたとえがあるが、曹操の態度は、それどころでなかった。

都の内でも、選りすぐった美女十人に、

「羽将軍を口説き落したら、おまえたちの望みは、なんでもかなえてやる」

と、云いふくませて、嬌艶な媚をきそわせたりした。関羽も美人は嫌いでないとみえ、めずらしく大酔して十名の美姫にとり巻かれながら、

「これは、これは、花園の中にでもいるようだぞ。きれいきれい。目がまわる——」

と、呵々大笑したが、帰るとすぐ、その十美人もみな二夫人の内院へ、侍女として献じてしまった。

破衣錦心

一

或る日、ぶらりと、関羽のすがたが相府に見えた。

二夫人の内院が、建築も古いせいか、雨漏りして困るので修築してもらいたいと、役

人へ頼みにきたのである。

「かしこまりました。さっそく丞相に伺って、ご修理しましょう」

役人から満足な返事を聞いて、ゆたりゆたり帰りかけてゆく彼のすがたを、ちらと曹操が楼台から見かけて、「あれは、羽将軍ではないか」と、侍臣をやって、呼びもどした。

「なにか御用ですかな」

関羽は、うららかな面をもってやがてそれへ来た。

曹操は手ずから秘蔵の瑠璃杯をとって、簡単に一杯すすめ、

「将軍の着ておられる緑の袍は緑錦の地色も見えないほど古びておるな。陽もうららかになるとあまりに襤褸が目につく。これを着たまえ。——君の身丈にあわせて仕立てさせておいたから」

と、見事な一領の錦袍をとって彼に与えた。

「ほ。……これは豪奢な」

関羽はもらい受けると、それを片手に抱えて帰って行った。ところが、その後、何かの折に、曹操がふと関羽の襟元を見ると、さきに自分の与えた錦の袍は下に着て上には依然として虱の住んでいそうな緑色のボロ袍をかさね着して澄ましこんでいた。

「羽将軍、君は武人のくせに、えらい倹約家だな。なぜそんなに物惜しみするのかね」

「え。どうしてです？　特に贅沢したくもないが、また特に倹約している覚えもありま

せんが」

「いや、やはりどこか、遠慮があるのだろう。曹操が賄うている以上は、何不自由もさせないつもりでおるのに――なにも、新しい衣裳を惜しんで古袍をわざわざ上に重ね着しているにもあたるまい」

「あ。このことですか」

関羽は自分の袖を顧みて、

「これはかつて、劉皇叔から拝領した恩衣です。どんなにボロになっても、朝夕、これを着、これを脱ぐたび、皇叔と親しく会うようで、うれしい気もちを覚えます。故に、いま丞相から新たに、錦繍の栄衣をいただいたものの、にわかに、この旧衣を捨てる気にはなれません」と、答えた。

聞くと、曹操は感に打たれたものの如く、心のうちで、（ああ麗しい人だ。さても、忠義な人もあるものだ……）と、しみじみ、彼のすがたに見惚れていたが、折ふしそこへ、寮の二夫人に仕えている者が迎えにきて、

「すぐお帰りください。おふた方が今、何事か嘆いて、羽将軍を呼んでいらっしゃいます」

と、関羽へ告げると、

「え。何か起ったのか」

と、関羽は、それまで話していた曹操へ、あいさつもせず馳け去ってしまった。

本来、こんな無礼をうけて、黙っている曹操ではないが、曹操は置き捨てられたまま茫然と彼のあとを見送って、

「……実に、純忠の士だ。衒いもない。飾りもない。ただ忠義の念それしかない。……ああなんとか、彼のような人物から、心服されたいものだが」と、独りつぶやいていた。

曹操は、心ひそかに、自分と玄徳を比較してみた。そしてどの点でも、玄徳に劣る自分とは思われなかったが――ただひとつ、自分の麾下に、関羽ほどな忠臣がいるかいないか――と、みずから問うてみると、

（それだけは劣る）と、肯定せずにいられなかった。彼の意中のものは、いよいよ熱烈に、

（きっと関羽を、自分の徳によって、心服させてみせる。自分の臣下とせずにはおかん）

と、人知れぬ誓いに固められていた。

二

二夫人の使いをうけた関羽は、わき目もせず寮へ帰って行った。そして内院へ伺ってみると、二夫人は抱き合って、なお哭き濡れていた。

「どうなされたのでござる。何事が起ったのですか」

関羽がたずねると、糜夫人と甘夫人は、初めて相擁していた涙の顔と胸を離し合っ

て、

「オオ関羽か。……どうしましょう。もう生きているかいもない。いっそのこと死のうかと思うたが、将軍の心に諮ってみてからと、そなたを待っていたところです」

と、共々に、慟哭した。

関羽は、おどろいて、

「死のうなどとは、滅相もないご短慮です。関羽がおりますからには、いかなる大難が迫ろうとも、お心やすく遊ばしませ。まずその仔細をおはなし下されい」と、なだめた。

ようやく、すこし落着いて、糜夫人がわけを語りだした。聞いてみると、なんのことはない、糜夫人が今日うたた寝しているうち、夢に、玄徳の死をありありと見たというのであった。

「あははは、何かと思えば夢をごらんになって劉皇叔のお身の上に、凶事があったものと思いこんでいらっしゃるのですか。どんな凶夢でも夢はどこまでも夢に過ぎません。そんなことで嘆き悲しむなど、愚の骨頂というものです。およしなさいおよしなさい」

関羽は打ち消して、しきりと陽気な話題へわざと話をそらした。

いかに鄭重に守られ、不自由なく暮していてもここは敵国の首府、二夫人の心を思いやると、夢にもおびえ泣く嬰児のような弱々しさと、無碍に笑えないここちがして、関羽はあとでこう慰めた。

「長いことと̀は申しません。そのうちにかならず皇叔にご対面の日がまいるように、誓って関羽が計らいまする。それまでのご辛抱と思し召して、おふた方とてただご自身のおからだを大事に遊ばしますように」

すると、内院の苑へ、いつのまにか曹操の侍臣が来ていた。関羽の帰り方があわただしかったし、二夫人の使いというので、曹操も猜疑をいだいて様子をうかがわせによこしたものである。

関羽に見つかると、曹操の侍臣はすこし間が悪そうに、

「御用がおすみになったら、またすぐお越しくださるようにと、丞相はご酒宴のしたくをして、再度のお運びを、待っておられます」と、いった。

関羽はふたたび相府の官邸へもどって行った。酒をのんでも心から楽しめないし、曹操と会っている間も、故主玄徳を忘れ得ない彼であったが、

（いまここで彼の機嫌を損じては――）

と、胸にひとり忍辱のなみだをのんで、何事にも、唯々諾々と伏していた。

先刻とはべつな閣室に、花を飾り、美姫をめぐらし、善美な佳肴と、紅酒黄醸の瓶をそなえて、曹操は、彼を待っていた。

「やあ、御用はもうおすみか」

「中座して、失礼しました」

「きょうはひとつ、将軍と飲み明かしたいと思っていたのでな」

「冥加のいたりです」

さりげなく杯に向ったが、曹操は、関羽の瞼に泣いたあとがあるのを見て意地わるくたずねた。

「将軍には、何故か、泣いてきたとみえるな。君も泣くことを初めて知った」

「あはは。見つかりましたか。それがしは実はまことに泣き虫なのです。二夫人が日夜、劉皇叔をしたわれてお嘆きあるため、実はいまも、貰い泣きをしてきたわけでござる」

つつまずにそういった関羽の大人的な態度に、曹操はまた、惚々見入っていたが、やがて酒も半ばたけなわの頃、戯れにまたこんなことを訊ねだした。

「君の髯は、実に長やかで美しいが、どれほどあるかね、長さは」

三

関羽の髯は有名だった。

長やかで美しい顎髯というので、この許都でも評判になっていた。

「おそらく都門随一の見事な髯だろう」と、いわれていた。

いま曹操から、その髯のことを訊かれると、関羽は、胸をおおうばかり垂れているその漆黒を握って悵然と、うそぶくように答えた。

「立てば髯のさきが半身を超えましょう。秋になると、万象と共に、数百根の古毛が自然にぬけ落ち、冬になると草木と共に毛艶が枯れるように覚えます。ですから極寒の時は、凍らさぬよう嚢でつつんでいますが、客に会う時は、嚢を解いて出ます」

「それほど大切にしておられるか。君が酔うと髯もみな酒で洗ったように麗しく見える」

「いやお恥かしい。髯ばかり美しくても、五体は碌々と徒食して、国家に奉じることもなく、故主兄弟の約にそむいて、むなしく敵国の酒に酔う。……こんな浅ましい身はあろうと思えませぬ」

なんの話が出ても、関羽はすぐ自身を責め、また玄徳を思慕してやまないのであった。そのたび曹操はすぐ話をそらすに努めながら、心のうちで、関羽の忠義に感じたり、反対に、ほろ苦い男の嫉妬や不快を味わいなどして、すこぶる複雑な心理に陥るのが常であった。

つぎの日。

朝に参内することがあって、曹操は関羽を誘い、そのついでに、錦の髯嚢を彼に贈った。

帝は、関羽が、錦のふくろを胸にかけているので、怪しまれて、

「それは何か」と、ご下問された。

関羽は嚢を解いて、

「臣の髯があまりに長いので、丞相が嚢を賜うたのでござる」と、答えた。

人なみすぐれた大丈夫の腹をも過ぎる漆黒の長髯をながめられて、帝は、微笑しながら、

「なるほど、美髯公よ」と、仰っしゃった。

それ以来、殿上から聞きつたえて、諸人もみな、関羽のことを、

「美髯公。美髯公」と、呼び慣わした。

朝門を辞して帰る折、曹操はまた、彼がみすぼらしい痩馬を用いているのを見て、

「なぜもっと良い飼糧をやって、充分に馬を肥やさせないのか」と、武人のたしなみを咎めた。

「いや、何せい此方のからだが、かくの如く、長大なので、たいがいな馬では痩せおとろえてしまうのです」

「なるほど、凡馬では、乗りつぶされてしまうわけか」

曹操は急に、侍臣をどこかへ走らせて、一頭の馬を、そこへ曳かせた。

見ると、全身の毛は、炎のように赤く、眼は、二つの鑾鈴をはめこんだようだった。

「――美髯公、君はこの馬に見おぼえはないかね」

「うウーム……これは」

関羽は眼を奪われて、恍惚としていたが、やがて膝を打って、

「そうだ。呂布が乗っていた赤兎馬ではありませんか」

「そうだ。せっかく分捕った駿壮だが、くせ馬なので、誰ものりこなす者がない。――君の用い料には向かんかね？」

「えっ、これを下さるか」

関羽は再拝して、喜色をみなぎらした。彼がこんなに歓ぶのを見たのは曹操も初めてなので、

「十人の美人を贈っても、かつてうれしそうな顔ひとつしない君が、どうして、一匹の畜生をえて、そんなに歓喜するのかね」と、たずねた。

すると関羽は、

「こういう千里の駿足が手にあれば、一朝、故主玄徳のお行方が知れた場合、一日のあいだに飛んで行けますからそれを独り祝福しているのです」と、言下に答えた。

四

悠々、赤兎馬にまたがって家路へ帰ってゆく関羽を――曹操はあと見送って、

「しまった……」と、唇を噛みしめていた。

どんな憂いも長く顔にとどめていない彼も、その日は終日ふさいでいた。

張遼は侍側の者から、その日の仔細を聞いて深く責任を感じた。

で、曹操にむかい、

「ひとつ、私が、親友として関羽に会い彼の本心を打診してみましょう」

と申しでた。

曹操の内諾を得て張遼は数日ののち関羽を訪ねた。

世間ばなしの末、彼はそろそろ探りを入れてみた。

「あなたを丞相に薦めたのはかくいう張遼であるが、もう近頃は都にも落着かれたであろうな」

すると関羽は答えて、

「君の友情、丞相の芳恩、共にふかく心に銘じてはおるが、心はつねに劉皇叔の上にあって、都にはない。ここにいる関羽は、空蟬（うつせみ）のようなものでござる」

「ははあ、……」と、張遼は、そういう関羽をしげしげ眺めて、

「大丈夫たる者は、およそ事の些末（さまつ）にとらわれず、大乗的に身を処さねばなりますまい。いま丞相は朝廷の第一臣、敗亡の故主を恋々とお慕いあるなど愚かではありませんか」

「丞相の高恩は、よく分っているが、それはみな、物を賜うかたちでしか現わされておらぬ。この関羽と、劉皇叔との誓いは、物ではなく、心と心のちぎりでござった」

「いや、それはあなたの曲解。曹丞相にも心情はある。いや士を愛するの心は、決して玄徳にも劣るものではない」

「しかし、劉皇叔とこなたとは、まだ一兵一槍もない貧窮のうちに結ばれ、百難を共にし、生死を誓ったあいだでござる。さりとて、丞相の恩義を無に思うも武人の心操がゆ

るさぬ。何がな、一朝の事でもある場合は身相応の働きをいたして、日ごろのご恩にこたえ、しかる後に、立ち去る考えでおりまする」

「では。……もし玄徳が、この世においでなき時は、どう召さる気か」

「――地の底までも、お慕い申してゆく所存でござる」

張遼はもうそれ以上、武人の鉄石心に対して、みだりな追及もできなかった。

門を辞して帰るさも、張遼はひとり煩悶した。

「丞相は主君、義において父に似る。関羽は心契の友、義において、兄弟のようなものだ。……兄弟の情にひかれて父を欺くとせば、不忠不義。ああどうしたものか」

しかし彼は、関羽の忠節を鑑としても、自分の主君に偽りはいえなかった。

「――行って参りました。四方山ばなしの末、いろいろ探ってみましたが、あくまで留まる容子は見えません。丞相の高恩はふかくわきまえていますが、さりとて、心をひるがえし、二君に仕えんなどとは、思いもよらぬ態に見えます」

歯に衣着せず、張遼はありのままを復命した。曹操もさすがに曹操であった。あえて怒る色もない。ただ長嘆していった。

「君ニ事エテソノ本ヲ忘レズ。関羽はまことに天下の義士だ。いつか去ろう！　いつか回り去るであろう！　ああ、ぜひもない」

「けれどもまた、関羽はこうもいっておりました。何がな一朝の場合には、ひと働きしてご恩を報じ、そのうえで立ち去らんと……」

張遼がいうのを聞いて、かたわらから荀彧が、つぶやくように献言した。

「さもあろう、さもあろう。忠節の士はかならずまた仁者である。だからこの上は、関羽に功を立てさせないに限ります。功を立てないうちは、関羽もやむなく、許都に留まっておりましょう」

白馬の野

一

劉備玄徳は、毎日、無為な日に苦しんでいた。

ここ河北の首府、冀州城のうちに身をよせてから、賓客の礼遇をうけて、なに不自由もなさそうだが、心は日夜楽しまない容子に見える。

なんといっても居候の境遇である。それに、万里音信の術も絶え、敗亡の孤を袁紹に託してからは、

「わが妻や子はどうなったか。ふたりの義弟はどこへ落ちたのか……」

思い悩むと、春日の長閑な無事も悶々とただ長い日に思われて、身も世もないここち

がする。

「上は、国へ奉じることもできず、下は、一家を保つこともできず、ただこの身ばかり安泰にある恥かしさよ……」

ひとり面をおおって、燈下に惨心を噛む夜もあった。

水は温み、春園の桃李は紅唇をほころばせてくる。

――ああ、桃の咲くのを見れば、傷心はまたうずく。桃園の義盟が思い出される。

「関羽関羽、まだこの世にあるか？　張飛はいずこにあるか？」

天空無心。

仰ぐと、一朶の春の雲がふんわりと遊んでいる。

玄徳は、仰視していた。

――と、いつのまにか、うしろへ来て、彼の肩をたたいた者がある。袁紹であった。

「ご退屈であろう。こう春暖を催してくると」

「おおこれは」

「其許にちとご相談があるが、忌憚ない意見を聞かしてもらえるかの」

「なんですか」

「実は、愛児の病も癒え、山野の雪も解けはじめたから、多年の宿志たる上洛の兵を催して、一挙に曹操を平げようと思い立った。――ところが、臣下の田豊が、僕を諫めていうには、今は攻めるよりも守る時期である。もっぱら国防に力をそそぎ、兵馬を調練し、農産を内にすすめて、坐りながらに待てば許都の曹操はここ二、三年のうちにかならず破綻をおこして自壊する。その時を待って一挙に決するが利じゃ——と申すのだが」

「なるほど、安全な考えです。けれど田豊は学者ですから、どうしても机上の論になるのでしょう。私ならそうしません」

「其許ならどうするか」

「時は今なりと信じます。なぜならば、なるほど曹操の兵馬は強堅ですし、彼の用兵奇策は侮りがたいものですが、ここようやく、彼も慢心をきざし、朝野の人々にうとまれ、わけて先頃、国舅の董承以下、数百人を白日の都下に斬ったことなど、民心も離反しているにちがいありません。儒者の論に耳をとられて、今を晏如として過ごしていたら、悔いを百年にのこすでしょう」

「……むむ、そうか。そういわれてみると、田豊はつねに学識ぶって、そのくせ自家の庫富を汲々と守っている性だ。彼はもう今の位置に事足りて、ただ余生の無事安穏を祈っておるため、そんな保守的な論を儂にもすすめるのかもしれん」

ほかにも何か気に入らないことがあったのであろう。袁紹はその後、田豊を呼びつけて、彼の消極的な意見を痛罵した。

「これは誰か、主君をそそのかした蔭の者があるにちがいない」

田豊は直感したので、日頃の奉公はここととばかり、なお面を冒して反論を吐いた。

——曹操の実力と信望は決して外からうかがえるような微弱ではない。うかつに軍を出したら大敗を喫するであろうというのである。

「汝は、河北の老職にありながら、わが河北の軍兵をさまで薄弱なものとあなどるか」

袁紹は怒って田豊を斬ろうとまでしたが、玄徳やそのほかの人々がおし止めたので、

「不吉なやつだ！　獄へ下せ」と、厳命してしまった。

些細な感情から、彼は大きな決心へ移っていた。まもなく河北四州へわたって檄文は発しられ、告ぐるに曹操の悪罪十箇条をあげ、

「おのおの一族の兵馬弩弓をすぐッて、白馬の戦場へ会せよ」と、令した。

二

白馬の野とは、河北河南の国境にあたる平野をいう。

四州の大兵は、続々、戦地へ赴いた。

さすが富強の大国である。その装備軍装は、どこの所属の隊を見ても、物々しいばかりだった。

こんどの出陣にあたっては、おのおの一族にむかって、

「千載の一遇だぞ」と、功名手柄を励ましたが、ひとり沮授の出陣だけは、ひとと違っていた。

沮授は田豊と共に、軍部の枢要にある身だった。そして田豊とは日頃から仲がいい。

その田豊が、主君に正論をすすめて獄に下ったのを見て、

「世の中は計りがたい」と、ひどく無常を感じ、一門の親類をよんで、出立の前夜、家財宝物など、のこらず遺物わけしてしまった。

そしてその別辞に、

「こんどの会戦は、千に一つも勝ち目はあるまい。もし僥倖にめぐまれてお味方が勝てば、それこそ一躍天下を動かそう。敗れたら実に惨たるものだ。いずれにせよ、沮授の生還は期し難いと思う」と述べ、出立した。

白馬の国境には、少数ながら曹操の常備兵がいた。しかし袁紹の大軍が着いてはひとたまりもない。馬蹄にかけられてみな逃げ散ってしまった。

先陣は、冀州の猛将として名ある顔良にも命じられていた。勢いに乗じて、顔良はもう黎陽（河南省・浚県附近）方面まで突っこんでいた。

沮授は、危ぶんで、

「顔良の勇は用うべしですが、顔良の思慮は任ずべきでありません、それに先陣の大将を二人へ任じられるのもいかんと思いますが」と、袁紹に注意した。

袁紹は、耳をかさない。

「こんな鮮やかに勝っている戦争をなんで変更せよというのか。あのとおり獅子奮迅のすがたを見せている勇将へ、退けなどといったら、全軍の戦意も萎えてしまう。そちは口を閉じて見物しておれ」

――一方。

国境方面から次々と入る注進やら、にわかに兵糧軍馬の動員で、洛中の騒動たるや、いまにも天地が覆える(くつがえる)ような混雑だった。

その中を。

例の長髯(ちょうぜん)を春風になびかせて、のそのそと、相府の門へいま入ってゆくのは関羽の長軀であった。

曹操に会って、関羽は、

「日頃のご恩報じ、こんどの大会戦には、ぜひ此方を、先手に加えてもらいたい」と、志願して出た。

曹操は、うれしそうな顔したが、すぐ何か、はっと思い当ったように、

「いやいや何のこの度ぐらいな戦には、君の出馬をわずらわすにはあたらん。またの折に働いてもらおう。もっと重大な時でもきたら」と、あわてて断った。

余りにもはっきりした断り方なので、関羽は返すことばもなく、すごすごと帰って行った。

日ならずして、曹軍十五万は、白馬の野をひかえた西方の山に沿うて布陣し、曹操自身、指揮にあたっていた。

見わたすと、渺々(びょうびょう)の野に、顔良(がんりょう)の精兵十万余騎が凸形(とつがた)にかたまって、味方の右翼を突きくずし、野火が草を焼くように押しつめてくる。

「宋憲宋憲。宋憲はいるか」

曹操の呼ぶ声に、

「はっ、宋憲はこれに」とかけ寄ると、曹操は何を見たか、いとも由々しく命じた。

「そちは以前、呂布の下にいた猛将。いま敵の先鋒を見るに、冀州第一の名ある顔良がわが物顔に、ひとり戦場を暴れまわっておる。討ち取ってこい、すぐに」

宋憲は欣然と、武者ぶるいして、馬を飛ばして行ったが、敵の顔良に近づくと、問答にも及ばずその影は、一抹の赤い霧となってしまった。

報恩一隻手

一

顔良の疾駆するところ、草木もみな朱に伏した。

曹軍数万騎、猛者も多いが、ひとりとして当り得る者がない。

「見よ、見よ。すでに顔良一人のために、あのざまぞ。——だれか討ち取るものはいないか」

曹操は、本陣の高所に立って声をしぼった。

「てまえに仰せつけ下さい。親友宋憲の仇、報いずにおきません」

「オオ、魏続か、行けっ」

魏続は、長桿の矛をとって、まっしぐらに駆けだし、敢然顔良へ馬首をぶつけて挑んだが、黄塵煙るところ、刀影わずか七、八合、顔良の一喝に人馬もろとも、斬り仆された。

つづいて、名乗りかける者、取囲む者、ことごとく顔良の好餌となるばかりである。

さすがの曹操も胆を冷やし、

「あわれ、敵ながら、すさまじき大将かな」と、舌打ちしておののいた。

彼ひとりのため、右翼は潰滅され、余波はもう中軍にまで及んできた。丞相旗をめぐる諸軍すべて翩翻とただおののき恐れて見えたが、その時、

「オオ、徐晃が出た。――徐晃が出て行った」

と、口々に期待して、どっと生気をよみがえらせた。

見れば、いま、中軍の一端から、霜毛馬にまたがって、白炎の如き一斧をひっさげ、顔良目がけて喚きかかった勇士がある。これなん曹操の寵士で、また許都随一の勇名ある弱冠の徐晃だった。

両雄の刀斧は、烈々、火を降らして戦ったが、二十合、五十合、七十合、得物も砕けるかと見えながらなお、勝負はつかない。

しかし、顔良の猛悍とねばりは、ついに弱冠徐晃を次第次第に疲らせて行った。いまは敵せずと思ったか、さしもの徐晃も、斧を敵へなげうって、乱軍のうちへ逃げこんでしまった。

時すでに、薄暮に迫っていた。

やむなく曹操は、一時、陣を十里ばかり退いて、その日の難はからくもまぬがれたが、魏続、宋憲の二大将以下おびただしい損害と不名誉をもって、ひとりの顔良に名をなさしめたことは、何としても無念でならなかった。

すると翌朝、程昱が、彼に献言した。

「顔良を討つだろうと思える人は、まず関羽よりありません。こんな時こそ、関羽を陣へ召されてはどうです」――と。

それは、曹操も考えていないことではない。けれど関羽に功を立てさせたら、それを機会に、自分から去ってしまうであろう――という取越し苦労を抱いていた。

「日ごろ、恩をおかけ遊ばすのは、かかる時の役に立てようためではありませんか。もし関羽が顔良を討ったら、いよいよ恩をかけてご寵用なされればいいことです。もしまた顔良にも負けるくらいだったら、それこそ、思いきりがいいではありませんか」

「おお、いかにも」

曹操は、すぐ使いを飛ばし関羽に直書を送って、すぐ戦場へ馳せつけよ、と伝えた。

歓んだのは関羽である。

「時こそ来れり」

とすぐ物具に身をかため内院へすすみ、二夫人に仔細を語って、しばしの別れを告げた。

しばしの暇をと聞くだに、二夫人はもう涙をためて、

「身を大事にしてたもれ。また、戦場へ参ったら、皇叔のお行方にも、どうか心をかけて、何ぞの手がかりでも……」と、はや錦袖で面をつつんだ。

「ゆめ、お案じあそばすな。関羽のひそかに心がけるところも、実はそこにあります。やがてきっとご対面をおさせ申しましょうほどに。——どうぞお嘆きなく。……では、おさらば」

青龍の偃月刀を掻いよせて立つと、二夫人は外門のほとりまで送ってでた。関羽は赤兎馬に打ちまたがって、一路、白馬の野へ急いで行った。

二

いま、曹操のまわりは、甲鎧燦爛たる諸将のすがたに埋められていた。

なにか、布陣図のようなものを囲んで謀議に鳩首しているところだった。

「ただ今、羽将軍が着陣されました」

うしろのほうで、卒の一名が高く告げた。

「なに、関羽が見えたか」

よほどうれしかったとみえる。曹操は諸将を打捨てて、自身、大股に迎えに出て行った。

関羽はいま営外に着いて、赤兎馬をつないでいた。曹操の出迎えに恐縮して、

「召しのお使いをうけたので、すぐ拝領のこれに乗って、快足を試してきました」

馬の鞍を叩きながら云った。

曹操はここ数日の惨敗を、ことばも飾らず彼に告げて、

「ともかく、戦場を一望してくれ給え」

と、卒に酒を持たせ、自身、先に立って山へ登った。

「なるほど」

関羽は、髯のうえに、腕をくんで、十方の野を見まわした。

野に満ち満ちている両軍の精兵は、まるで蕎麦殻をきれいに置いて、大地に陣形図を描いたように見える。

河北軍のほうは、易の算木をおいたような象。魚鱗の正攻陣を布いている。曹操の陣はずっと散らかって、鳥雲の陣をもって迎えていた。

その一角と一角とが、いまや入り乱れて、揉み合っていた。折々、喊声は天をふるわし、鎗刀の光は日にかがやいて白い。どよめく度に、白紅の旗や黄緑の旆は嵐のように揺れに揺れている。

物見を連れたひとりの将が馳けあがってきた。そして、曹操の遠くにひざまずき、

「またも、敵の顔良が、陣頭へ働きに出ました。――あの通りです。顔良と聞くや、味方の士卒も怯気づいて、いかに励ましても崩れ立つばかりで」

息をあえぎながら叫んだ。

曹操はうめくように、

「さすがは強大国、いままで曹操が敵として見た諸国の軍とは、質も装備も段ちがいだ。旺なるかな、河北の人馬は」と、驚嘆した。

関羽は笑って、

「丞相、あなたのお眼には、そう映りますか。それがしの眼には、墳墓に並べて埋葬する犬鶏の木偶や泥人形のようにしか見えませんが」

「いや、いや、敵の士気の旺なことは、味方の比ではない。馬は龍の如く、人は虎のようだ、あの一旒の大将旗の鮮やかさが見えんか」

「ははは。あのような虚勢に向って、金の弓を張り、玉の矢をつがえるのは、むしろもったいないようなものでしょう」

「見ずや、羽将軍」

曹操は指さして、

「あのひらめく錦旛の下に、いま馬を休めて、静かに、わが陣を睨めまわしておる物々しい男こそ、つねにわが軍を悩ましぬく顔良である。なんと見るからに、万夫不当な猛将らしいではないか」

「そうですな。顔良は、背に標を立てて、自分の首を売り物に出している恰好ではありませんか」

「はて。きょうのご辺は、ちと広言が多過ぎて、いつもの謙譲な羽将軍とはちがうようだが」

「その筈です。ここは戦場ですから」

「それにしても、あまりに敵を軽んじ過ぎはしまいか」

「否……」と、身ぶるいして、関羽は凛と断言した。

「決して、広言でない証拠をいますぐお見せしましょう」

「顔良の首を予のまえに引ッさげてくるといわれるか」

「――軍中に戯言なしです」

関羽は、士卒を走らせて、赤兎馬をそこへひかせ、盔をぬいで鞍に結びつけると、青龍の偃月刀を大きく抱えて、たちまち山道を馳け降りて行った。

三

時しも春。

河南の草も萌え、河北の山も淡青い。江風は温く、関羽の髯をなぶり、赤兎馬の鬣をそよ吹いてゆく。

久しく戦場に会わない赤兎馬は、きょうここに、呂布以来の騎り人を得、尾ぶるいしていないた。

「退けや。関羽雲長の道をはばんで、むだな生命をすてるな」

やおら、八十二斤という彼の青龍刀は鞍上から左右の敵兵を、薙ぎはじめていた。

圧倒的な優勢を誇っていた河北軍は、

「何が来たのか？」と、にわかに崩れ立つ味方を見て疑った。

「関羽。関羽とは何だ」

知るも知らぬも、暴風の外にはいられなかった。

関羽が通るところ、見るまに、累々の死屍が積みあげられてゆく。

その姿を「演義三国志」の原書は、こう書いている。

——香象の海をわたりて、波を開けるがごとく、大軍わかれて、当る者とてなき中を、薙ぎ払いてぞ通りける……。

顔良は、それを眺めて、

「ややや、面妖な奴かな。玄徳が義弟の関羽だと。——よしッ」

さっと、大将幡の下を離れ、電馳して駒を向けた。

——より早く、関羽も、幡を目あてに近づいていた。それと、彼のすがたを見つけていたのである。

赤兎馬の尾が高く躍った。

一閃の赤電が、物を目がけて、雷撃してゆくような勢いだった。

「顔良は、汝かっ」

それに対して、

「おっ、われこそは」

と、だけで、次を云いつづける間はなかった。

偃月の青龍刀は、ぶうっん、顔良へ落ちてきた。

その迅さと、異様な圧力の下から、身をかわすこともできなかった。

顔良は、一刀も酬いず、偃月刀のただ一揮に斬り下げられていたのである。

ジャン！　とすさまじい金属的な音がした。鎧も甲も真二つに断れて、噴血一丈、宙へ虹を残して、空骸はばさと地にたたきつけられていた。

関羽はその首を取って悠々駒の鞍に結びつけた。

そして忽ち、敵味方のなかを馳けてどこかへ行ってしまったが、その間、まるで戦場に人間はいないようであった。

河北勢は旗を捨て、鼓もとり落して潰乱を起していた。

もちろん機を見るに敏な曹操が戦機を察してただちに、

「すわや、今だぞ」と、総がかりを下知し、金鼓鉄弦地をふるって、攻勢に転じたからであった。

張遼、許褚なども、さんざんに働き、ここ数日来の敗戦を思うさま仕返しした。

関羽はたちまち、以前の山へ帰ってきていた。顔良の首は、曹操の前にさし置かれて

ある。曹操はただもう舌を巻いて、

「羽将軍の勇はまことに人勇ではない。神威ともいうべきか」と、嘆賞してやまなかった。

「何の、それがし如きはまだいうに足りません。それがしの義弟に燕人張飛という者がありますが、これなどは大軍の中へはいって、大将軍の首を持ってくることまるで木に登って桃をとるよりたやすくいたします。顔良の首など、張飛に拾わせれば嚢の中の物を取りだすようなものでしょう」

と、答えた。

曹操は、胆を冷やした。そして左右の者へ、冗談半分にいった。

「貴様たちも覚えておけ。燕人張飛という名を、帯の端、襟の裏にも書いておけ。そういう超人的な猛者に逢ったら、ゆめゆめ軽々しく戦うなよ」

黄河を渡る

一

顔良が討たれたので、顔良の司令下にあった軍隊は支離滅裂、潰走をつづけた。後陣の支援によって、からくも頽勢をくい止めたものの、ために袁紹の本陣も、少なからぬ動揺をうけた。

「いったい、わが顔良ほどな豪傑を、たやすく討ち取った敵とは、何者だろう。よも凡者であるまい」と、袁紹は、安からぬ顔色で周囲の者へたずねた。

沮授が答えて、

「おそらくそれは、玄徳の義弟の関羽という者でしょう。関羽のほかには、そうやすやすと、顔良を斬るような勇士はありません」と、いった。

しかし、袁紹は、

「そんなはずはあるまい。いま玄徳は、一身をこの袁紹に頼んで、ここへも従軍しておるのに」

と、疑って信じなかったが、念のため、前線から敗走してきた一兵を呼んで、

「顔良を討ったのは、どんな大将であったか、目撃したところを語れ」と、ただしてみた。

その刹那を見たという一兵は、ありのままにいった。

「おそろしく赤面で、髯の見事な大将でした。大薙刀でただ一撃に顔良将軍を斬ってしまい、落着きはらって首を赤い馬の鞍に結びつけて引っ返しながら――雲長関羽の道をさまたげるなと、広言を払って駈け去りましたんで」

袁紹は何ともいえぬ相貌をして聞いていたが、たちまち怒気を表に発して、

「玄徳を引ッぱってこい！」と、左右へ怒号した。

諸士は争って、玄徳の陣屋へ馳け、有無をいわせず、彼の両手をねじあげて、袁紹のまえに拉してきた。

袁紹は、彼を見るなりいきりたって、頭から罵った。

「この恩知らずめ！　よくも曹操と内応して、わが大事な勇将を義弟の関羽に討たせおったな。――顔良の生命はかえるよしもないが、せめて汝の首を刎ねて、顔良の霊を祭るであろう。者どもっ、忘恩の人非人を、わしの見ている前で斬りすてろ」

玄徳は、あえて畏れなかった。身に覚えのない出来事だからである。

「お待ちください。平常、ご思慮ある将軍が、何とて、きょうばかりさように激怒なされますか。曹操は年来、玄徳を殺さんとしているんです。なんで、その曹操をたすけ

て、いま身を置く恩人の軍に不利を与えましょう。……また赤面美髯の武者だったそうですが、関羽によく似た大将も世間にいないと限りません。曹操は著名な兵略家ですから、わざとそういう者を探して、お味方の内訌を計らんとしたかも知れません。……いずれにせよ、一兵士の片言をとりあげて、玄徳の一命を召されんなどということは、余りに、日頃のご温情にも似げないご短慮ではございますまいか」

そういわれると、「むむ……それも一理あること」と、袁紹の心はすぐなだめられてしまった。

武将の大事な資格のひとつは、果断に富むことである。その果断は、するどい直感力があってこそ生れる。――実に袁紹の短所といえば、その直感の鈍いところにあった。

玄徳は、なお弁明した。

「徐州にやぶれて、孤身をご庇護のもとに託してからまだ自分の妻子はもとより一族の便りすら何も聞いておりません。どうして関羽と聯絡をとる術がありましょう。私の日常は、あなたも常に見ておいででしょう」

「いや、もっともだ。……だいたい、沮授がよくない。沮授がわしを惑わせたため、こんなことになったのだ。賢人、ゆるし給え」

と、玄徳を、座上に請じて、沮授に謝罪の礼をとらせ、そのまま敗戦挽回の策を議し始めた。

すると、侍立の諸将のあいだから、一名の将が前へすすんで、

「兄顔良に代る次の先鋒(せんぽう)は、弟のそれがしに仰せつけ下されたい」と、呶鳴った。

見れば、面は蟹(かに)の如く、犬牙(けんが)は白く唇をかみ、髪髯(はつぜん)赤く巻きちぢれて、見るから怖ろしい相貌をしているが、平常はむッつりとあまりものをいわない質(たち)の文醜(ぶんしゅう)であった。

二

文醜は、顔良の弟で、また河北の名将のひとりであった。

「おお、先陣を望みでたは文醜か。健気(けなげ)健気、そちならで誰か顔良の怨みをそそごう。すみやかに行け」

袁紹は激励して、十万の精兵をさずけた。

文醜は、即日、黄河まで出た。

曹操は、陣をひいて、河南に兵を布いている。

「敵にさしたる戦意はない、恟々(きょうきょう)とただ守りあるのみだ」

旌旗(せいき)、兵馬、十万の精鋭は、無数の船にのり分れて、江上を打渡り、黄河の対岸へ攻め上って行った。

沮授は心配した。

袁紹を諫めて、

「どうも、文醜の用兵ぶりは、危なくて見ていられません、機変も妙味もなく、ただ進めばよいと考えているようです。――いまの上策としては、まず官渡(かんと)（河南省・開封附近）と延津（河南省）の両方に兵をわけて、勝つに従って徐々に押しすすむに限りましょう。それなら過ちはありません。――それをば軽忽にも黄河を打渡って、もし味方の不利とでもなろうものなら、それこそ生きて帰るものはないでしょう」

諄々と、説いた。

人の善言をきかないほど頑迷な袁紹でもないのに、なぜかこの時は、ひどく我意をだして、

「知らないか。――兵ハ神速ヲ貴ブ――という。みだりに舌の根をうごかして、わが士気を惑わすな！」

沮授は、黙然と外へ出て、「――悠タル黄河、吾レ其ヲ渡ラン乎」と、長嘆していた。

その日から、沮授は仮病をとなえて、陣務にも出てこなかった。

袁紹もすこし云い過ぎたのを心で悔いていたが、迎えを重ねるのも癪なので不問にしていた。

その間に玄徳は、

「日頃、大恩をこうむりながら、むなしく中軍におるは本望ではありません。かかる折こそ、将軍の高恩にこたえ、二つには顔良を打った関羽と称する者の実否をたしかめてみたいと思います。どうか私も、先陣に出していただきたい」と、嘆願した。

袁紹は、ゆるした。

すると、文醜が、単身、軽舸に乗って、中軍へやって来た。

「先陣の大将は、それがし一名では、ご安心ならぬというお心ですか」

「そんなことはない。なぜそんな不平がましいことをいうか」

「でも玄徳は、以前から戦に弱く、弱い大将というのでは、有名な人間でしょう。それにも先陣をお命じあったのは、いかなるわけか、近ごろ御意を得ぬことで」

「いやいやひがむな。それはこうだ。玄徳の才力を試そうためにほかならん」

「では、それがしの軍勢を、四分の一ほども分け与えて、二陣に置けばよろしいでしょうな」

「むむ。それでよかろう」

袁紹は、彼のいうがままに、その配置は一任した。

こういうところにも、袁紹の性格は出ている。何事にも煮えきらないのである。戦に対して、彼自身の独創と信念がすこしもない。

ただ彼は、父祖代々の名門と遺産と自尊心だけで、将士に対していた。彼の儀容風貌もすこぶる立派なので、平常はその欠陥も目につかないが、戦場となると、遺産や名門や風采では間に合わない。ここでは人間の正味そのものしかない。総帥の精神力による明断や予察が、実に、全軍の大きな運命をうごかしてくることになる。

文醜は、帰陣すると、「袁将軍の命であるから」と称し、四分の一弱の兵を玄徳に分けて、二陣へ退がらせてしまった。そして自身は、優勢な兵力をかかえ、第一陣ととなえて前進を開始した。

燈花占

一

関羽が、顔良を討ってから、曹操が彼を重んじることも、また昨日の比ではない。

「何としても、関羽の身をわが帷幕から離すことはできない」

いよいよ誓って、彼の勲功を帝に奏し、わざわざ朝廷の鋳工に封侯の印を鋳させた。

それが出来上ると、彼は張遼を使いとして、特に、関羽の手許へ持たせてやった。

「……これを、それがしに賜わるのですか」

関羽は一応、恩誼を謝したが、受けるともなく、印面の文を見ていた。

寿亭侯之印
と、ある。

すなわち寿亭侯に封ずという辞令である。

「お返しいたそう。お持ち帰りください」

「お受けにならんのか」

「芳誼はかたじけのうござるが」

「どうして？」

「ともあれ、これは……」

なんと説いても、関羽は受け取らない。張遼はぜひなく持ち帰って、ありのまま復命した。

曹操は、考えこんでいたが、

「印を見ぬうちに断ったか。印文を見てから辞退したのか」

「見ておりました。印の五文字をじっと……」

「では、予のあやまりであった」

曹操は、何か気づいたらしく、早速、鋳工を呼んで、印を改鋳させた。

改めてできてきた印面には、漢の一字がふえていた。

——漢寿亭侯之印——と六文字になっていた。

ふたたびそれを張遼に持たせてやると、関羽は見て、呵々と笑った。

「丞相は実によくそれがしの心事を知っておられる。もしそれがし風情の如く、ともに臣道の実を践む人だったら、われらとも、よい義兄弟になれたろうに」

そういって、こんどは快く、印綬を受けた。

かかる折に、戦場から早馬が到来して、「袁紹の大将にして、顔良の弟にあたる文醜が、黄河を渡って、延津まで攻め入ってきました」と、急を報じてきた。

曹操は、あわてなかった。

まず行政官を先に派遣して、その地方の百姓をすべて、手ぎわよく、西河という地に移させた。

次に、自身、軍勢をひきいて行ったが、途中で、

「荷駄、粮車すべての輜重隊は先へ進め。――戦闘部隊はずっと後につづいてゆくがいい」

と、変な命令を発した。

「こんな行軍法があろうか？」

人々は怪しんだが、ぜひなく、その変態陣のまま、延津へ馳せ向った。すると案のじょう、戦闘装備を持たない輜重隊は、まっ先に敵に叩かれた。おびただしい兵糧を置き捨てて、曹軍の先頭は、四方に潰走してしまった。

「案ずるに及ばん」

曹操は、立ち騒ぐ味方をしずめ、

「兵糧など捨て置いて味方の一隊は、北へ迂回し、黄河に沿って、敵の退路を扼せ、――また一隊は、逃げるが如く、南の阜へ馳けのぼれ」と、下知した。

戦わぬうちから、すでに曹軍は散開を呈して、兵の凝集力を欠き、士気もあがらない様子を見たので、文醜は、

「見ろ、すでに敵は、わが破竹の勢いに恐れをなして、逃げ腰になっている」と、誇り

きった。

そして、この図をはずすな、とばかり彼の大兵は、存分に暴れまわった。

盔(かぶと)や甲(よろい)も脱いで、悠々と阜(おか)のうえにもぐりこんでいた曹操の部下も、すこし気が気ではなくなってきた。

「どうなることだ。今日の戦は。……こんなことをしていたら、やがてここも」

と、ほんとの逃げ腰になりかけてきた。

すると荀攸(じゅんゆう)が、物陰から、

「いや、もっけの幸いだ。これでいいんだ！」と、あたりの者へ呶鳴った。

すると曹操が、ジロリと、荀攸の顔を白眼で見た。

荀攸は、はっと、片手で口をおさえ、片手で頭をかいた。

二

荀攸は、曹操の計略をよく察していたのだった。

で、浮き腰立つ味方へ、ついに自分の考えを口走ったのであるが、いまや大事な戦機とて、

(要らざることをいうな！)と、曹操から眼をもって叱られたのも当然であった。

まず味方から計(はか)る――曹操の計略は、まもなく図にあたって来た。

文醜を大将とする河北軍は、敵なきごとく前線をひろげ、いちどは、七万の軍隊が後

方に大きな無敵圏を抱いたが、

「戦果は充分にあげた。勝ち誇って、単独に深入りするのは危ないぞ」

と、文醜も気づいて、日没頃ふたたび、各陣の凝結を命じた。

後方の占領圏内には、まっさきに潰滅した曹操の輜重隊が、諸所に、莫大な粮米や軍需品を置き捨ててある。

「そうだ、鹵獲品は、みなこっちの隊へ運んでこい」

後方に退がると、諸隊は争ってこんどは兵糧のあばき合いを始めた。

山地はとっぷり暮れていた。曹操は、物見の者から、敵情を聞くと、

「それっ、阜をくだれっ」

と、指揮を発し、全軍の豹虎が、ふもとへ降りたと見ると、阜の一端から狼煙をあげさせた。

昼のうち、敗れて、逃げるとみせて、実は野に阜に河に林に、影を没していた味方は、狼煙を知ると、大地から湧き出したように、三面七面から奮い起った。

曹操も、野を疾駆しながら、

「昼、捨てておいた兵糧は敵を大網にかける撒餌の計だ。網をしぼるように、雑魚一尾ののがすな」

と、さけび、また叱咤をつづけて、

「文醜を生捕れ、文醜も河北の名将、それを生捕らば、顔良を討った功に匹敵しよう

ぞ！」

と、励ました。

麾下の張遼やら徐晃（じょこう）やら、先を争って追いかけ、遂に文醜のすがたを乱軍の中にとらえた。

「きたなし文醜。口ほどもなく何処へ逃げる」

うしろの声に、文醜は、

「なにをッ」と、振向きざま、馬上から鉄の半弓に太矢（ふとや）をつがえて放った。

矢は、張遼の面へきた。

はッと、首を下げたので、鏃（やじり）は盔（かぶと）の紐を射切ってはずれた。

「おのれ」

怒り立って、張遼が、うしろへ迫ろうとした刹那、二の矢がきた。こんどはかわすひまなく、矢は彼の顔に突き立った。

どうっと、張遼が馬から落ちたので、文醜は引っ返してきた。首を掻いて持ってゆこうとしたのである。

「胆太い曲者（くせもの）め」

徐晃が、躍り寄って、張遼をうしろへ逃がした。徐晃が得意の得物といえば、つねに持ち馴れた大鉞（おおまさかり）であった。みずから称して白焰斧（びゃくえんぷ）といっている。それをふりかぶって文醜に当って行った。

文醜は、一躍さがって鉄弓を鞍にはさみ、大剣を横に払って、苦々と笑った。

「小僧っ、少しは戦に馴れたか」

「大言はあとでいえ」

若い徐晃は、血気にまかせた。しかし弱冠ながら彼も曹幕の一驍将だ。そうむざむざとはあしらえない。

大剣と白焔斧は、三十余合の火華をまじえた。徐晃もつかれ果て、文醜もみだれだした。四方に敵の嵩まるのを感じだしたからである。

一隊の悍馬が、近くを横切った。文醜はそれを機に、黄河のほうへ逸走した。――すると一すじの白い旗さし物を背にして、十騎ほどの郎党を連れた騎馬の将が彼方から歩いてきた。

「敵か？　味方か？」

と、疑いながら、彼のさしている白い旗を間近まで進んで見ると、何ぞはからん、墨黒々、

漢寿亭侯雲長　関羽

と、書いてある。

三

謎の敵将関羽？

兄の顔良を討った疑問の人物？

――文醜はぎょっとしながら駒をとめて、なお河べりの水明りを凝視した。

すると、肩に小旗をさした彼方の大将は、早くも、文醜の影を認めて、

「敗将文醜。何をさまようているか。いさぎよく、関羽に首を授けよ」

と、一鞭して馳け寄ってきた。

馬は、逸足の赤兎馬。騎り人は、まぎれもない赤面長髯の人、関羽だった。

「おおっ、汝であったか。さきごろわが兄の顔良を討った曲者は」

喚きあわせて、文醜も、ただちに大剣を舞わして迫った。

閃々、偃月の青龍刀。

晃々、文醜の大剣。

たがいに命を賭して、渡りあうこと幾十合、その声、その火華は黄河の波をよび、河南の山野にこだまして、あたかも天魔と地神が乾坤を戦場と化して組み合っているようだった。

そのうち、かなわじと思ったか、文醜は急に馬首をめぐらして逃げだした。これは彼の奥の手で、相手が図に乗って追いかけてくると、その間に剣をおさめ、鉄の半弓を持ちかえて、振向きざまひょうっと鉄箭を射てくる策であった。

だが、関羽には、その作戦も効果はなかった。二の矢、三の矢もみな払い落され、ついに、追いつめられて後ろから青龍刀の横なぎを首の根へ一撃喰ってしまった。文醜の

馬は、首のない彼の胴体を乗せたまま、なお、果てもなく黄河の下流へ駈けて行った。

「敵将文醜の首、雲長関羽の手に挙げたり」

と呼ばわると、百里の闇をさまよっていた河北勢は、拍車をかけて、さらに逃げ惑った。

「今ぞ、今ぞ。みなごろしに、追いつめろ」

曹操は、かくと伝え聞くや、中軍の鼓隊鑼隊に令して、金鼓を打たせ鉦を鳴らし、角笛を吹かせて、万雷風声、すべて敵を圧した。

討たれる者、黄河へおちて溺れ死ぬ者、夜明けまでに、河北勢の大半は、あえなく曹軍の餌になってしまった。

時に玄徳は、この戦のはじめから、文醜に邪魔もの扱いにされて、ずっと後陣に屯していたが、ようやく逃げくずれてくる先鋒の兵から、味方の第一陣の惨敗を聞き取って、

「こことても油断はならぬ」と、きびしく陣容を守りかためていた。

そして、ほうほうの態で逃げこんでくる敗兵がみな、口々に、

「文将軍を討ったのも、さきに顔将軍を討った髯の長い赤面の敵だ」

というので、夜明けとともに、玄徳は一隊を率いて前線の近くまで馬をすすめて見た。

黄河の支流は、ひろい野に、小さい湖や大きな湖を、無数に縫いつないでいる。ふか

い春眠の霞をぬいで、山も水も鮮やかに明け放れてはいるが、夜来の殲滅戦は、まだ河むこうに、大量な人物を撒いて咆哮していた。

「オオ、あの小旗、あの白い小旗をさしている男です」

案内に立った敗兵のひとりが支流の対岸を指した。百獣を追いまわす獅子王のような敵の一大将が遠く見える。

「……？」

玄徳はややしばらく眸をこらしていた。小旗の文字がかすかに読まれた。「漢寿亭侯雲長関羽」――陽にひるがえるとき明らかにそう見えた。

「ああ！……義弟の関羽にちがいない」

玄徳は瞑目して、心中ひそかに彼の武運を天地に祈念していた。

すると、後方の湖を渡って、曹操の軍が退路を断つと聞えたので、あわてて後陣へ退き、その後陣も危なくなったので、またも十数里ほど退却した。

その頃、袁紹の救いがようやく河を渡って来た。で、合流して一時、官渡の地へひき移った。

四

郭図、審配の二大将は、憤々と、袁紹の前に告げていた。

「怪しからん沙汰です。このたび文醜を討ったのも、やはり玄徳の義弟関羽だということですぞ」

「それは、まったくか」

「こんどは漢寿亭侯雲長関羽としるした小旗を負って、戦場へ出たそうですから、事実でしょう」

「玄徳を呼べ。いつぞやは巧言をならべおったが、今日はゆるさん」

度かさなる味方の損害に、気の腐っていた折でもある。袁紹は、やがて面前に玄徳を見ると、嫌味たッぷり詰問した。

「大耳君、弁解の余地もあるまい。袁紹もなにもいわん。ただ君の首を要求する」

斬れ――と彼が左右の将に命じたので、玄徳はおどろいてさけんだ。

「お待ちなさい。あなたは、好んで曹操の策に、乗る気ですか」

「汝の首を斬ることが、なんで曹操の策に乗ることになろうや」

「いや、曹操が関羽を用いて、顔良、文醜を討たせたのは、ひとえに、あなたの心を怒らせて、この玄徳を殺させるためです。考えてもご覧なさい。この玄徳はいま、将軍の恩養をうけ、しかも一軍の長に推され、何を不足にお味方の不利を計りましょうや。ねがわくばご賢察ください」

玄徳の特長はその生真面目な態度にある。彼の言葉は至極平凡で、滔々の弁でもなく、なんらの機智もないが、ただけれんや駈引きがない。醇朴と真面目だけである。内心はともかく、人にはどうしてもそう見える。

袁紹は形式家だけに、玄徳のそういう態度を見ると、すぐ一時の怒りを悔いた。

「いや、そうきけば、自分にも誤解があった。もし一時の怒りからご辺を殺せば袁紹は賢を忌むもの――と世の嘲笑をうけたろう」

気色がなおると、彼はまた、甚だ慇懃鄭重であった。つつしんで、玄徳を座上に請じ、

「こう敗軍をかさねたのも、ご辺の義弟たる関羽が敵の中にあるため。……なんとか、そこにご辺として、思慮はあるまいか」と、諮った。

玄徳は、頭を垂れて、

「そう仰せられると、自分も責任を感ぜずにはおられません」

「ひとつ、ご辺の力で、関羽をこっちへ招くことはできまいか」

「私が、今ここに来ていることを、関羽に知らせてやりさえすれば、夜を日についでも、これへ参ろうと思いますが」

「なぜ早くそういう良計を、わしに献策してくれなかったのか」

「義弟とそれがしの間に、まったく消息がなくてさえ、常に、お疑いをうけ勝ちなのに、もしひそかに、関羽と書簡を通じたりなどといわれたら、たちまち禍いのたねになりましょう」

「いや、悪かった。もう疑わん。さっそく消息を通じ給え。もし関羽が味方にきてくれれば、顔良、文醜が生きかえってくるにもまさる歓びであろう」

玄徳は拝諾して、黙々、自分の陣所へ帰った。

幕営のそと、星は青い。

玄徳はその夜、一穂の燈火を垂れ、筆をとって、細々と何か書いていた。

――もちろん関羽への書簡。

時おり、筆をやめて、瞑目した。往事今来、さまざまな感慨が胸を往来するのであろう。

燈火は、陣幕をもる風に、パチパチと明るい丁子の花を咲かせた。

「あ……。再会の日は近い！」

彼は、つぶやいた。燈火明るきとき吉事あり――という易経の一辞句を思いだしたからである。一点、彼の胸にも、希望の灯がともった。

風の便り

一

大戦は長びいた。

黄河沿岸の春も熟し、その後袁紹の河北軍は、地の利をあらためて、陽武（河南省・原陽附近）の要害へ拠陣を移した。

曹操もひとまず帰洛して、将兵を慰安し、一日慶賀の宴をひらいた。

その折、彼は諸人の中で、

「延津の戦では、予がわざと兵糧隊を先陣につけて敵を釣る計略を用いたが、あれを覚っていたのは荀攸だけだった。しかし荀攸も口の軽いのはいけない」と思い出ばなしなど持ちだして大いににぎわっていたが、そこへ汝南（河南省）から早馬が到来して一つの変を報じた。

汝南には前から劉辟、龔都という二匪賊がいた。もと黄巾の残党である。

かねて曹洪を討伐にやってあったが、匪賊の勢いは猛烈で洪軍は大痛手をうけ、いまなお、退却中という報告であった。

「ぜひ有力な援軍を下し給わぬと、汝南地方は黄匪の猖獗にまかせ、後々大事にいたるかも知れません」と、早打ちの使者はつけ加えた。

ちょうど、宴の最中、人々騒然と議にわいたが、関羽が、

「願わくは、それがしをお遣りください」と、申し出た。

曹操は、歓びながら、

「おお、羽将軍が行けば、たちどころに平定しようが、先頃からご辺の勲功はおびただしいのに、まだ予は、君に恩賞も与えてない。——しかるにまたすぐ戦野に出たいと

は、どういうご意志か」

と、すこし疑って訊ねた。

関羽は、答えていう。

「匹夫は玉殿に耐えずとか、生来少し無事でいると、身に病が生じていけません。百姓は鍬と別れると弱くなるそうですが、こなたにも無事安閑は、身の毒ですから」

曹操は、呵々と大笑しながら、膝をたたいて、――壮なるかな、さらば参られよと、五万の軍勢を与え、于禁、楽進のふたりを副将として添えてやった。

あとで、荀彧は、曹操に意見した。

「よほどお気をつけにならんと、関羽は行ったまま、遂に帰ってこないかも知れません。始終容子を見ているに、まだ玄徳を深く慕っておるようです」

曹操も、反省して、

「そうだ、こんど汝南から帰ってきたら、もうあまり用いないことにしよう」と、うなずいた。

汝南に迫った関羽は、古刹の一院に本陣をおいて、あしたの戦に備えていたが、その夜、哨兵の小隊が、敵の間諜らしい怪しげな男を二名捕まえてきた。

関羽が前に引きすえて、二名の覆面をとらせてみると、そのひとりは、なんぞ計らん、共に玄徳の麾下にいた旧友の孫乾なので、

「やあ、どうしたわけだ」と、びっくりして、自身彼の縛めを解き、左右の兵を退けて

から、二人きりで旧情を温め合った。

関羽はなによりも先ずたずねた。

「其許(そこもと)は、家兄玄徳のお行方を知っているだろう。いま何処におられるか」

「されば、徐州離散の後、自分もこの汝南へ落ちのびてきて、諸所流浪していたが、ふとした縁から劉辟(りゅうへき)、龔都(きょうと)の二頭目と親しくなり、匪軍(ひぐん)のなかに身を寄せていた」

「や。では敵方か」

「ま、待ちたまえ。——ところがその後、河北の袁紹からだいぶ物資や金が匪軍へまわった。曹操の側面を衝けという交換条件で——。そんなわけで折々河北の消息も聞えてくるが、先頃、ある確かな筋から、ご主君玄徳が、袁紹を頼まれて、河北の陣中におられるということを耳にした。それは確実らしいのだ。安んじ給え。いずれにせよ、ご健在は確実だからな」

二

故主玄徳はいま、河北に無事でいると聞いて、関羽は爛々(らんらん)たる眼に、思慕の情を燃やしながら、しばらく孫乾(そんけん)の顔を見まもっていたが、やがて大きな歓びを、ほっと息づいて、

「そうか。……ああ有難い。だがまさかおれを歓ばすために、根もない噂を聞かすのではあるまいな」

「なんの、汝南へきた袁紹の家臣から聞いたことだから、万まちがいはない」

「天のご加護とやいわん」

関羽は、瞼をとじて、何ものかへ、恩を謝しているふうだった。

孫乾は、さらに声をひそめて、

「汝南の匪軍と、袁紹とは、いま云ったようなわけで、一脈の聯絡があるのだ。……だから明日の戦では、劉辟、龔都の二頭目も、みな偽って逃げるから、そのつもりで手心よろしく攻め給え」

「何で、彼らが、偽って逃げるのか」

「匪軍の将ながら、劉辟も龔都もかねて心のうちで、ふかく其許を慕っておった。で、このたび羽将軍が攻め下ってくると聞くと、むしろ歓びをなしたほどなのだ。しかし一面、袁紹と結んでいる関係もあるから、戦わぬわけにもゆかぬ」

「わかった。彼らがその心ならば、手心をしよう。それがしは平定の任を果たせばそれでよい」

「そして、一度、都へ帰られた上、二夫人を守護してふたたび汝南へ下って参られい」

「おお、一日も急ごう。……すでにご主君の居どころが分ったからには、一刻半日もじっとしていられない心地はするが、そのお居所が、袁紹の軍中だけに、もしそれがしが不意に行ったら、どんな変を生じようもはかり難い。――なにせい先に顔良、文醜などの首をみなこの関羽が手にかけておるからな」

「では、こうしましょう。……この孫乾が、先に河北へ行って、あらかじめ袁紹とその周囲の空気を探っておきます」

「む、む。それなら万全だ。身に変事のかかることは怖れぬが、彼に身を寄せ給うているご主君が心がかり……。頼むぞ、孫乾」

「お案じあるな、きっと、そこを確かめて、あなたが二夫人を守護してくるのを、半途まで出て待っていましょう」

「おお、一刻もはやく、主君のご無事なおすがたを見たいものだ。ひと目、その思いを果たせばそれだけでも、関羽は満足、いつ死んでもよい」

「なんの、これからではありませんか、羽将軍にも似あわしくない」

「いや、気持のことだ。それほどまで待ち遠いというたまでのこと」

陣中すでに更けている。

関羽は、裏門からそっと、孫乾ともう一名の間諜を送りだした。

「怪しげな密談を？……」と、宵から注意していた副将の于禁、楽進のふたりは物陰からそれを見ていた。しかし関羽を怖れてそこでは何の干渉もなし得なかった。

あくる日、匪軍との戦は、予定どおりの戦となった。

賊将の劉辟、龔都のふたりは、颯爽と陣頭へあらわれたが、またすぐすこぶる大仰に関羽に追われて退却しだした。首を取る気もないが逃げるを追って、関羽も物々しくうしろへ迫った。

すると龔都がふり向いて、

「忠誠の鉄心、われら土匪にすら通ず、いかで天の感応なからん。――君よ、他日来たまえ。われかならず汝南の城をお譲りせん」と、いった。

関羽は苦もなく州郡を収めて、やがて軍をひいて都へ還った。

兵馬の損傷は当然すくない。

しかも、功は大きかった。曹操の歓待はいうまでもない。于禁、楽進はひそかに曹操に訴える機を狙っていたが、曹操の関羽にたいする信頼と敬愛の頂点なのを見てはへたに横から告げ口もだせなかった。

三

祝盃また大杯を辞せず、かさねて、やや陶然となった関羽は、やがて、その巨軀をゆらゆら運んで退出して来た。

大酔はしていたが、帰るとすぐ、彼は、二夫人の内院へ伺候して、

「ただ今、汝南より凱旋いたしてござる。留守中なんのお恙もなくいらせられましたか」

と、久しぶり拝顔して、四方山ばなしなどし始めた。

すると甘夫人は、

「将軍、妾の待ちわびていたのは、そのような世間ばなしではありません。戦いの途

次、なんぞわが夫玄徳の便りでも聞かなんだか。お行方を知る手がかりでも耳にしなかったか……」

と、もう涙ぐんで訊ねた。

関羽は、大々した腹中から、大きな酒気を吐いて、憮然と、

「その儀については、まだ手がかりもありませぬ。さりながら、この関羽がついておりますゆえ、余りにお心を苦しめたもうな。何事も、関羽におまかせあって、時節をお待ち遊ばすように」

――と。甘夫人も、糜夫人も、珠簾のうちに伏し転んで、声を放って泣き悲しんだ。

そして恨めしげに、関羽へいうには、

「さだめし、わが夫は、もうどこかでお討死を遂げているのでしょう。それと話しては、妾たちが、嘆き悲しむであろうと将軍の胸だけに包んでいるにちがいない。……そうです、そうに違いない。……ああどうしたらよいであろう」

こうも思い、ああも思い、女性の感傷は、纏綿の涙と戯れているようだった。糜夫人も、共に慟哭しながら、こよいの関羽の酒気をひがんで云った。

「羽将軍も、むかしと違って、いまは曹操の寵遇も厚く、恩にほだされて、妾たちが足手まといになって来たのでございましょう。……それならそれと云ってください。いっそのこと、将軍の剣で……妾たちのはかない生命をひと思いに」

「何を仰せられますか」

酔も醒めて、関羽は胸を正した。そして改まって二夫人へこう諭した。

「それがしの苦衷も少しはお酌みとりくだされい。曹操の恩に甘えるくらいなら何でこんな忍苦をしておりましょう。皇叔のお行方についても、曙光が見えかけておりますが、もしあなた様がたにお告げして、それがふと内走の下女から外にでももれては、これまでの苦心も水泡に帰するやも知れずと、実は深く秘している次第でございまする」

「えっ、何といやるか。……では、皇叔のお行方がすこしは分りかけているのですか」

「されば、河北の袁紹に身を寄せられて、先頃は黄河の後陣までご出馬と、ほのかに聞き及んでおりますものの、それとてもまだ風の便り、もっと確かめてみなければわかりません」

「将軍、それは、誰に聞きましたか」

「孫乾に出会い、かれの口から聞いたことです。やがてしかとしたことがわかれば、孫乾が、途中まで迎えに出ている約束になっております」

「そ、それでは、内院を捨てて、許都から脱れ出るおつもりか……」

「しっ……」

関羽は不意にふり向いて、内院の苑をじっと見ていた。風もないのに、そこらの樹木がさやさやと揺れたからである。

「……まだ、まだ、滅多なことを、お口に出してはいけません。再び、皇叔とご対面ある日まではじっとお身静かに、ただこの関羽をおたのみあって、何事も素知らぬふうにお暮しあれ。壁にも耳、草木にも眼がひそんでおるものと、お思い遊ばして」

避客牌

一

玄徳が河北にいるという事実は、やがて曹操の耳にも知れてきた。

曹操は、張遼をよんで、

「ちか頃、関羽の容子は、どんなふうか」と、たずねた。張遼は、答えて、

「何か、思い事に沈んでおるらしく、酒もたしなまず、無口になって、例の内院の番兵小屋で、日々読書しております」と、はなした。

曹操の胸にはいま、気が気でないものがある。もちろん張遼もそれを察して、ひどく気を傷めているところなので、

「近いうちに、一度てまえが、関羽をたずねて、彼の心境をそれとなく探ってみましょう」

と、いって退がった。

数日の後。

張遼はぶらりと、内院の番兵小屋を訪れた。

「やあ、よくお出で下すった」

関羽は、書物をおいて、彼を迎え入れた。――といっても、門番小屋なので、ふたりの膝を入れると、いっぱいになるほどの狭さである。

「何を読んでおられるのか」

「いや、春秋です」

「君は、春秋を愛読されるか。春秋のうちには、例の有名な管仲と鮑叔との美しい古人の交わりが書いてある条があるが、――君は、あそこを読んでどう思う」

「べつに、どうも」

「うらやましいとはお思いにならぬか」

「……さして」

「なぜですか。たれも春秋を読んで、管仲と鮑叔の交わりを羨望しないものはない。――我ヲ生ムモノハ父母、我ヲ知ルモノハ鮑叔ナリ――と管仲がいっているのを見て、ふたりの信をうらやまぬものはないが」

「自分には、玄徳という実在のお人があるから、古人の交わりも、うらやむに足りません」

「ははあ。……では貴公と玄徳とのあいだは、いにしえの管仲、鮑叔以上だというのですか」

「もちろんです。死なば死もともに。生きなば生をともに。管仲、鮑叔ごとき類とひとつに語れませぬ」

奔流のなかの磐石は、何百年激流に洗われていても、やはり磐石である。張遼はかれの鉄石心にきょうも心を打たれるばかりだったが、自分の立場に励まされて、

「――では、この張遼と貴公との交わりは、どうお考えですか」

と、斬りこむように、一試問を出してみた。すると、関羽は、はっきりと答えた。

「たまたま、御身を知って、浅からぬ友情を契り、ともに吉凶を相救け、ともに患難をしのぎあって参ったが、ひとたび君臣の大義にもとるようなことにでも立ちいたれば、それがしの力も及びません」

「では、君と玄徳との、君臣の交わりとは、較べものにならぬ――というわけですな」

「訊くも愚かでしょう」

「しからばなぜ君は、玄徳が徐州で敗れた折、命をすてて戦わなかったか」

「それを止めたのは、貴公ではなかったか」

「……むむむ。……だが、さまで一心同体の仲ならば」

「もし、劉皇叔死し給えりと知らば、関羽はきょうにも死にましょう」

「すでにご存じであろうが、いま玄徳は河北にいます。――ご辺もやがて尋ねてゆくお考えでござろうな」

「いみじくも仰せ下さった。昔日の約束もあれば、かならず約を果たさんものと誓っています。——ちょうどよい折、どうかあなたから丞相に告げてそれがしのためにお暇をもらってください。このとおりお願いいたす」と関羽は莚に坐り直して張遼を再拝した。

（——さてはこの人、近いうちに都を去って故主の許へかえる決心であるな）

と、張遼も、いまは明らかに観ぬいて心に愕きながらその足ですぐ曹操の居館へいそいだ。

二

関羽の心底は、すでに決まっている。彼の心はもう河北の空へ飛んでいます。——

張遼が、そうありのままに復命することばを、曹操は黙然と聞いていたが、

「ああ、実に忠義なものだ。しかし、予の真でもなお、彼をつなぎ止めるに足らんか」

と、大きく嘆息して、苦悶を眉にただよわせたが、

「よしよし。このうえは、予に彼を留める一計がある」

と、つぶやいて、その日から府門の柱に、一面の聯をかけて、みだりに出入を禁じてしまった。

——いまに何か沙汰があろう。張遼がなにかいってくるだろう。関羽はその後、心待ちにしていたが、幾日たっても、相府からは何の使いもない。

そのうちに、ある夜、番兵小屋をひきあげて、家にもどろうとすると、途中、物陰からひとりの男が近づいてきて、

「羽将軍。羽将軍……。これをあとでご覧ください」

と、何やら書簡らしい物を、そっと手に握らせて、風のように立ち去ってしまった。

関羽はあとで愕いた。

彼は幾たびか独房の燈火をきって、さんさんと落涙しながらその書面をくり返し読んだ。

なつかしくも、それは玄徳の筆蹟であった。しかも、玄徳は縷々綿々、旧情をのべた末に、

　君ト我トハ、カツテ一度ハ、桃園ニ義ヲ結ンダ仲デアルガ、身ハ不肖ニシテ、時マタ利アラズ、イタズラニ君ノ義胆ヲ苦シマセルノミ。モシ君ガソノ地ニ於テ、ソノママ、富貴ヲ望ムナラバ、セメテ今日マデ、酬イルコト薄キ自分トシテ、備（自分のこと）ガ首級ヲ贈ッテ、君ノ全功ヲ陰ナガラ禱リタイト思ウ。

　書中言ヲツクサズ、日暮河南ノ空ヲ望ンデ、来命ヲ待ツ。

と、してあった。

関羽は、劉備の切々な情言を、むしろ恨めしくさえ思った。富貴、栄達――そんなものに義を変えるくらいなら、なんでこんな苦衷に忍ぼう。

「いやもったいない。自分の義は自分のむねだけでしていること。遠いお方が何も知ろ

うはずはない」

その夜、関羽はよく眠らなかった。そして翌る日も、番兵小屋に独坐して、書物を手にしていたが、なんとなく心も書物にはいらなかった。

すると、ひとりの行商人がどこから紛れこんできたか、彼の小屋の窓へ立ち寄って、

「お返辞は書けていますか」と、小声でいった。

よく見ると、ゆうべの男だった。

「おまえは、何者か」と、ただすと、さらに四辺をうかがいながら、

「袁紹の臣で陳震と申すものです。一日もはやくこの地をのがれて、河北へ来給えとお言伝てでございます」

「こころは無性にはやるが、二夫人のお身を守護して参らねばならん……身ひとつなれば、今でもゆくが」

「いかがなさいますか。その脱出の計は」

「計も策もない。さきに許都へまいる折、曹操とは三つの約束をしてある。先頃から幾つかの功をたてて、よそながら彼への恩返しもしてあることだから、あとはお暇を乞うのみだ。——来るときも明白に、また、去るときも明白に、かならず善処してまいる」

「……けれど、もし曹操が、将軍のお暇をゆるさなかったらどうしますか」

関羽は、微笑して、

「そのときは、肉体を捨て、魂魄と化して、故主のもとにまかり帰るであろう」と、い

った。

関羽の返事を得ると、陳震は、すばやく都から姿を消した。

関羽は次の日、曹操に会って、自身暇を乞おうと考えて出て行ったが、彼のいる府門の柱を仰ぐと、

　謹謝訪客叩門（つつしんでほうきゃくのこうもんをしゃす）

と書いた「避客牌（ひかくはい）」がかかっていた。

三

主（あるじ）がすべての客を謝して門を閉じている時は、門にこういう聯をかけておくのが慣（なら）いであった。

また客も門にこの避客牌がかかっているときは、どんな用事があっても、黙々、帰ってゆくのが礼儀なのである。

曹操は、やがて関羽が、自身で暇を乞いにくるのを察していたので、あらかじめ牌をかけておいたのだった。

「……？」

関羽はややしばらく、その前にたたずんでいたが、ぜひなく踵をめぐらして、その日は帰った。

次の日も早朝に、また来てみたが依然として避客牌は彼を拒んでいた。

あくる日は夕方をえらんで、府門へ来てみた。

門扉は、夕べの中に、唖のごとく、盲のごとく、閉じられてある。

関羽はむなしく立ち帰ると、下邳このかた随身している手飼いの従者二十人ばかりを集めて、

「不日、二夫人の御車を推して、この内院を立ち去るであろう。物静かに、打立つ用意に取りかかれ」

と、いいつけた。

甘夫人は、狂喜のいろをつつんで、関羽にたずねた。

「将軍、ここを去るのは、いつの日ですか」

関羽は、口すくなく、

「朝夕のあいだにあります」と、漠然答えた。

彼はまた、出発の準備をするについて、二夫人にも云いふくめ、召使いたちにも、かたく云い渡した。

「この院に備えてある調度の品はもちろんのこと、日頃、曹操からそれがしへ贈ってきた金銀緞匹、すべて封じのこして、ひとつも持ち去ってはならない」

なお彼は、その間も、毎日、日課のように、府門へ出向いてみた。そしては、むなしく帰ることが七、八日に及んだ。

「ぜひもない。……そうだ、張遼の私邸をたずねて、訴えてみよう」

ところがその張遼も、病気と称して、面会を避けた。何と訴えても、家士は主人に取次いでくれないのである。

「このうえはぜひもない！」

関羽は、長嘆して、ひそかに意を決するものがあった。真っ正直な彼は、どうかして曹操と会い、そして大丈夫と大丈夫とが約したことの履行によって、快く訣別したいものだと日夜苦しんでいたのであるが、いまはもう百年開かぬ門を待つものと考えた。

「何とて、この期に、意をひるがえさんや」

その夜、立ち帰ると、一封の書状をしたためて、寿亭侯の印と共に、庫の内にかけておき、なお庫内いっぱいにある珠玉金銀の筥、襴綾種々、緞匹の梱、山をなす名什宝器など、すべての品々には、いちいち目録を添えてのこし、あとをかたく閉めてから、

「一同、院内くまなく、大掃除をせよ」と、命じた。

掃除は夜半すぎまでかかった。その代りに、仄白い残月の下には、塵一つなく浄められた。

「いざ、お供いたしましょう」

一輛の車は、内院の門へ引きよせられた。二夫人は簾のうちにかくれた。

二十名の従者は、車に添ってあるいた。関羽はみずから赤兎馬をひきよせて打ちまたがり、手に偃月の青龍刀をかかえていた。そして、車の露ばらいして北の城門から府外へ出ようとそこへさしかかった。

城門の番兵たちは、すわや車のうちこそ二夫人に相違なしと、立ちふさがって留めようとしたが、関羽が眼をいからして、

「指など御車に触れてみよ、汝らの細首は、あの月辺まで飛んでゆくぞ」

そして、からからと笑ったのみで、番兵たちはことごとく震い怖れ、暁闇（ぎょうあん）のそこここへ逃げ散ってしまった。

「さだめし、夜明けとともに、追手の勢がかかるであろう、そち達は、ひたすら御車を守護して先へ参れ。かならず二夫人を驚かし奉るなよ」

云いふくめて、関羽はあとに残った。そして北大街（ほくだいがい）の官道を悠々、ただひとり後からすすんでいた。

註解

＊14　僭称（せんしょう）
勝手に自分の身分をこえた上の称号を名のること。

＊17　走狗（そうく）
狩りなどに追い使われる犬。他人の手先となって働く人。

＊17　蜻蛉（あきつ）
トンボの古名。トンボ目に属する昆虫の総称。益虫で、幼虫はヤゴ。せいれい。「あきづ」とも。

＊20　長史（ちょうし）
官名。漢代では相国（しょうこく）。または三公の下役。後世は、刺史の副官。

＊21　芙蓉帳（ふようちょう）
はすの花模様のあるとばり。寝床のこと。はすの花で染めたとばり。

＊25　櫛（くし）の歯（は）をひ（挽）く
人の往来や物事などがひっきりなしに絶え間なく続くことのたとえ。

＊27　霹靂（へきれき）
はげしいかみなり。いかずち。雷鳴。大音響。「青天の霹靂」などという。

＊28　兵革（へいかく）
武器と甲冑（かっちゅう）（よろいかぶと）。いくさ道具。兵甲。革は、皮で作ったよろいかぶと類のこと。戦争。

＊36　唇歯（しんし）の交（まじ）わり
くちびると歯との関係のように、互いに助けあって離れがたい交わり。「唇歯輔車（しんしほしゃ）」という。

＊37　後図（こうと）
後々のためのはかりごと。後日の計画。

＊40　春秋（しゅんじゅう）
中国の五経の一つ。紀元前七二二～四八一の間の魯（ろ）の国の歴史書に孔子が加筆したもの。

＊40　悚然（しょうぜん）
恐れてびくびくするさま。こわがるさま。竦然。

＊41　梅酸渇（ばいさんかつ）を医（いや）す（休（やす）む）
梅の実の甘ずっぱいことを想像して、思わず出るつばを飲んで一時のどの渇きをいやす。転じて、代用の物でも一時の間に合わせには役立つことをいう。

＊48　八哥鳥（はっかちょう）
スズメ目ムクドリ科の鳥。全長二十六センチでムクドリより大型。雌雄同色、全身が灰色がかった黒色で下面は淡い。揚子江以南の中国と台湾、ベトナム等に分布する。八八鳥（ははちょう）ともいう。

＊55　羈旅（きりょ）

旅行。旅人。故郷を離れて、よその土地に身を寄せること。

＊55　**禁裏**（**裡**）

みだりにその裡に入ることを禁ずという意味から、天子の住居、宮中、禁中、御所など。

＊57　**繁文縟礼**

規則や礼儀作法などが、こまごましていて、わずらわしいこと。無用の虚礼。手続きなどで、無用で形式的なことの多いこと。

＊57　**事大主義**

一定の主義・方針をもたないで、勢力の強大なものになびいて、安全をはかろうとするやり方。事は、つかえる意味。

＊62　**割符**

証印をおした木片を割ったもの。一片ずつ所持し、後日合わせて証拠とする。

＊64　**太尉**

昔の中国で、中央の武官の官名。武帝のとき、大司馬と改名したが、光武帝になって旧名に復し、三公の首となった。王莽のときは都尉といった。

＊66　**諂佞**

こび、へつらうこと。阿諛、諂諛。

＊106　**髻**

髪を頭の上に集めてたばねたところ。髪のねもと。たぶさ、みずら、びんずら。「髻を切る」など。

＊106　**鶴翼の備え**

鶴が翼を張ったように、中央から左右に長く張った形の陣立て。「鶴翼之陣」という。

＊110　**窮鼠が猫を咬む**

追いつめられた鼠が猫にかみつく意から、弱者でも追いつめられると強者に逆襲する。死にものぐるいになれば、弱者でも強者を苦しめることがある。

＊110　**短兵急**

短い武器をもって、勢いよく敵を攻める。転じて、突然ある行動をおこすさま。だしぬけ、いきなり。

＊112　**逸**（**佚**）**をもって労を撃**（**待**）**つ**

味方を十分休養させ鋭気を養っておいて、遠くから来て疲れた敵兵に当たる。孫子の兵法にみる必勝法。

＊117　**掎角**

前後からはさんで中の敵を攻めること。鹿を捕えるのに、うしろから足をひき、前から角をおさえることに由来する。

＊134　**晏如**

安らかなさま。安んじておちつくさま。

＊162　**扈従**

高い身分の人のお供をすること。随行すること。

＊163　**警蹕**
天子が出入するとき、先払いが声をかけて、道筋の人々を静めること。

＊168　**長嗟**
長くためいきして嘆くこと。長嘆。

＊196　**千鈞の重み**
鈞は目方の単位。一鈞は三十斤、一斤はほぼ六百グラム。目方の非常に重いことから転じて、価値がきわめて高いこと。非常な重要性。不動の価値。

＊227　**鴻門の会**
鴻門は、今の陝西省臨潼県にある地名。鴻門の会は「史記―項羽本紀」にみえる中国の故事で、中国秦末の英雄、漢の高祖（劉邦）と楚の項羽が、咸陽の争奪をめぐって紀元前二〇六年に会見したことをいう。

＊256　**世外**
俗世間のそと。うき世のわずらいの外。せいがい。

＊256　**通家**
昔から親しく交わってきた家。姻戚関係にある家。人情の機微に通じている人々。通人。つうけ。

＊257　**青史**
歴史のこと。昔、紙のなかった時代に、竹の青皮を火であぶって油をぬき、その上に書いたところからいう。汗青、殺青、記録、史乗など。

＊270　**鞠躬如**
身をかがめて敬い慎むさま。おそれ慎むさま。

＊288　**兵家**
兵学を研究する人。兵法に明らかな人。兵法家。中国、戦国時代の諸子百家の一つ。用兵の道を講じた一派で、周の孫武・呉起・尉繚など。

＊298　**千軍万馬**
多くの戦場をめぐって、戦闘の経験が豊富であること。また転じて、社会経験などが豊富であること。

＊300　**九流三教**
先秦の時代の代表的な九つの学派、儒家・道家・陰陽家・法家・名家・墨家・縦横家・雑家・農家（小説家を加えて十家という）と、夏・殷・周三代の教え。夏の忠、殷の敬、周の文。（儒教・仏教・道教説も）

＊330　**上元**
陰暦正月十五日のこと。中元・下元に対する語。

＊333　**頭風**
頭痛。頭がいたむこと。

＊357　**九泉**
人間が死んだ後に行く世界。冥土、黄泉、九原。

＊378　**心契**
外面だけでなく、心の底から深くちぎり合うこと。

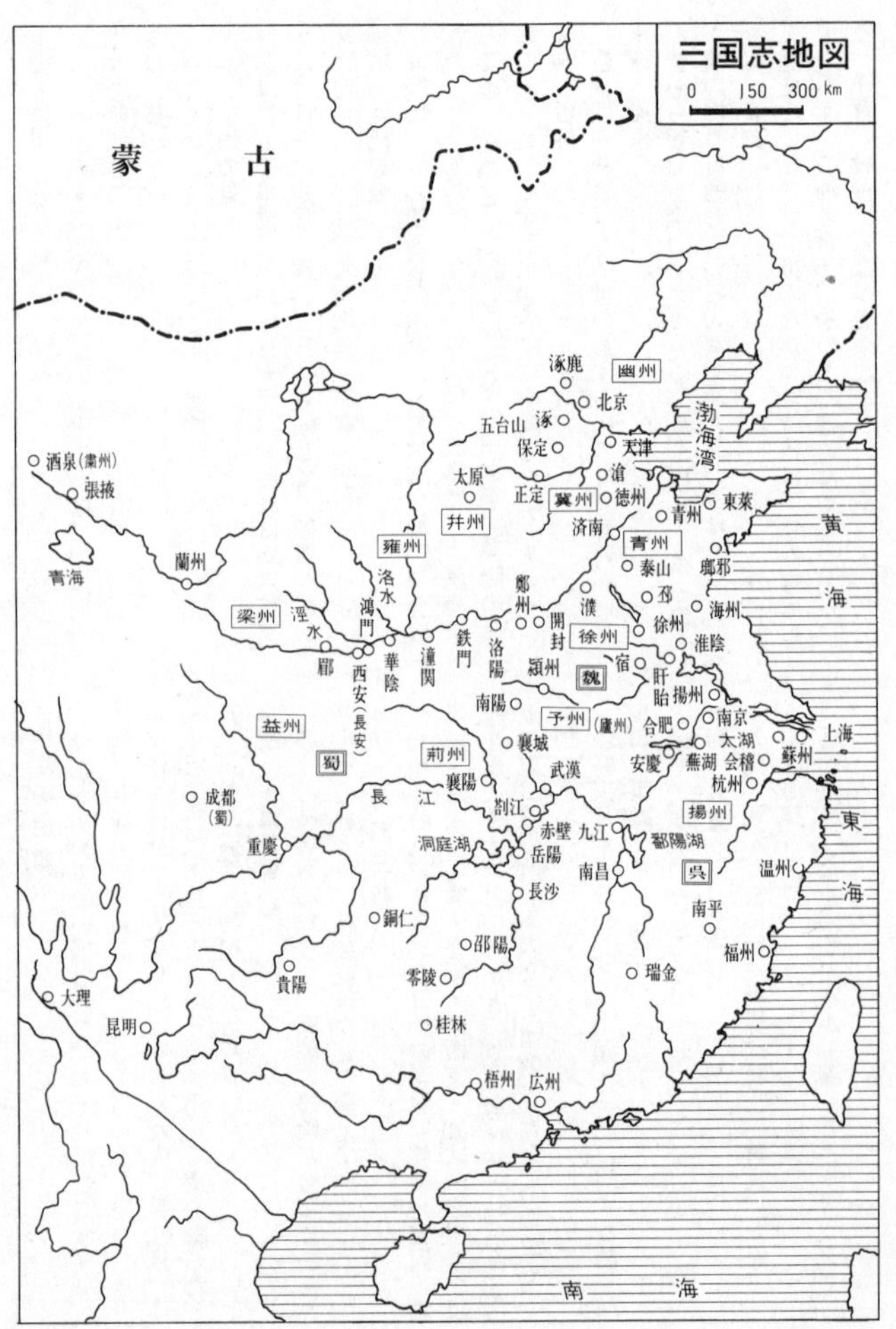
三国志地図
0 150 300 km
蒙 古
涿鹿
幽州
北京
五台山
涿
保定
天津
渤海湾
太原
正定
滄
冀州
徳州
東萊
青州
并州
済南
青州
黄
海
雍州
泰山
瑯邪
洛水
鄭州
濮
丕
海州
徐州
淮陰
酒泉(粛州)
張掖
青海
蘭州
梁州
涇水
鴻門
鉄門
洛陽
開封
徐州
郿
西安(長安)
華陰
潼関
潁州
宿
魏
盱眙
揚州
南陽
予州
(盧州)
合肥
南京
太湖
上海
益州
荊州
襄城
蜀
武漢
安慶
蕪湖
会稽
蘇州
成都(蜀)
長
江
襄陽
杭州
割江
揚州
東
重慶
赤壁
九江
鄱陽湖
洞庭湖
岳陽
南昌
呉
温州
海
長沙
南平
銅仁
邵陽
福州
貴陽
零陵
瑞金
大理
昆明
桂林
梧州
広州
南
海

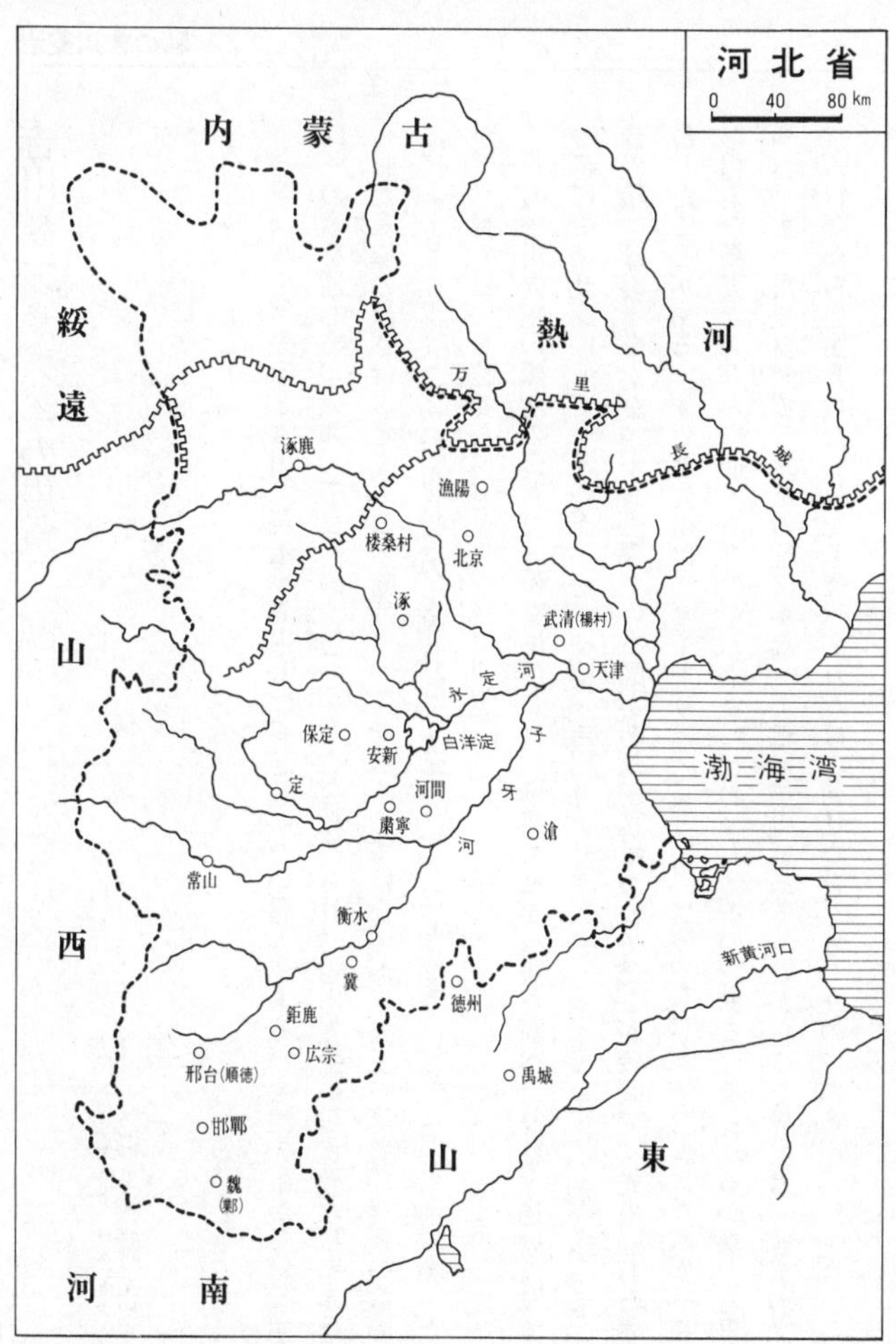
河北省
0
40
80 km
内蒙古
綏遠
熱河
万里長城
涿鹿
漁陽
楼桑村
北京
涿
武清(楊村)
天津
永定河
山
保定
安新
白洋淀
子牙河
定
河間
粛寧
滄
渤海湾
常山
衡水
冀
徳州
新黄河口
西
鉅鹿
広宗
邢台(順徳)
禹城
邯鄲
魏(鄴)
山東
河南

吉川リアリズムの恩恵

杉本健吉

会津（八一）先生と吉川（英治）先生とは、忘れがたい恩人である。会津先生からは、主にその歌を通して、大和・奈良への幻想の美しさを教えられ、吉川先生から未熟な私にかけられた哀憐の深さは、とてもこの断片でつくせるものではないが、先生が清盛や尊氏の側の〝理〟をさえ精魂こめて綴られたのを見れば、先生がいかに心の美しいやさしい人であったかは、誰の目にも瞭然だ。

その吉川先生の薫陶のうちで一例をあげれば、今でも私が故実を調べたり絵を描いたりする時にモノサシにしているのが、いわゆる「吉川リアリズム」である。平たい例でいうと、昔の絵には冠をかむったまま寝ている図があり、私はかねてそこが疑問で、先生におたずねしたことがある。すると先生はこともなげに、「暑ければ脱いだでしょうし、それが約束を超えた真実で、万人に通ずるものでしょう」とおっしゃるのである。これなるかな、と思った。まったく自然で、万法の理にかなった融通無碍である。だからこそ先生は、歴史の文字の行間から自由奔放な発見をして、あれだけのお仕事をなさったのである。

「暑ければ脱ぐでしょう」という平凡で淡々たることばが、千鈞（せんきん）の重みをもって迫ってくる。吉川先生の生活の実感そのものから吹き出たこのことばは、私が先生からいただいた最良のことばだ。あれッと驚く人間の六感が自然で、その解明がまた先生流に自然であれば、物事の本質はすっきり透（す）けて見えてくることを教えてくださった。

今度、大阪の四天王寺に落慶（らっけい）した絵堂（えどう）の壁画に、聖徳太子伝を描かせていただくことになった。大変な仕事であるが、資料を読むにも構想を練るにも、先生から教えられたリアリズムに徹して、万人に享受（きょうじゅ）される絵がかきたい。（談）

（画家）

三国志の旅(三)

吉川英治の中国体験

尾崎秀樹（文芸評論家）

吉川英治に「北京」と題した旅行記がある。長い間、黄土の大地を走り、やっと列車が北京の外城に近づいたときの驚きを、つぎのように述べている。

「東洋といふ文化的なにほひは、この大きな景観に接してから、日本人には特に強く、そして、東洋を感じ直す眼が一変してくる。

城内の諸門や天壇（てんだん）の塔や箭楼（せんろう）などが、茜（あかね）いろの夕靄（ゆうもや）の海から浮び上つてゐる。それを抱く内城の線の長さはまるで眼も届かない果てに淡れてゐる。古代エジプトのお伽噺のやうな文化が、いやそれ以上の現実が、ここにはある。——今まで車窓から目撃して来た、黄いろい土と黄いろい水と、そして高粱（コウリヤン）と泥の家としかない大陸の上に、どうしてこの文明があつたらうか」

中国大陸の広さと悠久の歴史を理屈でなく実感したのであろう。この見聞は昭和十二年八月に毎日新聞社の特派員として中国を旅行したときのものだが、翌年、漢口作戦に際しては、海軍班の一員として揚子江下流地帯を廻っている。吉川英治は上海、南京を経て、九江から溯江艦に便乗して長江を溯江した。一足先に南京へ着いていた評論家の杉山平助は、海軍武官室で吉川英治と顔をあわせた。晩餐会の後、酒のまわった参謀長は、愛読していた「宮本武蔵」を話題とし、同席した菊池寛をもまじえて、いっとき武蔵論がにぎやかにとりかわされたという。

吉川英治は従軍中も多忙だった。執筆のほかに、軍人の中にも多いファンたちのために講演するなど、なかなか自分の時間をもてなかったようだ。しかし寸暇を割いて南京市内を歩いたにちがいない。九月二十一日には下関埠頭から〇〇艦に乗り、蕪湖で一泊した後、安慶、九江を経て漢口へ向った。その間、艦上で講演をたのまれたこともあったし、はげしい撃ちあいを耳にしたこともあった。

「三国志」の構想がこの従軍中に次第にふくらんだことは、すでに述べたとおりだ。

龍蟠虎踞の古城

魏の曹操、蜀の劉備、呉の孫堅の三人は、曹操が一五五年、劉備が一六一年、孫堅が一五六年の生まれであり、同世代人だった。彼らは四百年つづいた漢王朝の崩壊期に生まれ、激動の中でそれぞれの夢をのばし、やがて天下を三分するわけだが、分裂抗争の時代だけに、その能力を遺憾なく発揮し、相互に争ったのであった。

曹操の祖父は宦官の出だが、彼は十九歳のときに孝廉にあげられ、将来を約束されたほど、機智と才能に恵まれていた。しかしエリート・コースを歩むような優等生タイプではなく、気宇壮大で破格なところがあり、既成の制度や文化にたいしても容赦ない変革を行い、屯田制、兵戸制、九品官人法などの基礎をつくり、文学者としても五言詩の確立に寄与している。

劉備は曹操や孫堅にくらべて数年若いが、漢の景帝の末裔を称しているだけに、漢王室の復興という大義名分をもち、篤実な人柄もプラスして、きわめて魅力的な存在であり、関羽や張飛など盟約の連中の人気とあわせて、三人の中ではいちばん点数がいい。しかし政治家としての力量は発揮される機会がなかった。その人気が他を圧しているのは、宋学的な風潮の中でひろがった「三国志演義」的名分論の結果であろうか。

また孫堅は杭州湾に注ぐ富春江の河口地帯に近い富春の出身であり、曹操のように名門でもなく、劉備のように王室の末裔でもなかったが、海賊退治で武名をあげ、黄巾の乱の平定に力をつくし、頭角をあらわした。この孫堅は廃墟となった洛陽に入って、城南の甄宮井の近くに駐屯し、井戸から漢の国璽を拾ったといわれる。

孫堅は三十六歳で戦没し、長子の孫策も二十五歳で刺客に襲われ、代ってその弟の孫権が覇業を受け継ぐ。

呉の都は現在の南京である。蜀の諸葛孔明は南京の地形を「鍾山に龍がとぐろをまき、石城に虎がうずくまる」と評したという。鍾山というのは、南京の東に横たわる紫金山のことであり、石城とは清涼山に建てられた石の城をさす。一説では南京市街を囲む城壁だともいわれる。いずれにせよ、南京の地勢は攻めるに難く守るに安い土地であろう。

南京は北京、西安、洛陽、開封、瀋陽などとともに、六大古都のひとつに数えられ、三国時代に呉の孫権によって都がおかれて以来、封建八王朝の首都となった。はじめは建業とよばれ、つづいて建康と改まり、唐時代に金陵となり、明の太祖朱元璋が君臨して応天府と名づけられた。しかし三代の世祖が北京へ都を移してからは、北の京にたいする南の京、つまり南京とよばれ、今日に到っている。

それ以後も太平天国軍が天京と称した時期もあり、孫文の民国誕生によって臨時政府がおかれ、さらに中華民国政府の首都ともなった。日本人にとっては、南京は歴史の汚点として記憶される。

現在、南京市街をとりまいている周囲三十数キロにおよぶ城壁は、明の太祖が七年の歳月を費してつくりあげたもので、高さは十二メートル、幅は七、八メートルにおよぶ雄大なものだ。紫金山に近い東南の一角などは、二十メートルを越す高さである。中国では交通の邪魔になることから、城壁をとり壊すところが少なくなく、吉川英治が感慨をもよおした北京の城壁も今はない。しかし南京では、かつての十三の城門を二十一にふやすということで、昔ながらの雄大な規模をそのままに残している。「鍾山に龍がとぐろをまき石城に虎がうずくまる」と評した孔明の実感を、私たちも味わうことができるのだ。

紫金山とその周辺

吉川英治が滞在したのは南京ホテルだった。そのホテルが現在どうなっているか、まだたしかめずにいるが、おそらく外資系のホテルであろう。当時、南京には宝来館という日本人旅館があり、城内と下関(シャーカン)に店を構えていたということだが、そこに立ち寄った形跡はない。

私は中山北路に面した南京飯店に泊ったことがある。そこが南京ホテルならばたいへん好都合なのだが、ホテルの従業員は昔のことを何も知らなかった。その飯店(ホテル)を出ると、プラタナスの街路樹が左右から枝をさしのべ、みごとな緑のアーケードを形づくっている。なにしろ南京は長江に面し、山に囲まれた盆地であるため、真夏には摂氏四十三度を記録するほどの暑さになり、武漢や重慶とあわせて〝三つの溶鉱炉〟の異名をとっている土地である。よく中国を旅行した人たちが、南京では電線にとまった雀が、焼鳥になって落ちてくるというくらいだ。それだけに緑のアーケードはたいへん快適である。案内してくれた人の説明では、現在の緑化面積は六千百八十ヘクタールを越え、植樹の数は二千四百万株にのぼるということだった。

鍾山は中山門外に位置している。主峰は海抜四百五十九メートル、北方の第一峰、東南方の第二峰、西方の第三峰が、あたかも筆置きのように横たわっている。その峰々が紫金山と総称されるのは、山肌が紫金石に掩われているからだ。

第二峰の山麓に孫文を祀った中山陵があり、第三峰には一九三四年に建てられた天文台がある。なにしろ中国では早くから天文学が発達し、すでに紀元前三世紀の頃、太陽、月、さらに五大惑星などの軌道についてたしかめられていたというほどで、紫金山天文台には渾天儀、天緯儀など貴重な古代観測器も保存されている。

中山陵の総面積は八万余平方メートル、陵墓の入口から祭堂までの石段は三百九十二段ある。その石段の途中に巨大な香炉がおいてあったが、その底に穴があいており、これは日本兵がいたずらしてあけたのだと案内書に書かれていた。

中山陵から右手へまわると、霊谷公園につづき、有名な三絶碑（呉道子の画、李白の賛、顔真卿の書により梁の名僧宝志の画像と賛が刻まれている）、無梁殿、松風閣がある。

また鍾山の左手には、明の太祖と馬皇后を合葬した孝陵があり、かつての規模はうかがわれないが、墓道の両側に立ち並ぶ石人、石獣をみることができる。

　鍾山の麓というより、南京駅に近いところには、周囲十キロほどの玄武（げんぶ）湖がひろがり、現在では遊覧池となっている。一方、水西門の外には莫愁（ばくしゅう）の故事にちなむ莫愁湖が位置し、その湖を見下す勝棋楼は、明の太祖が中山王の徐達と烏鷺（うろ）をたたかわせた所として知られる。

　市内には孔明と孫権が軍事について談じあったという龍蟠里だとか、孔明が馬をとめて建業（南京）周辺の地勢を眺めたという駐馬坡などもあり、三国時代にちなむ名勝・旧蹟は少なくない。桂花（もくせい）の匂いのたちこめる霊谷公園を静かに散策したり、中華門外の雨花台で、水に入れると鮮血（せんけつ）の色をあらわす雨花石をもとめ、六朝の故事や革命烈士をしのぶのも、南京についての歴史散歩としては欠かせないし、莫愁湖の西岸に近い鶏明寺で茶を喫するのも悪くない。

　天下四絶の一とされた名刹の棲霞寺は、南京城外二十キロほどのところにあるし、太平天国革命にちなむ歴史遺蹟や、周恩来総理らが和平交渉に乗りこんだ際の梅園新村の故居なども、一見の価値がある。

　私は下関（シャーカン）の埠頭から船に乗って、長江大橋の下を一巡する機会を得たが、吉川英治がそこから溯江艦に乗りこんだときは、日中間に不幸な戦雲がうずまいていた時期でもあったのだ。

吉川英治歴史時代文庫の表記について

吉川英治歴史・時代文庫の表記は著作権者との話合いで、児童作品を除き、次のような方針で行っております。

一、作品は新かなづかいを原則とする。ただし、引用文は原文のままとする。

二、送りがなは改定送りがなに準拠する。ただし、原文が許容されている送りがなを使用している場合は本則によらず、そのままとする。

（例）引揚げる。打明ける。

また、辺の場合など、ヘンかアタリか、親本のルビを基とし、ルビなく、どちらともとれるときは、辺のままとする。

三、原文の香気をそこなわないと思われる範囲で、漢字をかなにひらく。ただし、作品別、発表年代別に慎重を期する。

（例）然し→しかし　但し→ただし（接続詞）

噫→ああ　呀→あっ（感動詞）

迄→まで　位→くらい（助詞）

凝っと→じっと　猶→なお（副詞）

儘→まま（形式名詞）

例外の場合

御机→お机（御身→御身（おんみ））（接頭語）

四、会話の『』は「」にする。

五、くりかえし記号　ヽ　ヾ　〳〵　々々は原則として使用しない。

なお、作品中に、身体の障害や人権にかかわる差別的な表現がありますが、文学作品でもあり、かつ著者が故人でもありますので、一応そのままにしました。ご諒承ください。

吉川英治歴史時代文庫 35

三国志(三)

一九八九年四月十一日第一刷発行
二〇〇五年六月二日第四十刷発行

著者——吉川英治
発行者——野間佐和子
発行所——株式会社講談社
東京都文京区音羽二—一二—二一
郵便番号一一二—八〇〇一
電話 編集部 〇三—五三九五—三五〇五
販売部 〇三—五三九五—五八一七
業務部 〇三—五三九五—三六一五
印刷——凸版印刷株式会社
製本——株式会社国宝社

Printed in Japan ISBN4-06-196535-2

吉川英治歴史時代文庫 全80巻 補巻5 編成表

＊平成二年十月　全巻完結